Christine Pullein-Thompson

Die Tierarzt- *familie*

Die Deutsche Bibliothek – CIP-Einheitsaufnahme

Pullein-Thompson, Christine:
Die Tierarztfamilie / Christine Pullein-Thompson. [Übers. aus
dem Engl. von Eva Korhammer]. – München : F. Schneider,
1992
  ISBN 3-505-04771-6

© 1992 by Franz Schneider Verlag GmbH
Frankfurter Ring 150 · 8000 München 40
Alle Rechte vorbehalten
© 1990 by Christine Pullein-Thompson
Originaltitel: A vet too few (vol. 1)
Vets in rurmoil (vol. 2)
Übersetzung aus dem Englischen von Eva Korhammer
Titelbild: Gertraud Funke
Umschlaggestaltung: Claudia Böhmer
Lektorat: Vera Fiebig
Textredaktion: Birgit Lörler
Herstellung: Hermann Stakmaier
Satz: Ludwig Auer GmbH, Donauwörth
Druck: Presse-Druck Augsburg
ISBN 3-505-04771-6

INHALT

Ein Tierarzt zuwenig

1

Es war Oktober, und sie hatten Herbstferien. Die un-
aufgeräumte Küche, in der sie gerade Kaffee tranken,
lag wie die übrigen Wohnräume im selben Haus wie
die Tierarztpraxis.

Tina, blond, zierlich, blaue Augen, kauerte in Jeans,
Sweatshirt und Sandalen auf einem Küchenstuhl und
bemerkte: „Ziemlich ruhig heute."

„Sobald deine Mutter zurück ist, muß ich los", sagte
Carl, der am anderen Ende der Straße bei seiner Großmutter lebte, seit seine Eltern bei einem Autounfall
ums Leben gekommen waren.

Tina war mit ihren fünfzehn Jahren nur ein paar
Monate jünger als Carl. Sonst hatten sie aber wenig
gemeinsam, denn Carl war dunkelhaarig, braunäugig
und sanft, und er hing so sehr an Tinas Eltern, daß die
Leute ihn häufig für ihren Sohn hielten.

Tina sah ihre Eltern etwas nüchterner: Ihre blonde
Mutter mit den graugrünen Augen war leicht verletz-
bar, sie änderte rasch ihre Meinung und war schnell zu
verunsichern. Für ein krankes Tier konnte sie bis zum
bitteren Ende kämpfen, ohne Rücksicht auf sein Alter
oder seine Verletzungen. Tinas Vater dagegen – grau-
haarig, breitschultrig, zerfurchtes Gesicht, bodenstän-
dige Natur – widerrief selten seine Meinung oder seine
Diagnose. „Der hatte ein langes glückliches Leben",
pflegte er über Tiere zu urteilen. Oder: „Der hat ein

gnädiges Alter erreicht. Geben wir ihm die Chance, keine Schmerzen mehr aushalten zu müssen." In neun von zehn Fällen behielt er recht.

Dann war da noch die zwölfjährige Kate, die ihren nußbraunen Schopf kurz trug und ihr Gesicht verziehen konnte wie der Vater. Auch seinen Dickkopf hatte sie geerbt, denn sie bestand darauf, ihre eigenen Freunde und ihr eigenes Leben zu haben. Und sie ließ es nicht zu, daß die Praxis sie so vereinnahmte wie die übrige Familie, die kaum ein Wochenende miteinander verbrachte, an dem der Vater nicht zu irgendeinem dringenden Fall gerufen wurde.

Tina jedoch konnte sich ein Leben ohne die tierärztliche Ambulanz nicht vorstellen: an mindestens fünf Tagen in der Woche Telefonanrufe, operative Eingriffe an kranken Tieren, Arbeit von früh bis spät. Zu Rachel, der Krankenschwester, hatte sie ein freundschaftliches Verhältnis, und zu der grauhaarigen Mrs. Holbeach, die manchmal in Notfällen als Assistentin einsprang, sagte sie Daphne und sah in ihr so etwas wie eine Tante.

Und erst das bunte Sammelsurium von Patienten! Die beiden Gänse, die mit Verletzungen an den Schwimmhäuten zu ihnen gebracht wurden und dann einfach dageblieben waren. Oder der Esel Abraham, den ihre Mutter aus einem Schuppen befreit hatte, wo er knietief im Schlamm stand, auf total wundgelaufenen Hufen, die jahrelang nicht gepflegt worden waren. Oder die drei Katzen Mopsy, Flopsy und Meg, die irgendwann bei ihnen eingezogen waren. Oder die Elster Jerry, die sämtliche Krähen terrorisierte, die in den

12

hohen Bäumen jenseits des Gartens hausten, auf dem kleinen Stück Feld, das sie großartig als Koppel bezeichneten.

Als Tina ihren Kaffeebecher ins Spülbecken stellte, schien alles zu sein wie immer. Auch für Carl war die Welt in Ordnung. Woher sollten die beiden auch wissen, daß zu diesem Zeitpunkt das Schicksal bereits gegen sie arbeitete, daß ein paar Minuten später ein Wagen auf ihren Hof fahren würde, aus dem zwei Polizisten kletterten?

„Polizei!" rief Carl überflüssigerweise.

„Wahrscheinlich bringen sie uns wieder ein paar ausgesetzte Hunde zum Einschläfern. Mein Gott, wie ich das hasse! Warum schaffen die Leute sich einen Hund an, um ihn dann wieder loszuwerden?" fragte Tina.

„Das weißt du doch. Weil sie sich die süßen kleinen Welpen als Spielzeug kaufen und nicht damit fertig werden, wenn ein Hund draus geworden ist", erklärte Carl geduldig, als hätte er diese Zusammenhänge nicht schon hundertmal erklärt.

Aber im Wagen waren keine Hunde, und im Hof standen nur zwei große Polizisten mit Bürstenhaarschnitt, die sich unsicher umsahen.

„Wir sollten hinausgehen", sagte Tina und schlüpfte automatisch in ihre Gummistiefel, obwohl der Hof draußen nur mit trockenem goldgelben und rostbraunen Herbstlaub übersät war.

„Mrs. Carr?" rief einer der Polizisten ihr hoffnungsvoll zu.

„Die ist nicht da", antwortete Tina und fragte sich, ob er sie tatsächlich für ihre Mutter hielt.

„Wenn Sie warten wollen, können Sie sie in ein paar Minuten sprechen", schlug Carl vor. „Sie muß gleich kommen."

„Mein Vater muß aber auch jede Minute zurück sein", meinte Tina. „Wollen Sie warten?"

Die beiden Polizisten blickten sich unschlüssig an. Sie schienen es sehr eilig zu haben.

„Wenn wir Glück haben, kriegen wir Mrs. Carr ans Telefon", sagte Carl. „Das heißt, falls sie abnimmt."

Er weiß sich immer zu helfen! mußte Tina denken. Er war eben einer von ihnen, so ganz anders als Kate mit ihrer ewigen Widerborstigkeit, die die Tierklinik und die Verpflichtungen, die sie ihnen allen aufhalste, oft genug haßte.

„Hier, Sie können jetzt mit Mrs. Carr sprechen!" rief Carl aus dem Behandlungsraum.

„Gehen Sie nur hinein! Ist es etwas Wichtiges?" fragte Tina. „Was ist denn passiert?"

Keiner der beiden Polizisten gab ihr Antwort.

„Sie machen so finstere Gesichter", wandte Tina sich an Carl. „Was meinst du, warum sie gekommen sind?"

„Vielleicht wieder wegen Tierquälerei. Ich denke, daß Mum sich vielleicht so ein armes Geschöpf ansehen soll, damit sie später als Zeugin aussagen kann", antwortete Carl. Dann hielten beide den Mund und lauschten.

„Es tut mir leid, Sie stören zu müssen", sprach der Polizist ins Telefon, während sein Kollege nervös auf dem Hof hin und her lief. „Aber Ihr Mann war in einen Unfall verwickelt. Ich hätte es Ihnen gern unter vier Augen gesagt, aber das war wohl nicht möglich. Er liegt in der Unfallklinik. Nein, er ist nicht in Lebensgefahr. Doch, einen Krankenwagen hat er schon gebraucht."

Den Rest bekam Tina nicht mehr mit, weil in ihrem Kopf bereits ein Gedankenkarussell kreiste, das monoton wiederholte: ‚Dad ist verletzt – er hatte einen Unfall – vielleicht stirbt er –'

„Ja, sein Zustand ist stabil. Ja, ja, es wäre schön, wenn Sie sobald wie möglich zu ihm fahren könnten."

Jetzt drehte sich Tina plötzlich zu Carl und schrie ihn verzweifelt an: „Wie sollen wir das denn schaffen ohne Dad? Das ist unmöglich! Und angenommen, er... nun, du weißt, was ich meine..."

„Er wird bestimmt wieder gesund." Carl blieb gefaßt und versuchte, nicht daran zu denken, daß seine Eltern bei einem Autounfall umgekommen waren und daß so etwas immer wieder passierte. Eine verrückte Welt war das, in der Ärzte tagtäglich Menschen- und Tierleben zu retten versuchten, während andere mit ihren verfluchten Autos Leben töteten!

„Deine Mutter möchte mit dir sprechen, Tina", sagte der Polizist und hielt ihr den Telefonhörer hin.

Tina riß den Hörer an sich. „Hallo Mum, bist du in Ordnung?" schrie sie hinein.

„Natürlich! Verlier jetzt bitte nicht die Nerven. Papa wird wieder gesund. Sein Zustand ist nicht schlecht", beruhigte sie ihre Mutter. „Und jetzt hör zu: Ich fahre sofort in die Klinik und bin zum Mittagessen deshalb nicht zu Hause. Es steht aber alles zum Aufwärmen bereit. Mach dir also mit Kate etwas zu essen. Ich komme dann so bald wie möglich. Versuche aber, Si-

mon aufzutreiben und bitte ihn, die Abendsprechstunde zu übernehmen, ja?"

„Aber er hat heute seinen freien Abend!" warf Tina
ein.

„Das hilft nichts. Erzähl ihm, was passiert ist. Ruf
ihn sofort an. Ich muß hier noch schnell etwas zu Ende
bringen. Bis später!"

„Und wenn ich Simon nicht erreiche?" wollte Tina
noch wissen. Aber ihre Mutter hatte aufgelegt.

Die Polizisten waren gegangen. Mopsy, Flopsy und
Meg warteten auf ihre Abendfütterung. Die Raben
krächzten die Elster auf ihrem hohen Baumsitz an. Die
Gänse marschierten bereits Richtung Nachtlager. Es
war ein Abend wie jeder andere, nur daß Dad in der
Unfallklinik lag und vielleicht nie mehr so sein würde
wie zuvor.

„Hör auf, dich zu sorgen, Tina. Heutzutage können
die Ärzte ihre Patienten so zusammenflicken, daß sie
wie neu nach Hause gehen", sagte Carl. Dabei war
seine Stirn voller Sorgenfalten.

Tina rief Simon an. Es fiel ihr schwer, vernünftig mit
ihm zu reden, weil in ihrem Kopf immer noch dieses
Karussell kreiste. „Können Sie bitte die Abendsprechstunde übernehmen? Dad hatte einen Autounfall. Er
liegt im Krankenhaus. Meine Mutter fährt gerade zu
ihm. Die Polizei hat uns benachrichtigt", stammelte
sie.

Am anderen Ende der Leitung entstand eine kleine
Pause, dann antwortete Simon: „Mach ich. Das tut mir
aber leid! Wie ist das denn passiert?"

„Wissen wir noch nicht", sagte Tina.

An diesem Abend ging alles durcheinander. Es fing schon damit an, daß sämtliche Leute nach Alan Carr verlangten und enttäuscht waren, daß er nicht da war. Simon tat sein Möglichstes. Dafür brach aber die hoffnungslos überforderte Schwester Rachel immer wieder in Tränen aus. Und weil sich dabei ihre Brillengläser beschlugen, suchte sie Simon ständig die falschen Karteikarten heraus. Der war aber ohnehin schon frustriert genug, weil er für diesen Abend seine Freundin zum Tanzen eingeladen hatte und nun im Abendjackett unter seinem weißen Kittel schwitzte.

Carl und Tina kochten für die Leute im Wartezimmer Kaffee, aber die Atmosphäre blieb trotzdem gespannt, und die Tiere reagierten entsprechend. Zu allem Überfluß war das Wartezimmer auch noch überfüllter als üblich: drei Mädchen mit einem Vogel im Karton, eine Dame mit einer riesigen gelben Katze, ein Pudel, eine große Dänische Dogge und ein Mischlingshund, natürlich alle mit ihren Besitzern. Als die Katze plötzlich den Pudel anfauchte, verlor der die Nerven und fing an, wie wild im Kreis herumzurennen, wobei er sich in seiner Leine verhedderte, während gleichzeitig der Mischling lauthals die Katze anbellte. Schließlich hob der Mischling auch noch sein Bein an der Tür zum Behandlungsraum. Und die ganze Zeit über strömten noch mehr Leute herein, bis kein einziger Stuhl mehr frei war.

„Wenn Simon sich nur ein bißchen mehr beeilen würde!" beklagte Tina sich bei Carl.

„Es liegt nicht an ihm, Rachel bringt alles durcheinander. Gerade hat sie ihm wieder die Karteikarte für eine Katze gebracht, wo er doch einen Hund behandelt! Hoffnungsloser Fall!" erklärte Carl kopfschüttelnd. Dann zog er wieder mit der Kaffeekanne los, um die Stimmung im Wartezimmer aufzubessern.

Wenn Mum wenigstens zu Hause wäre! Wenn wir wenigstens wüßten, wie es Dad geht! sinnierte Tina gerade, als ein korpulenter Mann in den Vierzigern, der einen winzigen Yorkshireterrier bei sich hatte, anfing zu toben: „Jetzt habe ich aber die Nase voll! Schließlich kann ich nicht die ganze Nacht hier herumsitzen! Ich gehe!" Er zerrte das Hündchen hinter sich her und schlug die Tür so heftig hinter sich zu, daß das ganze Haus zu erzittern schien.

„Den wären wir Gottseidank los!" rief die Dicke mit der gelben Katze.

„Sie sprechen mir aus der Seele! Solche Menschen sind mir unerträglich", stimmte ihr die Besitzerin der großen Dogge zu.

„Heutzutage wissen die meisten einfach nicht mehr, was sich gehört", fuhr die Dicke schimpfend fort und löffelte Zucker in ihren Kaffee.

„Der nächste, bitte!" rief Simon mit entnervter Stimme aus dem Behandlungsraum. Hinter der Tür zischte er Tina zu: „Hilf Rachel, bevor sie durchdreht! Versuch du, die Karteikarten zu ordnen!"

Aber in diesem Moment kam Kate ins Wartezimmer gestürzt und rief mit schriller Stimme: „Wo sind Mum und Dad? Ihre beiden Wagen stehen nicht draußen. Was ist passiert? Warum sind sie nicht zu Hause?"

Tina zerrte Kate in die Küche. „Setz dich und hol tief Luft. Dad hatte einen Unfall. Mum ist bei ihm im

Krankenhaus. Wir wissen nicht, wie schlimm es ist..."

Das Waschbecken quoll über von ungespültem Geschirr. Um Tinas Füße strichen Mopsy, Flopsy und Meg, die drei Katzen, die auf ihr Futter warteten.

„Aber, wie ist er..." Kate war aschfahl geworden.

„Es war ein Autounfall." Tina hatte automatisch einen Kessel Wasser auf die Ofenplatte gestellt, genau wie ihre Mutter es in solchen Fällen tat. Auch ihr war ganz elend.

„Aber wie sollen wir denn das hier ohne Dad schaffen?" fragte Kate und rieb sich die Augen.

„Irgendwie."

„Und ich war gerade so fröhlich! Alles schien so prima zu laufen, und jetzt das", schluchzte Kate auf, als ob das Unglück nur in ihr Leben eingebrochen wäre.

Typisch Kate! mußte Tina denken. Nie konnte sie über ihren Schatten springen und einen Vorfall mal aus der Sicht aller Beteiligten sehen, sie dachte immer nur an sich. „In der Ambulanz herrscht Chaos. Simon tut sein Bestes, aber alle wollen lieber Dad. Heute abend hätte er Sprechstunde gehabt", sagte Tina und goß automatisch Kaffee in zwei Becher, obwohl sie selbst eigentlich schon viel zuviel von dem Zeug getrunken hatte.

„Mir ist ganz schlecht. Ich kann's einfach nicht fassen! Ganz bestimmt war Dad nicht schuld", jammerte Kate. Sie blickte sich in der Küche um, und auf einmal war ihr alles zuwider. Wonach sie sich sehnte, war ein kleines, gepflegtes Haus und Eltern, die jeden Tag zur gleichen Zeit nach Hause kamen, und Ferien im Ausland. Um nichts in der Welt möchte ich Tierarzt sein oder einen heiraten! dachte sie, während sie ihre Schwester ansah, die mit wirren Haaren und ungeschminkt herumlief.

„Ich wünschte, Mum riefe endlich an", sagte Tina, während sie die Katzen fütterte. Dann ging sie nach draußen und sperrte die Gänse für die Nacht ein. Nach und nach verließen die Leute die Praxis, aber hinter dem Fenster war immer noch Simons Kopf zu erkennen, um den die Haare wie ein Heiligenschein standen. Simon war einer der ansehnlichsten Männer, die sie kannte, aber nicht ihr Typ. Ihr war ein Gesicht wie das ihres Vaters lieber, mit Falten, die sich bewegten, wenn er lächelte; er hatte ein Gesicht, das Bände sprach. Verglichen damit war Simons Gesicht wie ein leeres Blatt Papier, das erst noch beschrieben werden mußte.

„Bitte, lieber Gott, mach Dad wieder gesund", betete sie. „Mach, daß alles gut heilt und daß ihm nichts mehr fehlt, wenn er heimkommt, bitte, lieber Gott! Ich gehe dafür auch in die Kirche, und ich spende mein ganzes Taschengeld der Heilsarmee, wenn du nur machst, daß es ihm wieder gut geht", murmelte sie vor sich hin, während sie ins Haus zurückging.

„Meinst du, er muß jetzt sein Leben lang im Rollstuhl fahren?" fragte Kate mit angstvoller Stimme, als Tina wieder in die Küche kam.

„Das glaube ich nicht."

Kate klapperte jetzt mit den Zähnen.

„Setz dich an den Ofen und trink deinen Kaffee", ordnete Tina an. „Nervenkrisen können wir nicht brauchen. Wir müssen uns alle zusammenreißen."

„Du hörst dich an wie unser Schulrektor", beschwerte sich Kate.

Bevor sich die beiden Schwestern in die Haare geraten konnten, erschien glücklicherweise Carl mit einem Tablett voll leerer Kaffeebecher. „Da draußen geht's immer noch zu wie im Irrenhaus", berichtete er.

„Streiten sie sich immer noch?" fragte Tina.

„Sogar handfest! Eine von den Katzen hat sich losgerissen, und eine Matrone namens Mrs. Fudge ist über sie gestolpert und behauptet nun, sich die Hüfte gebrochen zu haben. Rachel kümmert sich um sie. Und ihr? Irgendwelche Neuigkeiten?" fragte Carl.

„Noch nicht."

„Ich hasse es, zu warten."

„Ich auch."

„Warum mußte das passieren?" lamentierte Kate.

„Schicksal", sagte Carl. „Alles ist Schicksal."

„Das ist mir zu einfach! Es muß doch einen Grund geben. Nicht alles kann man mit Schicksal entschuldigen!" fand Tina.

In diesem Moment hörten sie ein vertrautes Motorengeräusch und rannten nach draußen. Mum kletterte aus ihrem weißen Kombi. „Sieht gar nicht so übel aus!" rief sie ihnen entgegen. „Er wird wieder ganz gesund werden. Aber es wird seine Zeit brauchen."

„Ist er schwer verletzt?" fragte Kate.

„Nein, nicht sehr schwer. Er hat einen Beckenbruch. Es hätte viel schlimmer kommen können."

„Wird er wieder laufen können?" fragte Kate. Sie starrte ihre Mutter an, übersah aber, wie müde sie aussah. „Wie sollen wir ohne ihn auskommen?" quengelte sie weiter. „Du bist dann noch weniger zu Hause und kannst nicht mal für uns kochen!"

Tina regte sich noch einmal über ihre egoistische Schwester auf, bevor sie sagte: „Der Kessel ist aufgesetzt, Mum."

„Wie gut! Eine Tasse Kaffee kann ich jetzt gut gebrauchen. Kommt Simon zurecht?"

„Es geht so. Ein paar Leute sind wütend davongerannt, aber sonst läuft alles ganz gut. Nur Rachel dreht ziemlich durch und ist schon ganz verheult", gab Carl Auskunft.

„Wir müssen uns jetzt alle zusammenreißen", sagte Mum energisch und seufzte insgeheim. „Es wird nicht leicht werden. Zunächst rufe ich Tante Cloe an und frage sie, ob sie eine Weile zu uns kommen kann. Seit Onkel Reg tot ist, ist sie ganz auf sich gestellt, und eine kleine Abwechslung wäre ihr vielleicht nicht unlieb. Außerdem ist sie, wenn sie nüchtern ist, eine fabelhafte Köchin", ergänzte sie, während sie sich über dem Waschbecken die Hände wusch.

„Das Kochen kann auch ich übernehmen", erbot sich Tina.

„Aber nicht ständig. Nicht, wenn du wieder zur Schule mußt."

„Wenn wir alle mit anpacken, schaffen wir das schon, Tina", sagte Carl.

„Natürlich. Aber nicht so gut wie Dad", sagte Tina. „Das schaffen wir doch niemals, oder?"

Sie setzten sich an den Küchentisch, und während sie miteinander redeten, wurde ihnen ihre Notsituation in ihrem ganzen Ausmaß immer mehr bewußt.

Nach einer Weile kamen Simon und Rachel in die Küche. „Wir haben alles Wichtige für den Doktor aufgeschrieben oder im Computer gespeichert", berichtete Rachel und putzte ihre Brillengläser. Sie war groß und hatte ein blasses Gesicht und lebte trotz ihrer vierundzwanzig Jahre immer noch bei ihren Eltern. Jeder wußte, wie sehr sie Alan Carr verehrte.

„Haben Sie etwas dagegen, wenn ich jetzt gehe? Ich habe Sue nämlich für heute abend zum Tanzen eingeladen, oder besser: ich hatte", sagte Simon.

„Ja, natürlich, gehen Sie nur, Simon!"

„Morgen früh schaue ich herein, um zu sehen, wo's brennt", versprach Simon und lachte kurz auf. „Er kommt doch wieder auf die Beine, oder?"

Alle verstanden, wen er mit „er" meinte.

„In sechs oder sieben Wochen sicher."

„Ich wußte, daß ein Autounfall so einen Mann nicht außer Gefecht setzen kann. Ich meine, er hat ja schon unzählige Unfälle hinter sich und sie alle ganz gut überstanden", brachte Simon ihnen lachend in Erinnerung. „Vergessen Sie nicht, wie hart er im Nehmen ist! Ich schätze, er wird so frisch wie eh und je wieder vor uns stehen, bevor wir uns daran gewöhnt haben, ohne ihn auszukommen."

„Hoffentlich haben Sie recht! Einen schönen Abend, Simon, und vielen Dank für Ihre Hilfe", sagte Mum.

Auch Rachel ging nach Hause.

Nach dem Essen, das keinem von ihnen so recht schmecken wollte, holte Mum den Terminkalender. „Du meine Güte, morgen muß ich zu dieser Reitschule fahren, vor der mir jetzt schon graut", stellte sie entsetzt fest. „Da muß ich schon im Morgengrauen aufstehen. Und ihr wollt Dad ja bestimmt auch schon morgen besuchen."

„Wir stehen mit dir auf", sagte Tina. „Und natürlich wollen wir zu Dad."

Carl blickte auf die Uhr. „Ich müßte seit einer Ewigkeit zu Hause sein und mich um meine arme Gran kümmern", stellte er seufzend fest. Alle nannten Carls Großmutter nur bei diesem Kosenamen.

Später rief Mum Tante Cloe an, und anschließend stellte sie eine ellenlange Liste auf. „Wir müssen versuchen, für Dad einen Vertreter zu finden, aber es wird nicht einfach sein", sagte sie.

„Kommt Tante Cloe denn wirklich zu uns?" fragte Tina.

„Ja, so rasch sie kann." Cloe war Dads Schwester, aber die beiden hatten wenig gemeinsam. Ihr waren Kleinigkeiten wichtig, die Dad nie aufgefallen wären, ein Kissen am falschen Platz etwa oder ein schiefhängendes Bild. In dieser Hinsicht war sie wie Kate. Aber nach Onkel Regs Tod trank Tante Cloe zu viel – vielleicht gar nicht so sehr, um sich mit Alkohol über seinen Verlust hinwegzutrösten: denn zu Onkel Regs Lebzeiten hatten die beiden ständig Streit miteinander. Dad war der einzige, der das anders auslegte. „Sie plänkeln doch nur herum, und das hält sie jung", pflegte er zu sagen. Jetzt, wo Reg nicht mehr lebte, fühlte sich Tante Cloe nicht mehr ausgelastet, und sie benebelte ihren leeren Kopf mit Alkohol.

Bevor Ann Carr zu Bett ging, schloß sie sämtliche alkoholischen Getränke in einen Schrank ein.

„Das finde ich richtig fies von dir, Mum", schimpfte Kate. „Warum tust du so was?"

„Es ist nur zu ihrem Besten, und jetzt ins Bett mit dir", antwortete die Mutter.

Tina lag schon im Bett und versuchte sich auszumalen, wie es ihrem Vater im Krankenhaus wohl ginge. Das hielt er doch nicht aus! Ausgerechnet Dad, der um keinen Preis der Welt still liegen konnte! Dann mußte sie daran denken, wie unsicher das Leben war und wie schnell etwas passieren konnte. Das Leben war wie das Wetter: man konnte nie voraussagen, wie rasch es sich ändern würde. Als diese Gedanken sie am Einschlafen hinderten, holte sie sich einen Krimi von Agatha Christie und fing an zu lesen.

Auch Kate konnte nicht einschlafen, obwohl es nicht ihrer Art entsprach, sich Sorgen um Dad zu machen. Ihre Gedanken drehten sich vielmehr um ihre Mutter, die alles ohne Dad schaffen wollte. Und um die Party, die sie in diesen Ferien veranstalten wollte. Ob die am Ende jetzt gestrichen wurde?

Nur ein paar hundert Meter weiter weg stand Carl an dem kleinen Fenster, dicht neben seinem Bett. Das schaffen wir schon! dachte er. Aber es wird nicht leicht. Ich werde die ganze Zeit mithelfen, so gut ich kann, aber Alan wird uns allen trotzdem fehlen.

Seine Gran hatte gesagt, der Unfall sei Gottes Wille gewesen, und Carl hatte ihr wütend geantwortet: „Dann halte ich nicht viel von Gott!" Gran, die ein Heiligenbild über ihrem Bett hängen hatte, war daraufhin sehr böse geworden und nannte ihn einen Heiden. In letzter Zeit gab es immer häufiger Auseinandersetzungen zwischen ihm und Gran. Irgendwie lebten sie sich auseinander. Nicht einmal dieselbe Musik mochten sie mehr. Carl vermißte jetzt oft seine Eltern, die er nie gekannt hatte. Er fühlte sich eingeengt in diesem Haus, fand, daß es dort für seine Bücher und seine Träume einfach nicht mehr genügend Raum gab. Carl träumte nämlich davon, Tierarzt zu werden. Er träumte vom College und von Jahren harter Arbeit, die eines Tages von seiner eigenen Tierarztpraxis gekrönt würden. Für ihn gab es im Augenblick kein höheres Ideal, als so zu werden wie Alan Carr, der nun mit gebrochenen Knochen im Krankenhaus lag.

Gedankenverloren sah er aus dem Fenster. Die kleine Stadt da draußen schien zu schlafen. Ein Nachtleben gab es nicht, nicht einmal ein Café, das noch nach zehn Uhr abends geöffnet hatte. Die Probleme dieses Städtchens beschränkten sich auf streunende Hunde und Katzen und pferdenärrische Mädchen, die ihre Ponys auf einem Stückchen Acker hielten, der im Sommer mit giftiggelbem Kreuzkraut übersät war und mit schwarzen Maulwurfshügeln. Gerade verließen die letzten paar Gäste die einzige Wirtschaft, und kurz danach fuhr der letzte Zug des Tages aus der kleinen Bahnstation.

Carl kletterte in sein altmodisches Bett. Wenn ich einmal Tierarzt bin, lasse ich mich weit weg von hier nieder, wo die Tiere noch in freier, weiter Wildbahn leben. In Australien oder Kanada vielleicht, dachte er, ja, als „Fliegender Tierarzt"! In dieser Stimmung, zwischen Wirklichkeit und Traum schien ihm alles möglich, bevor ihn der Schlaf übermannte.

2

Alle standen um halb sieben auf, sogar Kate. Ann Carr machte in fliegender Eile Frühstück. Bald stand auch schon Carl auf der Schwelle und rieb sich den Schlaf aus den Augen, während draußen hauchfeine Spinnenfäden in der aufgehenden Sonne waberten.

„Ich habe schon eine neue Nachricht auf unseren Anrufbeantworter gesprochen, damit die Leute in dringenden Fällen die Konkurrenz anrufen. Gern habe ich das natürlich nicht getan, aber ich habe keine andere Wahl. Simon habe ich auch schon auf Trab gebracht. Er geht für mich zur Hühnerfarm und brandmarkt dann die Kälber. Mir steht erst mal die Reitschule bevor." Die Mutter seufzte.

„Du hast ja jeden aus dem Schlaf geklingelt", stellte Kate vorwurfsvoll fest.

„Vermutlich, Kate. Würdest du bitte zu Hause bleiben, um Tante Cloe zu empfangen? Sie kommt mit dem Auto. Kümmerst du dich um sie, Kate?"

„Aber..."

„Und ihr, Tina und Carl, könnt mich begleiten, wenn ihr wollt. Auf dieser Reitschule kann ich jede Menge Unterstützung gebrauchen. Die schulden uns mehrere hundert Pfund und meckern trotzdem die ganze Zeit herum. Es ist kaum zu fassen!" meinte sie kopfschüttelnd.

„Eine scheußliche Schule", bestätigte Tina.

„Aber sie hat Zulauf", mußte Ann Carr zugeben.

„Allerdings!" kreischte Kate. „Fast alle meine Freundinnen reiten da!"

„Obwohl die Pferde alle abgemagert sind bis auf die Rippen!" schrie Carl zurück.

„Nicht alle", schränkte Ann Carr ein, „nur ein paar."

„Soll Simon dann die Morgenambulanz machen?" Tina wollte das Thema wechseln.

„Ja. Aber sobald ich einen Moment Zeit habe, will ich den guten alten Ivor fragen, ob er nicht einen Teil davon übernehmen will. Ich weiß, er wird bald achtzig, aber er war mal ein großartiger Tierarzt."

Inzwischen war es halb acht und höchste Zeit, sich auf den Weg zu machen. Kate ließ die Gänse heraus und fütterte die Katzen und Abraham. Mum, Tina und Carl, alle in Baumwollpullis und Jeans, kletterten in den Kombi und verschwanden im hellen Morgen.

Als sie eintrafen, lag die Reitschule noch verlassen da. Sämtliche Stalltüren waren von oben bis unten verrammelt. Dahinter hörte man Pferdegewieher. An einem Gatter im Freien standen ein paar Tiere und warteten auf ihr Futter.

„Warum machen sie die Stalltüren auch oben dicht?" fragte Carl.

„Vermutlich haben sie Angst vor Dieben", antwortete Ann Carr.

„Dafür könnten sie sich doch einen Wachhund halten", meinte Tina.

„Aber ist das nicht Tierquälerei, die wir anzeigen müßten?" Carl war empört.

Ann schüttelte den Kopf. „Es passiert eine Menge Unrecht, das man nicht zur Anzeige bringen kann", sagte sie. „Traurig, aber wahr! Und wenn doch mal jemand verurteilt wird, ist die Strafe so gering, daß sie kaum weh tut."

„Da kommen sie", sagte Tina.

Die Eigentümer hießen Ward. Jim Ward hatte einen grimmigen, geldgierigen Gesichtsausdruck. Er sah aus wie ein bissiger Hund, der einen bei der geringsten Annäherung anfallen würde. Seine Frau Rene wirkte klein und gedrungen neben ihm; ihr glanzloses graues Haar war mit unzähligen Klammern nach hinten gezurrt, und zwischen ihren trockenen Lippen klemmte, wann immer man sie sah, eine Zigarette.

„Wir sollten zu Ihnen kommen, um einige Ihrer Pferde zu untersuchen, richtig? Mein Mann liegt im Krankenhaus, Sie müßten mir also bitte erklären, was wir zu tun haben", stellte Ann Carr sich mit einem Lächeln vor, das ihre Gesprächspartner wohl kaum erwidern würden.

„Wir haben davon gehört. Aber Alan kennt jedes einzelne Pferd, mit all seinen kleinen Macken, persönlich. Sie wissen, wie unterschiedlich die sind. Keine zwei Pferde kann man über denselben Kamm scheren. Das wissen Sie doch, oder?" fragte Jim Ward mißtrauisch.

„Ja. In den mehr als zwanzig Jahren Praxis, die ich inzwischen habe, kriegt man so das eine oder andere mit", antwortete Ann Carr trocken.

In den Ställen fingen die Pferde jetzt an, verrückt zu spielen. Mrs. Ward schloß die erste Tür auf.

„Zu schade, daß sie nicht hinausschauen können", bemerkte Carl.

„Das wäre zu riskant, bei dem vielen Diebsgesindel hier in der Gegend", gab Mr. Ward zur Antwort.

„Also gut, Mrs. Carr, ich möchte, daß Sie sich Beacon ansehen. Gestern hatte er den ganzen Tag Koliken, und heute früh sieht es kaum besser aus mit ihm", fuhr er fort.

Trotz der frühen Stunde erschienen nun schon die ersten Kinder. „Wir wollen sie füttern", rief ein kleines Mädchen, während ein anderes anfing, Eimer mit Wasser zu füllen, als gehörte das trotz der Ferien zu ihren Pflichten, jeden Werktag und vermutlich auch am Wochenende.

Carl ging zu ihnen, um ihnen zu helfen, während Beacon, ein schlankes, hochbeiniges, kastanienbraunes Pferd, nach draußen geführt wurde. An seinem Rückenfell hingen überall Strohhalme.

„Er hat sich wieder gewälzt", stellte Rene Ward fest.

„Wie lang ist er schon in diesem Zustand?" fragte Ann und sah ihn sich näher an.

„Seit gestern."

„Sie hätten mich gleich rufen sollen", sagte Ann und rannte zu ihrem Kombi.

„Das haben wir ja, aber Sie waren nicht da. Und da haben wir ihm einen Einlauf gemacht", erklärte Jim Ward.

Aber Tina war sofort klar, daß sie so lange gewartet hatten, weil sie Kosten sparen wollten.

„Ich hoffe nur, er ist versichert", sagte Ann und ließ ihre Hände über Beacons Fell gleiten, bevor sie eine

Injektionsnadel in den schlanken kastanienbraunen Hals einführte.

„Nein. Wir können uns nicht leisten, unsere Pferde zu versichern. Die Kosten wären gigantisch." Jim Ward sah noch grimmiger drein als sonst.

Ob er überhaupt lächeln konnte? fragte sich Tina. Ob es irgend etwas gab, worüber die beiden auch mal lachten? Oder ob sie je Spaß miteinander hatten?

Ann Carr trat zurück und beobachtete Beacon. Tina merkte, daß Mum sich Sorgen machte. Plötzlich wurde ihr klar, daß sie zu spät gekommen waren. Das Pferd wird sterben! dachte sie verzweifelt.

„Führen Sie ihn ständig herum. Er darf sich auf keinen Fall hinlegen. Wann haben Sie ihm den letzten Einlauf gemacht?"

„Gestern abend um neun."

„Und wie ging es ihm danach?"

„Wir haben nicht nachgesehen."

„Ich mache ihm eine Spülung. Kann ich bitte einen Eimer Wasser haben?" bat Ann.

Tina zog sich zurück und sah zu, wie die Kinder ihre Ponys holten, Ponys in allen Größen und Rassen. Einige der Kinder erkannten Tina als Kates Schwester. Sie winkten ihr zu und riefen: „Wird Beacon wieder gesund?"

„Ich weiß nicht."

„Er muß doch nicht sterben?"

„Ich weiß es doch auch nicht. Vielleicht." Tina sah sich die Koppeln an. Das Kreuzkraut war verschwunden, aber dafür lag überall Unrat herum, der dringend beseitigt werden mußte.

Ann und Carl führten durch einen Schlauch Wasser in Beacons Nüstern ein. Als sie fertig waren, gab Ann Rene Ward noch ein paar Anweisungen und sagte: „Wenn es schlimmer wird, rufen Sie mich sofort, in Ordnung?"

„Gestern abend gegen sieben haben wir versucht, Sie zu erreichen, aber das Mädchen am Telefon konnte nichts anderes sagen als ‚Rufen Sie bitte später noch mal an!'" beschwerte sich Rene Ward. „Also haben wir den Einlauf selbst gemacht. Wenn Sie erreichbar gewesen wären, sähe jetzt vielleicht alles anders aus."

„Das muß Rachel gewesen sein. Sie hat sich furchtbar über den Unfall meines Mannes aufgeregt – wie wir alle. Tut mir leid. Aber wenn Sie etwas später angerufen hätten, wäre ich dagewesen. Auch der Anrufbeantworter war in Betrieb, aber vielleicht hat sie den vergessen, ich kann es wirklich nicht sagen. Aber bitte rufen Sie mich an, falls es ihm in einer halben Stunde nicht besser geht. Ich bin nicht weit weg, und gegen neun Uhr erreichen Sie auf jeden Fall jemanden in der Ambulanz."

„Wenn er stirbt, machen wir Sie dafür verantwortlich, Mrs. Carr, merken Sie sich das!" sagte Mrs. Ward und wandte sich um.

„Reden Sie keinen Unsinn! Sie hätten einen anderen Tierarzt rufen können. Wir sind nicht die einzigen in dieser Gegend", rief Carl ihr nach.

„Ich rufe Sie auf dem Heimweg noch einmal von unterwegs an. Und mein Besuch heute kostet Sie nichts. Aber sorgen Sie dafür, daß er sich nicht hinlegt, auch wenn er ein oder zwei Stunden lang sehr schläfrig sein wird", ordnete Ann Carr gelassen an, aber Tina sah an ihren geballten Fäusten und dem verkniffenen Mund, wie angespannt sie in Wirklichkeit war.

„So ein Saftladen!" stellte Carl fest, als er wieder in den Kombi kletterte.

Drei kleine Kinder waren gerade dabei, die Boxen auszumisten. Zwei andere striegelten dreckige Ponys.

„Scheint trotzdem beliebt zu sein", sagte Ann Carr und fuhr an.

„Ich bin dafür, daß er zugemacht wird", beharrte Carl.

Anschließend kümmerten sie sich um einen übergewichtigen Labrador, der auf einer Wiese in einer windschiefen Hütte hauste und sich an einem Drahtgitter die Pfote aufgerissen hatte. Dann einen schwarzen Kater, dem eine Fischgräte im Hals steckte und der einem kleinen Mädchen gehörte, das bei ihrer Ankunft losheulte: „Es ist meine Schuld! Ich habe ihm die Gräte gegeben!" Ihre Mutter, Mrs. Smith, wollte bar bezahlen und beschwerte sich über die Höhe der Rechnung.

„Sie hätten heute früh mit ihm in die Ambulanz kommen können", sagte Ann.

„Kein Auto. Ich habe kein Auto", schimpfte die Frau. Das Haus war mit Spielzeug vollgestopft, und auf dem Küchenboden kroch ein Baby herum, das einen Schnuller im Mund hatte. „Zwölf Pfund! Ist das wirklich Ihr Ernst? Sie sind doch nur zehn Minuten hier gewesen", raunzte Mrs. Smith weiter.

„Üblicherweise kostet ein Hausbesuch fünfzehn", antwortete Ann. „Wenn Sie sich die Mühe gemacht hätten, in die Ambulanz zu kommen, wären es nicht mehr als zwei Pfund gewesen."

33

„Das ist doch nur ein Streuner. Der ist keine zwölf Pfund wert", entfuhr es Mrs. Smith.

„So jemand dürfte kein Tier haben!" platzte Tina heraus, als sie weiterfuhren.

„Was kommt jetzt?" fragte Carl.

„Noch einmal die Reitschule", sagte Ann.

Als sie eintrafen, stand Beacon benommen in seiner Box, und die ersten Schüler ritten aus.

Rene Ward saß qualmend in der Sattelkammer. „So weit, so gut, aber zufrieden bin ich noch nicht", sagte sie.

„Ich auch nicht", gab Ann zurück.

„Er ist unser bestes Pferd. Der erträgt alles, Anfänger, Asse oder wen auch immer. Jeder mag ihn. Wenn er stirbt, verzeihe ich Ihnen das nie!" sagte Rene Ward in einem Tonfall, daß Tina denken mußte: Die fühlt sich wohl, wenn sie nur mit jemandem streiten kann!

„Ich tue mein Bestes", antwortete Ann. „Und wenn Ihnen das nicht genügt, kann ich noch einen anderen Arzt hinzuziehen. Oder wir könnten veranlassen, daß er in die Tierklinik gebracht wird. Dort kann man ihn vielleicht operieren oder zumindest eine Tomographie machen."

Rene Ward schüttelte den Kopf. „Wenn er stirbt, stirbt er hier, in seinem eigenen Stall", beharrte sie.

Tina sah sich im Hof um und fragte sich, ob diese Frau es wirklich nicht besser fände, wenn ihr Pferd auf einer grünen Wiese im Schatten eines Baums sterben würde als in dieser stinkenden Box mit Rene Wards Zigarettenqualm im Gesicht.

Da rief Rachel über das Autotelefon nach ihnen.

„Ich habe hier eine Mrs. Brockley am Apparat. Sie hat Angst, daß ihr Pony stirbt. Es kriegt keine Luft. Sie ist ganz verzweifelt. Die Adresse ist Little Limes, Finchly Green.“

„Verflixt, da kommen wir gerade her! Ist in Ordnung, sagen Sie ihr, wir sind auf dem Weg“, antwortete Ann.

Alle sprangen wieder in den Wagen und fuhren zurück nach Finchly Green. Mrs. Brockley wartete schon in der Einfahrt auf sie.

„Hier entlang“, schrie sie und wedelte theatralisch mit den Armen. Die ältere Dame mit zerbeulten grauen Hosen, grünen Stiefeln und wirren grauen Haaren rannte vor ihnen her und dirigierte sie zu einem kleinen Stellhof hinterm Haus. Ein Hund, der auch schon recht bejahrt aussah, lag dort in der Sonne. Ein riesiger Kastanienbaum zeichnete Schatten auf das verwitterte Hofpflaster, und auf dem tiefhängenden Dach des Stalles gurrten ein paar Tauben.

Sie folgten Mrs. Brockley in den Stall, wo ein kleines graues Welshpony fast im dicken Strohbett seiner Riesenbox verschwand. Es hielt seine Augen geschlossen und atmete so heftig, daß sich sein Bauch wie ein gewaltiger Blasebalg auf und ab bewegte.

Ann Carr machte Carl und Tina Zeichen, aus dem Weg zu gehen, damit sie sich neben das Pony knien und seinen Bauch abhorchen konnte. „Hat er schon einmal einen ähnlichen Anfall gehabt?“ fragte sie nach kurzer Zeit.

„Nein, noch nie. Ich besitze Williams aber auch erst eine Woche. Er ist für meine Enkelkinder“, gab Mrs.

Brockley eifrig Auskunft. „Ein ärztliches Gutachten habe ich nicht bekommen. Ich dachte, das brauche ich nicht, weil ich ihn von Freunden gekauft habe. War wohl ganz schön leichtsinnig von mir? Ich hätte ihn doch erst untersuchen lassen sollen."

„Nun, es ist nur ein Asthmaanfall", sagte Ann und stand auf. „Er sollte nicht im tiefen Stroh stehen, und sein Heu muß mindestens zwölf Stunden vor der Fütterung in Wasser eingeweicht werden. Sein Leiden ist lästig, aber nicht gefährlich. Trotzdem hätte man es Ihnen sagen müssen, aber auch Freunde sind nicht unbedingt verläßlich, wenn sie ein Pony verkaufen wollen. Ich gebe ihm jetzt eine Spritze und lasse Ihnen ein Pulver da, das Sie ihm geben, falls er noch mal einen Anfall bekommt. In ein oder zwei Stunden müßte es ihm wieder gutgehen. Sie müssen aber seine Streu auswechseln. Papierschnitzel oder Hobelspäne reichen."

„Gott sei Dank! Oh, vielen, vielen Dank!" rief Mrs. Brockley gerührt. „Kommen Sie doch bitte auf eine Tasse Kaffee herein. Ich kann Ihnen gar nicht genug danken, wirklich! Ich dumme alte Ziege habe nicht erkannt, daß es Asthma ist!"

Ann Carr führte eine Injektionsnadel in den Hals des Ponys ein. „Ein schöner Haferbrei mit Melasse oder Sirup würde ihm jetzt guttun. Ein reizendes Tier – Welsh Mountain, oder?" fragte Ann.

Mrs. Brockley nickte glücklich. „Ja, mit Stammbaum. Aber warum haben mir meine Freunde nichts gesagt? Und ich hatte sie für echte Freunde gehalten! Kommen Sie doch jetzt bitte auf eine Tasse Kaffee herein."

„Auch die allerbesten Freunde können mal versagen", kommentierte Ann, während sie alle die kleine Wohnung im hinteren Teil des Hauses betraten, wo Mrs. Brockley lebte. Die Sessel und das Sofa im Wohnzimmer waren mit geblümtem Stoff bezogen, und auch die Gardinen an den Fenstern hatten ein Blumenmuster. An der Wand stand ein großes Klavier mit unzähligen gerahmten Fotos. In der altmodischen Küche räkelten sich zwei Katzen auf ihren Kissen in der Nähe eines riesigen Ofens.

„Wie bin ich jetzt froh, daß Williams nicht ernstlich krank ist", wiederholte Mrs. Brockley strahlend, während sie den Kaffee aufbrühte. „Ich bin so erschrocken! Ich hatte wirklich Angst, er würde sterben!"

„Nun, jetzt wissen Sie ja, was Sie ihm geben müssen, wenn das wieder vorkommt", sagte Ann und gab ihr das Pulver. „Eine Gebrauchsanweisung liegt bei."

„Haben Sie vielen, vielen Dank! Sobald Sie weg sind, schaffe ich das Stroh aus seiner Box. Dann borge ich mir Sägespäne von einem Bekannten, bis ich selbst welche kaufen kann. Wirklich, Sie haben meinen Tag gerettet!" versicherte Mrs. Brockley noch einmal.

Tina fand die Einrichtung ziemlich puppig, aber eigentlich ganz hübsch und vor allem gemütlich. Hier kann sich jemand wie Mrs. Brockley, der ein bißchen exzentrisch, aber herzensgut ist, schon wohl fühlen, dachte sie. Eine der Katzen kletterte auf ihr Knie und fing an zu schnurren. Im Flur schlug eine Uhr elfmal. Nach dem Kaffeetrinken schauten sie noch einmal nach Williams. Er war nun wieder auf den Beinen und atmete fast normal.

Als sie gingen, schüttelte Mrs. Brockley ihnen allen die Hand und sagte: „Sie haben ein Wunder vollbracht. Besuchen Sie mich, wann immer Sie mögen, meine Tür steht Ihnen jederzeit offen. Vergessen Sie das nicht!"

Einen Augenblick lang dachte Tina, die Dame würde ihre Mutter zum Abschied sogar küssen. „Wenn sie nur alle so nett wären", seufzte Tina, als sie wieder in den Kombi kletterten, reichlich versorgt mit Kaffee und hausgemachtem Kuchen.

„Wetten, daß sie sich weder über die Höhe der Rechnung noch über sonst irgendwas beschweren wird?" meinte Carl.

Ann machte sich in dem Heft, das sie immer dabei hatte, ein paar Notizen über das Pony. „Wenn jetzt keiner mehr was von uns will, sollten wir vielleicht schnell Kate abholen und dann alle nachsehen, wie es unserem armen alten Dad geht", sagte sie.

Tante Cloe erschien in ihrem altgedienten Morris Mini. „Wie wunderschön, dich wiederzusehen!" sagte sie und umarmte Kate. „Aber wo sind die anderen?"

„Auf Hausbesuchen. Komm rein. Ich mache gerade Kaffee." Kate versuchte, sich aus der Umarmung zu winden.

Tante Cloe hatte ihren winzigkleinen Yorkshireterrier mit. „Zuerst muß ich Bambi in sein Bett bringen. Sonst fühlt er sich hier nicht zu Hause. Und bitte, tu mir den Gefallen und sperr die Katzen aus, Kate, Liebes! Mit Katzen verträgt er sich nicht", sagte sie.

Die Katzen waren aber ohnehin draußen. Auf dem Herd brodelte das Kaffeewasser. Rachel kümmerte sich in der Ambulanz um die wenigen Patienten, die noch da waren. Mrs. Tillet, die Zugehfrau, wienerte bereits den Boden im Wartezimmer. Kate dachte sich, daß im Moment alles seine Ordnung hatte.

„Und wie geht es eurem armen Vater?" fragte Tante Cloe, während sie Kate die Treppe hinauf in das Gästezimmer folgte. Sie war beladen mit zwei riesigen Koffern voller Kleider für jede Gelegenheit, während Kate nur Bambis Bett trug.

„Ich habe ihn noch nicht gesehen."

„Noch nicht?"

„Es ist gestern erst passiert, und heute sollte ich hier auf dich warten. Mum war aber schon gleich nach dem Unfall bei ihm. In Lebensgefahr ist er nicht."

„Natürlich nicht! Sag doch nicht so was!" plapperte Tante Cloe, nahm Kate Bambis gepolstertes Bett ab und stellte es vor die antike Kommode.

Kate hatte eine Vase mit Blumen auf den Toilettentisch gestellt, damit der spärlich eingerichtete Raum ein bißchen wohnlicher wirkte.

„Zum Badezimmer geht's hier lang", sagte sie und fing an, Spaß an ihrer Rolle als Empfangsdame zu finden, weil sie solche Aufgaben sonst nicht kannte.

„Dank dir, Kate. Ich komme dann gleich runter", sagte Tante Cloe. Während sie sich die Hände wusch, murmelte sie vor sich hin: „Scheußliche Seife! Und der Stöpsel paßt nicht ins Waschbecken!"

Und dann mußten natürlich die anderen auftauchen und alles verderben, indem sie alle auf einmal redeten und Tante Cloe begrüßten und ihr Kaffee anboten und überhaupt alles an sich rissen! Kate trollte sich nach draußen und klagte Abraham ihr Leid, der immer zuhörte und seine langen Ohren hin und her bewegte, während Kate sprach.

Keiner der anderen schien sich Gedanken darüber zu machen, wie Kate zumute war, wie sie es haßte, die Jüngste zu sein. Wie sie gern alles umgekrempelt und das Haus ordentlicher und bequemer gemacht hätte. Vor allem aber hätte sie gern mehr zu sagen gehabt, anstatt immer als Familienküken behandelt zu werden, dem man nichts Verantwortliches zutraute. Als sie fünf war, mochte das ja noch passen, aber inzwischen war sie zwölf und längst aus der Grundschule heraus.

Das alles erzählte Kate Abraham, und er hörte zu, oder wenigstens murmelte er nicht wie Tina „Du nervst mich!" Und er sah auch nicht immer wieder ungeduldig auf die Uhr wie Mum und sagte nicht „Ich habe jetzt keine Zeit, darüber zu diskutieren." Vielleicht hätte Tante Cloe eine neue Freundin für Kate werden können, aber auf die redete nun Tina wie ein Wasserfall ein, wie sie es bei allen Gästen machte. In diesem Moment haßte Kate ihre Schwester.

Und dann rief ihre Mutter: „Kate, willst du mit zu deinem Vater? Oder möchtest du lieber später mit Tante Cloe gehen?"

Und Kate, die immer noch grollte, rief zurück: „Lieber später mit Tante Cloe!"

3

Sie fanden ihren Vater buchstäblich ans Bett gefesselt: Er lag in einer Gipsschale. Aber er winkte ihnen freudig zu. Sein Zimmer war bereits mit Blumen und Genesungswunschkarten vollgestopft.

Alan Carr bot einen ungewohnten Anblick in seinem Bett, denn er war nicht der Mensch, der nach dem Aufwachen noch lange liegenblieb. „Aufsetzen darf ich mich noch nicht", erklärte er und bemühte sich um ein fröhliches Lächeln.

Tina stellte fest, daß sie ihren Vater noch nie so gesehen hatte, so gepflegt in seinem frischen gestreiften Pyjama. Nur sein Blick und sein spitzbübisches Lächeln waren wie immer.

„Setzt euch, setzt euch!" sagte er. „Holt euch Stühle. Seht euch die vielen Geschenke an, die ich bekommen habe. Verrückt, was? Und ich dachte immer, ich wäre unbeliebt. Ich dachte, ich bin für sie nur dieser verflixte Viehdoktor, der nie schnell genug kommt!"

Tina sah sich die Karten auf dem Fensterbrett an. Sie kamen von überall her, und die meisten Absender kannte sie nicht.

Carl kämpfte mit den Tränen, als er sein Ideal so hilflos daliegen sah. Er fragte sich, wie Alan es überhaupt ertrug, dauernd auf dem Rücken zu liegen.

Als Tina alle Karten gelesen hatte, fragte sie: „Was ist überhaupt passiert?"

„Eine Frau ist mir blindlings reingefahren. Vielleicht hatte sie einen Herzanfall, ich weiß nicht. Sie liegt auch hier in der Klinik. Muß einer von diesen folgenschweren Zufällen gewesen sein..."

Und auch darin bewundete Tina ihren Vater so sehr: er sprach nie schlecht über jemand. Er verstand es immer, die gute Seite in einem Menschen zu sehen. Tina stand am Fenster und betrachtete den gepflegten, von Blumenrabatten gesäumten Rasen.

Mum hatte Dad ein Köfferchen mit ein paar persönlichen Dingen mitgebracht, das sie nun in ein kleines Schrankfach neben seinem Bett schloß. „Brauchst du sonst noch etwas außer diesen unverschämt vielen Blumen und Grußkarten?" scherzte sie dabei.

„Sonst nichts." Und auch das war wieder typisch für Dad. Er war so bescheiden: ein Sandwich zu Mittag, ein Abendessen ohne großen Aufwand, gelegentlich ein Glas Bier – mehr brauchte er nicht. Sein Leben bestand vor allem aus Familie und Arbeit.

Dann mußte Alan Carr sich aber doch mit seiner Frau darüber unterhalten, wie es mit der Praxis weitergehen sollte. „Wenn es Probleme gibt, ruf mich an. Das heißt, falls du nicht selbst damit klarkommst. Ich scheine hier eine Sonderstellung zu genießen. Warum, weiß ich auch nicht. Vielleicht habe ich die Katze des Klinikchefs nach einem Unfall gerettet oder so was", meinte Dad lachend.

Tina gab ihm einen Abschiedskuß.

„Hilf deiner Mutter", sagte er. Carl klopfte er auf die Schulter. „Und du auch. Sagt mal, wo steckt eigentlich Kate?"

„Sie kommt später, mit Cloe", sagte Mum.

„Das paßt ja großartig! Ich liege nämlich hier und zermartere mir das Hirn, bei welchen von meinen Patienten was zu tun ist und welche Komplikationen auftreten könnten. Cloe könnte mir ja das Leben erleichtern, indem sie mir ein paar von meinen Fachbüchern mitbringt. Dann fange ich gleich morgen früh an zu lesen", erklärte er. „Oder zu studieren, das paßt besser." Alle mußten lachen, und auf dem Weg durch die sterilen Klinikflure nach draußen wünschte sich Tina wieder einmal inständig, so zu werden wie ihr Vater.

„Gibt's denn hier überhaupt nichts zu trinken? Kein winziges Tröpfchen?" fragte Tante Cloe.

Und ausgerechnet Kate, die ihre Mutter wegen der versteckten Flaschen gerügt hatte, hörte sich antworten: „Nein. Wir sind eingefleischte Antialkoholiker."

„Das glaube ich nicht. Das glaube ich einfach nicht. Doch nicht dein Vater! Was ist denn passiert?" schimpfte Tante Cloe und hackte dazu mit ihren Pfennigabsätzen auf die Fliesen, so daß die Katzen erschreckt von ihren Stühlen flüchteten.

„Wer Auto fährt, darf doch heute keinen Tropfen mehr trinken, das weißt du doch", erklärte Kate altklug.

Da klingelte das Telefon. Kate nahm den Hörer ab, und eine Stimme sagte: „Beacon ist tot. Und Sie tragen dafür die Verantwortung."

„Wer ist tot? Ich glaube, Sie haben sich verwählt!" schrie Kate.

„Keineswegs. Das ist doch Mrs. Carrs Privatnummer, nicht? Mit wem sprechen wir denn?"

„Sind Sie von der Reitschule?" fragte Kate mit ängstlicher Stimme.

„Ganz recht."

Kate knallte erschrocken den Hörer auf und schlug die Hände vors Gesicht.

„Was ist denn, Liebes? Schlechte Nachrichten?" fragte Tante Cloe.

„Das war die Reitschule. Die wollen Mum unter Druck setzen. Und alle meine Freundinnen reiten dort. Beacon soll tot sein. Wer das ist, weiß ich nicht, aber tot ist tot."

„Mach dich nicht verrückt, Liebes, das wird sich schon irgendwie klären. Wo könnte denn bloß was zu trinken sein? Zum Kochen braucht doch auch ihr mal einen Schuß Sherry oder Cognac. Oder wenigstens Rum für...", lamentierte Tante Cloe weiter.

„Dafür können sie Mum doch nicht verantwortlich machen, oder?" fuhr Kate fort, als hätte Cloe keinen Ton gesagt.

„Natürlich nicht, Liebes", sagte Tante Cloe und räumte ein Küchenschrankfach nach dem anderen aus.

Auf einmal konnte Kate Tante Cloe nicht mehr ertragen. Sie bereute, nicht mit den anderen gegangen zu sein. Sie vermißte ihren Dad. Ohne seine Gegenwart kam ihr das ganze Haus öde vor. Sie wünschte sich, er käme jetzt lachend ins Zimmer und finge an, seine lustigen Erlebnisse und Geschichten zu erzählen – von Höfen, auf denen sich seit dreißig Jahren nichts verändert hatte, und tausend andere Kleinigkeiten, die sich aus seinem Mund immer lustig anhörten. Jetzt, in diesem Augenblick hätte er sie in den Arm nehmen und trösten sollen: „Natürlich können sie deine Mutter nicht verantwortlich machen, was für eine blödsinnige Idee! Sie hat ihr Bestes getan, und mehr kann kein Mensch tun." Statt dessen mußte sie sich hier mit Tante Cloe abgeben, die nichts anderes im Kopf hatte als einen Drink!

Nun hatte Cloe endlich den richtigen Schrank gefunden und bettelte: „Du weißt doch bestimmt, wo der Schlüssel ist, Schätzchen?"

„Nein, weiß ich nicht!" Fast hätte Kate vergessen, daß man zu Erwachsenen höflich zu sein hatte. „Du kannst später etwas zu trinken bekommen."

Im nächsten Moment wurde sie abgelenkt, weil jemand an die Hintertür klopfte. Draußen stand ein Mann mit Mütze und sagte: „Diesen kleinen Hund habe ich eben aufgelesen. Er ist überfahren worden. Bei der Ambulanz hat keiner aufgemacht." In seinen Armen hielt er ein kleines zerzaustes Etwas, das sich nicht rührte.

Als Kate die Tür zum Behandlungsraum öffnete, krampfte sich ihr Magen zusammen. Sie wies den Mann an, den Hund auf einen der Tische zu legen und deckte ihn dann mit einem Tuch ab.

„Ich kann nicht bleiben. Um zwölf hätte ich einen reparierten Küchenschrank abliefern müssen, und jetzt ist es schon zehn nach", erklärte der Mann mit einem Blick auf seine Uhr. „Der Hund hat ein Namensschild am Halsband. Aber wo ist denn der Arzt?" fragte er und sah sich in der tadellos sauberen, aber leeren Praxis um, in der sich lediglich ein paar Katzen von operativen Eingriffen erholten.

„Meine Mutter muß gleich zurück sein", sagte Kate und ärgerte sich, daß Tante Cloe ihr kein bißchen beistand.

„Dann gehe ich jetzt. Du kümmerst dich doch um das arme Geschöpf?" fragte er, bevor er sich, schief vor sich hin pfeifend, davonmachte.

Inzwischen war Kate völlig verkrampft vor Angst. Hätte sie den Mann nicht festhalten, ihn ausfragen, die Polizei rufen müssen? Womöglich hatte er selbst diesen Hund überfahren? Bestimmt hatte sie alles falsch gemacht, und die anderen würden über sie herfallen. Sie hörte schon Tina schimpfen: „Hast du nicht wenigstens sein Autokennzeichen oder seinen Namen? Du bist wirklich ein hoffnungsloser Fall!" Und Mum? Sie würde gar nichts sagen. Sie brauchte nichts zu sagen, weil jeder auch so ihren Tadel verstand.

Und wenn der Hund nun aufwachte und irgendeinen schrecklichen Anfall bekam? Was in aller Welt sollte sie dann machen? Sollte sie versuchen, Simon zu erreichen? Und wo steckte denn um Himmels willen Rachel? Und was war, wenn sie ans Telefon ging und der Hund zu sich kam und vom Tisch fiel? Wäre sie doch bloß nicht mit dieser lästigen Tante Cloe zurückgeblieben, dann hätte sie sich das alles hier erspart.

Jetzt fing der kleine struppige Hund an, sich zu rühren, er leckte sich über die Schnauze, blickte sie unter halb geöffneten Lidern an. Und dann trommelte er mit seinem Schwanz in regelmäßigem Takt auf die Tischplatte. Was für ein Glück, er erholte sich! Er war

nicht lebensgefährlich verletzt! Vor Freude hätte Kate
schreien mögen. Im nächsten Moment richtete er sich
auf und gähnte, ein kleiner munterer Terrier mit winzigen, spitzen Ohren, struppigem, braunem Fell und
grauen Barthaaren.

„Braver Hund, braver kleiner Hund", sagte Kate.

Und dann hörte sie draußen den Kombi ihrer Mutter
vorfahren und rannte zur Tür und rief: „Mum, komm
schnell, du hast einen Patienten!" Vor Erleichterung
lachte und schluchzte sie zugleich.

Auch Carl und Tina erschienen, und im nächsten
Moment untersuchte Mum den kleinen Hund und
stellte Fragen. Kate berichtete, was geschehen war.
„Und Tante Cloes Hilfe kannst du vergessen", schloß
sie. „Die hat nichts anderes im Kopf als ‚ein winziges
Schlückchen‘. Hast du schon gesehen, was sie mit dem
Küchenschrank gemacht hat? Wirklich, eine Hilfe ist
sie nicht!"

„Du warst fabelhaft, Kate!" Ann Carr drückte ihre
Tochter kurz. „Du hast den Tag wirklich gerettet. Ein
Segen, daß du hiergeblieben bist! Und jetzt laßt uns
mal nachsehen, was auf dem Schild steht." Sie hielt den
Hund jetzt auf dem Arm und drehte an seinem Halsband. „Hallo, Joey Robinson! Eine Telefonnummer
hast du ja auch, und die ist sogar in unserem Bezirk."

„Hast du Robinson gesagt?" fragte Carl. „Ein paar
Straßen weiter wohnt nämlich eine Mrs. Robinson. Sie
hat drei kleine Kinder, auf die meine Gran manchmal
aufpaßt. Mrs. Robinson ist furchtbar nett. Und ich
glaube, sie schlägt sich ganz allein durch."

Sie nahmen Joey mit in die Wohnung und versuchten, ihn ein bißchen zu beruhigen. „Der kleine Kerl hat Glück gehabt. Wenn er noch länger bewußtlos auf der Straße geblieben wäre, hätte ihn bestimmt bald ein anderes Auto totgefahren", sagte Ann Carr.

„Daran darf ich gar nicht denken!" heulte Kate auf.

Ann Carr rief bei den Robinsons an, aber niemand meldete sich. „Wir wollen nur hoffen, daß sie ihn nicht absichtlich ausgesetzt haben", sagte sie, während sie den Hörer auflegte.

„Das würden die nicht tun. Für solche Leute würde meine Gran nicht die Kinder hüten", widersprach Carl. „Ihr kennt sie doch und wißt, was für ein Drachen sie sein kann!" Und er stellte sich vor, wie die kleine, siebzigjährige Frau auf Leute losgehen konnte, die ihre Hunde in der Hitze im Auto allein ließen oder ihre Kinder vor der Kneipe. Großmutter wußte Recht und Unrecht sehr wohl zu unterscheiden, und sie kannte keine Gnade.

Joey hielt nicht lange still. Als er anfing, die Katzen rund um den Küchentisch zu jagen, fiel zuerst eine Kasserolle herunter, und anschließend flog alles durch die Gegend, was Tante Cloe aus dem Küchenschrank geräumt und auf dem Tisch abgestellt hatte. Im Nu war der Fußboden mit Mehl, Paprika, Kräutern und Haferflocken übersät. Kate packte Mopsy und handelte sich dabei ein paar Kratzer ein. Carl erwischte Flopsy, und Meg flüchtete sich unter einen Stuhl.

„Bringt sie lieber raus", meinte Ann Carr erschöpft. „Und seht zu, daß Joey sich beruhigt."

Carl brachte die Katzen weg, und Tina fing an, den Küchenboden zu fegen.

Tante Cloe kam nicht auf die Idee, sich für das Chaos zu entschuldigen, das im Grunde sie verursacht hatte. Statt dessen beschimpfte sie Joey als ungezogenen Köter. Und dann redete sie ununterbrochen über ihren Bruder. Bis ihr wieder einfiel, nach einem winzigen Tröpfchen zu fragen und wann sie zu Mittag essen würden und warum sie im Wohnzimmer immer noch keine neuen Gardinen hätten.

Als Tina das Paprikapulver vom Boden fegte, färbte sich zuerst der Besen rot und anschließend ihre Schuhe. Joey hatte sie in ein anderes Zimmer geschlossen und zum Ruhighalten verdonnert. Bald wußte sie nicht mehr, ob sie lachen oder weinen sollte, zumal sie auf sämtlichen Wegen eine rote Spur hinterließ.

Kate fiel plötzlich ein, daß sie ihrer Mutter von dem Anruf der Reitschule erzählen mußte. „Es klang wirklich beängstigend", schloß sie ihren Bericht.

Carl, der zugehört hatte, meinte: „Laß dich nicht einschüchtern, Ann. Gegen so etwas seid ihr bestimmt versichert. Außerdem wissen wir alle, daß diese Leute keinerlei Beweise haben. Die versuchen nur, wie weit sie gehen können."

Ann klopfte ihm auf die Schulter. „Danke, Carl", sagte sie. Aber obwohl sie wußte, daß Carl recht hatte, war sie noch nicht beruhigt. „Es ist nur... ihr kennt ja diese Leute: Die gehören zu der Sorte, die zur Lokalredaktion der Zeitung rennen und einen Skandal inszenieren, was unserer Praxis unvorstellbar schaden kann. Ach, wenn doch jetzt nur Alan da wäre!" fing sie auf einmal an zu jammern.

„Das wäre uns allen lieber", stimmte Carl zu.

Tina hatte inzwischen den Boden saubergemacht und schlug nun über einer Schüssel Eier auf. Dann schüttete sie eine Tüte Tiefkühlerbsen in eine Kasserolle mit kochendem Wasser. Ihr knurrte schon der Magen; seit dem Frühstück schien eine halbe Ewigkeit vergangen zu sein. „Seid ihr einverstanden mit Omelettes? Eine Quiche hätten wir auch noch, falls jemand Lust drauf hat", sagte sie und begrub dabei jede Hoffnung auf Tante Cloe, die sich doch unter anderem auch um das Essen kümmern sollte.

Ann Carr antwortete nicht. Sie malte sich in Gedanken bereits eine Titelseite aus, deren Schlagzeile jeden Leser in dieser Gegend sofort anspringen würde: *Bekannte Reitschule verklagt Tierarzt wegen Fahrlässigkeit*. Sie stellte sich vor, wie die Leute es lasen und sich gegenseitig warnten: „An Ihrer Stelle würde ich da nicht mehr hingehen! Seit Alan Carr im Krankenhaus liegt, geht es in seiner Praxis drunter und drüber." Und Ann Carr, mehr als vier Jahrzehnte auf dieser Welt, hätte am liebsten losgeheult wie ein kleines Kind.

Dann entkam Joey aus seinem Zimmer und stolperte auf der Treppe über Bambi, was ein heftiges Gerangel und Geschnüffel unter den beiden Hunden auslöste. Tante Cloe rannte schreiend aus der Küche. Kate, der vor Hunger ganz elend war, brach in Tränen aus. Carl lief brüllend hinter Joey her: „Wollt ihr wohl auf der Stelle aufhören, ihr dummen Tölen!"

„Wie kannst du es wagen, meinen Hund so zu beschimpfen, Carl!" schrie Tante Cloe ihn an. Als sie Bambi endlich wieder im Arm hielt, säuselte sie: „Du armes kleines Ding, was hat er dir denn getan?"

„Kann mir jemand sagen, wie ich Tante Cloe noch länger ertragen soll?" Kate verdrehte die Augen.

„Mit ihr wird es schon noch besser", beschwichtigte Tina sie und goß in aller Ruhe Eierteig in eine Pfanne.

Ann Carr stellte ihren Teller mit Omelette und Erbsen auf ein Tablett, um es mit in den Behandlungsraum zu nehmen. „Beim Essen kann ich den Anrufbeantworter abhören", erklärte sie. „Rachel scheint sich ja schon wieder verdünnisiert zu haben."

„Genau!" rief Kate. „Und mich hat sie einfach sitzenlassen. Das ist unfair! Ich kann das doch gar nicht!"

„Vielleicht ist sie verliebt", meinte Carl.

„Und sieh dir diesen Kratzer auf meiner Hand an!" klagte Kate.

Tina gab ihr ein Pflaster. Da beschwerte sich Tante Cloe, daß sich niemand um sie kümmern würde. „Wenn ich gewußt hätte, wie es bei euch hier zugeht, wäre ich nicht gekommen!"

„Sieh mal, ich habe für dich gedeckt", unterbrach Tina sie. „Setz dich doch bitte."

Bald darauf kam Ann Carr wieder herein. „Ich muß sofort weg. Da ist ein kranker Hund, der ständig umkippt. Weiß der Himmel, was mit ihm los ist. Aber es hört sich ziemlich dringend an."

Carl, der noch einmal vergeblich versucht hatte, die Robinsons telefonisch zu erreichen, schrieb gerade eine Nachricht für sie auf, die er ihnen in den Briefkasten werfen wollte: Joey ginge es gut, und sie könnten ihn bei den Carrs abholen.

„Du kannst doch jetzt nicht wieder wegrennen, Ann! Wir wollten doch gerade essen. Hier geht es wirklich zu wie im Irrenhaus!" schrie Tante Cloe und suchte nach Servietten. „Wenn das immer so ist, frage ich mich, wie euer Vater das erträgt!"

„Er ist daran gewöhnt", antwortete Tina, die gerade den Nachtisch servierte und ihrer Mutter, die schon halb zur Tür hinaus war, nachrief: „Warte doch, Mum! Gerade habe ich dir Eis auf den Teller getan!"

Um sich Tante Cloe zu entziehen, wollte Kate ihre Mutter begleiten.

„Kann Simon nicht an deiner Stelle hinfahren, Mum?" setzte Tina noch einmal an.

„Nein, der ist weg und untersucht Stuten, ob sie trächtig sind", rief Ann Carr über die Schulter zurück, bevor sie in den Wagen sprang.

„Das ist ein Notfall, oder?" fragte Kate, als sie neben der Mutter im Auto saß.

„Aber sicher! Vermutlich hat dieser Hund einen Tumor im Gehirn. Wenn das so ist, werde ich ihn einschläfern müssen. Seine Besitzerin scheint völlig aufgelöst zu sein. Gott, wie ich solche Fälle hasse!"

„Armer Hund!"

„Sie hat vor fast einer Stunde angerufen und da schon kaum zwei zusammenhängende Worte herausgebracht. Ich verstehe ja, wenn die Menschen tierlieb sind, aber daß sie ihr Herz *so* sehr an ein Tier hängen können, das verstehe ich nicht", sinnierte Ann Carr, während sie mit der höchsten erlaubten Geschwindigkeit dahinrasten.

„Vielleicht hat sie sonst nichts zum Liebhaben. Und

ein Tier kann nicht widersprechen. Oder sich beschweren", sagte Kate so vernünftig, daß Ann Carr denken mußte: Sie wird erwachsen und fängt an, sich mitverantwortlich zu fühlen. Dabei war es doch erst gestern, daß sie im Kinderwagen saß und ihren Teddybär knuddelte!

4

Ein älteres Ehepaar, Mr. und Mrs. Trappe, erwartete sie bei der angegebenen Adresse.

„Er ist wie ein Sohn für uns", erklärte die Frau. „Und ausgerechnet heute, wo ich Geburtstag habe, muß das passieren! Ich weiß nicht, was er hat. Gestern abend war er noch ganz in Ordnung."

Ihr Mann folgte ihnen ins Wohnzimmer und klagte: „Was für ein Unglück! Meine Frau hat ihren Siebzigsten, und den ganzen Vormittag hat sie geweint. Der Tag hatte so schön angefangen, und nun kann der arme Amber vor Schwäche nicht mal auf seinen Beinen stehen."

Ein übergewichtiger hellbrauner Cockerspaniel schaute Ann Carr aus feuchten, traurigen Augen an, bevor er wieder in sich zusammensackte.

„Sehen Sie, er kann nicht mal stehen, sehen Sie das?" jammerte seine Besitzerin, die zu enge Hosen und einen Matrosenpullover trug.

„Dann wollen wir mal sein Herz abhorchen. Danach messen wir seine Temperatur. Komm zu mir, Amber, sei ein braver Hund."

Kate hatte ihre Mutter noch nie zu einem ihrer Hausbesuche begleitet. Neugierig sah sie sich in dem Zimmer um; auf dem angeschlagenen Kaminsims standen ordentlich aufgereiht eine Menge Geburtstagskarten.

„Es stört Sie doch nicht, daß meine Tochter mit dabei ist?" fragte Ann Carr und verstaute ihr Stethoskop.

„Aber nein! Möchte sie vielleicht ein Buch lesen?"

„Nein danke, ich brauche nichts", sagte Kate und verschluckte, was sie gern noch hinzugefügt hätte: Ich kann nämlich schon selbst reden, und ich brauche auch nichts gegen Langeweile!

„Und jetzt messen wir deine Temperatur", sagte Ann und tätschelte Amber. „Die ist auch in Ordnung", stellte sie nach ein paar Minuten fest. Sie richtete sich auf und betrachtete den Hund aus einiger Entfernung. „Wann hat es angefangen? Ich meine, ist er ganz plötzlich zusammengeklappt?"

„In diesem Zustand war er, als wir heute früh heruntergekommen sind, nicht wahr, Liebes?" fragte Mr. Trappe.

„Das stimmt. Er kam in die Küche getaumelt und fiel dann hin. Mein Gott, glauben Sie, er kommt durch?" Seine Frau putzte sich schluchzend die Nase und wischte sich ein paar Tränen aus den Augen.

„Haben Sie ihm gestern abend irgend etwas Ausgefallenes zu fressen gegeben?" fragte Ann Carr als nächstes.

„Nein, nur das übliche Stück Schmorfleisch mit ein bißchen Gemüse und viel Soße, und danach seine Lieblingspralinen. Diese Sachen kriegt er meistens, nur freitags Fisch und gelegentlich mal Reispudding oder Eis statt Pralinen. Da macht er uns keine Probleme", schloß Mrs. Trappe und sah Ann Carr sorgenvoll an.

Ann untersuchte auch noch Ambers Ohren und

meinte dann: „Die sind auch in Ordnung. Das wird ja immer geheimnisvoller. Was hat er denn gestern sonst noch gemacht? Ist er vielleicht länger als üblich gelaufen? Hat er vielleicht sein Herz ein bißchen überfordert?"

Mr. und Mrs. Trappe schüttelten gleichzeitig ihre Köpfe. „Wir hatten so viel mit den Vorbereitungen für heute zu tun, daß wir ihn nur in den Garten geschickt haben. Heute abend wollten wir eine Party geben, aber nun weiß ich wirklich nicht, ob ich dazu in der Lage bin", schluchzte Mrs. Trappe jetzt laut. „Es tut mir leid, daß ich mich so gehenlasse, aber wir haben diesen Hund schon als winzigen Welpen bekommen, nicht wahr, George?"

George nickte zustimmend.

„Wenn er uns verläßt, weiß ich einfach nicht, wie es weitergehen soll."

„Wenn Sie wollen, nehme ich ihn zur Beobachtung mit. Aber haben Sie bemerkt, wie sein Atem riecht?" fragte Ann Carr. „Bei einem Menschen würde ich sagen, er hat eine gewaltige Alkoholfahne!"

„Aber das ist unmöglich!" schrie Mrs. Trappe auf.

„Ist es nicht. Erinnerst du dich an die Pralinen, die er gestern abend bekommen hat? Das waren Likörpralinen aus Frankreich. Könnten die dran schuld sein, Mrs. Carr?" fragte George Trappe betroffen.

„Aber ja!" Ann fing an zu lachen. „Da bin ich sogar ziemlich sicher. Und deshalb werden ihm eine schöne Runde Schlaf und ein Löffel Honig ganz schnell kurieren. Bis Ihre Party heute abend steigt, ist er wieder putzmunter."

„Oh, dieser Tunichtgut!" rief Mrs. Trappe und fing endlich auch an zu lachen. „Und ich hatte eine herrliche Schachtel voll, von einem alten Verehrer. Als der arme Amber heute früh so elend war, bin ich gar nicht auf die Idee gekommen, daß es von den Pralinen kommen könnte. Ich hatte nur Angst, er könnte sterben."

„Ich auch", gestand George Trappe. „An die Pralinen habe ich überhaupt nicht gedacht."

„Damit wäre für uns heute schon der zweite Tote auferstanden", stellte Ann Carr schmunzelnd fest und packte ihre Utensilien zusammen. „Verstehen Sie mich nicht falsch: ich freue mich, daß es nichts Ernstes gewesen ist."

„Vielen, vielen Dank, daß Sie so schnell gekommen sind", rief Mrs. Trappe und umarmte Amber. „Jetzt kann ich endlich meinen Geburtstag genießen!"

„Ich möchte Ihre gute Stimmung nicht trüben, aber ich würde Ihnen raten, Amber gesünder zu ernähren, sonst bekommt er in einem oder zwei Jahren tatsächlich eine Herzattacke", sagte Ann Carr. „Wissen Sie, man kann einen Hund auch mit dem falschen Futter umbringen, und Sie wollen doch bestimmt nicht, daß er vorzeitig stirbt. Lassen Sie also Pudding und Pralinen weg, und geben Sie ihm richtiges Hundefutter", schloß sie.

„In Ordnung, machen wir. Aber vermissen wird er die Süßigkeiten schon, was, du Schleckermaul?" sagte Mrs. Trappe und küßte Amber auf seine Nase.

Nachdem Kate und Ann Carr losgefahren waren und Carl seine Portion Eis aufgegessen und Tina beim Abwasch geholfen hatte, eilte er zu Mrs. Robinsons Haus. Unterwegs wurde ihm plötzlich bewußt, daß die Herbstferien fast zu Ende waren. Aber weil in dem kurzen Zeitraum so enorm viel passiert war, schienen ihm seit dem letzten Schultag Monate vergangen zu sein. Es war sein letztes Schuljahr, und er würde leichten Herzens zum College überwechseln.

Mrs. Robinsons Haus wirkte recht heruntergekommen. Das vordere Gartentor stand offen, und das kleine Stück Rasen mußte dringend gemäht werden. Das alte Auto, das draußen parkte, war mit Einkaufstüten und Spielzeug vollgestopft. Großmutter hatte ihm die Atmosphäre bei den Robinsons als „heimelig" geschildert, und Carl verstand jetzt, was sie meinte.

Von drinnen hörte man, wie zwei sich anschrien. Dann die Stimme einer Frau, die rief: „Wie konntest du bloß das Fenster offen lassen! Wie konntest du nur!"

„Hab ich nicht!" quäkte eine Kinderstimme. „Ich sag dir doch, ich war es nicht!"

Ein Baby fing an zu plärren, oder jedenfalls hörte es sich für Carl so an, der verwirrt stehengeblieben war.

„Nun, er ist weg, und der Himmel weiß, ob wir ihn je wiedersehen. Wahrscheinlich ist er jetzt schon tot. Tot!" schrie die Frau. Dann schienen sie da drinnen alle auf einmal zu heulen und zu klagen.

Carl klopfte an die Tür und rief: „Alles in Ordnung! Keine Sorge, es ist alles gut!"

„Jetzt steht da draußen auch noch ein Verrückter!" rief Mrs. Robinson.

Carl hörte Schritte näher kommen. Die Tür öffnete

sich langsam, und dann zeigte sich Mrs. Robinsons tränenüberströmtes Gesicht. „Ach, du bist Carl, nicht wahr? Tut mir leid, daß es hier so zugeht, aber wir sind total durcheinander. Wir haben unseren kleinen Hund verloren, Joey heißt er."

„Ich weiß."

„Was heißt das, du weißt?"

„Er wurde in die Tierarztpraxis gebracht. Er ist angefahren worden, aber er ist in Ordnung", berichtete Carl.

Da brach erneut Tumult aus, und alles schrie und jubelte und hüpfte durcheinander. „Hol seine Leine, Emma", rief Mrs. Robinson. „Eddy, komm her, in den Wagen mit dir. Joey ist gefunden worden, er lebt!"

Das älteste Kind rannte auf der Straße vor ihnen her. Er hieß Peter und war so blond wie seine Mutter und hatte lange dürre Arme und Beine.

„Erzähl uns, was passiert ist. Alles!" bat Mrs. Robinson Carl. „Was ist mit ihm gemacht worden? Hat man ihn geröntgt? Wer hat ihn überhaupt zum Arzt gebracht?"

Carl gab genau Auskunft, während er sich bemühte, mit ihnen Schritt zu halten.

Als Joey dann seine Leute erkannte, schnappte er fast über vor Wiedersehensfreude.

„Wie können wir euch nur danken?" Mrs. Robinson war überglücklich.

„Das brauchen Sie nicht", wehrte Carl ab. „Wir haben nur unsere Pflicht getan."

„Aber bestimmt schulden wir dem Tierarzt etwas?" fragte Mrs. Robinson.

„Bestimmt nicht."

„Bist du sicher?"

Carl nickte, und dann erschien Tina und bot ihnen Tee an, und alle drängelten sich um den Küchentisch und verzehrten Kekse und Marmeladenbrote und hinterließen klebrige Fingerspuren an der Einrichtung. Plötzlich brachen sie ebenso stürmisch auf, wie sie gekommen waren, und beteuerten noch einmal lauthals ihren Dank. Sogar Eddy in seinem Kinderwagen brachte ein paar passende Laute zustande. Joey lief an seiner Leine mit und reckte so stolz den Hals, als wollte er aller Welt zeigen: Seht her, das ist meine Familie!

„Ach, hat das gutgetan!" seufzte Carl auf. „Ist das schön, die Leute einmal nicht weinen zu sehen, sondern lachen!"

Nachdem Ann Carr und Kate von ihrem Hausbesuch zurückgekommen waren, wollte Kate mit Tante Cloe ihren Vater besuchen. Alan Carr freute sich sehr über ihren Besuch, und als Tante Cloe einmal hinausging, um auf dem Flur mit einem der jungen Ärzte zu reden, war Kate endlich mit ihrem Vater allein und konnte ihm ausführlich berichten, was sich während seiner Abwesenheit abgespielt hatte. Als er von dem Anruf der Reitschule erfuhr, war er alles andere als begeistert. „Natürlich versuchen sie nur, wie weit sie gehen können, aber das kann ganz schön nervig sein", sagte er.

„Meine besten Freundinnen reiten da", erklärte Kate. „Sie können doch jetzt nicht auf eine andere Reitschule gehen. Außerdem mögen sie auch die Pferde dort schrecklich gern."

„Ich weiß", sagte Kates Vater. „Das macht es ja so schwierig."

Wenig später kam eine Schwester und schickte Kate hinaus. „Zeit für die Katzenwäsche", lachte sie. „Ein bißchen schön machen müssen wir ihn doch, oder?"

Alan Carr küßte seine Tochter und Tante Cloe zum Abschied. Auf dem Weg zum Wagen meinte Tante Cloe: „Ich weiß nicht, wie er es aushält, den ganzen Tag auf dem Rücken zu liegen."

„Dad wird mit jeder Situation fertig", antwortete Kate stolz. „Ich wünschte, ich wäre ihm ähnlicher."

„Aber du bist ihm doch wie aus dem Gesicht geschnitten!"

Aber das half Kate nicht über ihre Minderwertigkeitskomplexe hinweg. Sie kannte ihre Schwäche, sich plötzlich in ihr Schneckenhaus zurückzuziehen und Kontakte zu scheuen. Sie wußte, daß sie eine mittelmäßige Schülerin war. Sie fand, daß ihre Nase zu sehr hervorstach – sicher, es war Dads Nase, und zu ihm paßte sie, weil er ein Mann war, aber schön war diese Nase nicht. Daran änderte auch Mums tröstliche Behauptung nichts, daß die Größe sich mit dem Wachstum anglich und daß sie dann phantastisch aussehen würde.

Bei ihrer Rückkehr war alles still in der Wohnung. Ann Carr war wieder unterwegs auf Hausbesuchen. Rachel arbeitete in der Ambulanz. Bambi saß in seinem Korb und demonstrierte, was für ein braver Hund er war. Die Katzen streunten draußen herum. Abraham wartete am Tor auf seine Abendmahlzeit, und unten am Teich schnatterten die Gänse. Es war ein wunderschöner Herbstabend, die Apfelbäume trugen noch Früchte und in den Hecken hingen dicke schwarzrote Brombeeren. Aber bald waren die Herbstferien vorbei, und in zwei Tagen mußte auch Kate wieder die verhaßte Schulbank drücken.

Als Ann Carr später wiederkam, übernahm sie sogleich die Abendsprechstunde. Da Simon Dienst hatte, konnte sich die Familie trotzdem zu einem geruhsamen Abendessen zusammensetzen. Carl holte seine Großmutter dazu. Ann machte eine Flasche Wein auf, den Tante Cloe fast allein austrank, und Tina schlief noch am Tisch mit offenstehendem Mund ein. So besorgten Kate und Carl den Abwasch, während Gran und Tante Cloe sich angeregt unterhielten. Ann stellte alle Anrufe auf Simons Apparat und machte sich daran, ihre Berichte zu schreiben. Schließlich brachte Carl Gran nach Hause.

Kate weckte ihre Schwester.

„Wie spät ist es?" murmelte Tina schläfrig.

„Neun – neun Uhr abends, meine ich", sagte Kate.

„Ich habe geträumt, ich hätte einen kleinen Hund wie Joey. War der niedlich! Wenn ich nur auch so einen kleinen Hund hätte!" seufzte Tina sehnsüchtig.

„Eigentlich hatten wir doch Tante Cloe geholt, damit sie uns hilft, oder?"maulte Kate, als sie die Treppe zu ihrem Schlafzimmer hochstiegen.

„Sicher, aber vielleicht fängt sie ja morgen damit an", beschwichtigte Tina.

„Wäre mal was Neues, denn bisher hat sie sich nur von uns helfen lassen", meinte Kate.

Ihre eigentliche Sorge aber war die Reitschule. Wie

würde es weitergehen? Und auf wessen Seite sollte sie stehen? Alle ihre Freundinnen bewunderten Rene und Jim Ward und brächten kein böses Wort über sie zustande.

Kate sah tausend Probleme auf sich zukommen, während Tina plötzlich nur noch Joey und Bambi im Kopf hatte und es für nötig hielt, sich einen Hund anzuschaffen, der die Einbrecher abhielt oder wenigstens Alarm schlug, wenn Fremde in der Nähe waren. Aber dafür hatten Mum und Dad kein Ohr. „Wir haben keine Zeit, auch noch einen eigenen Hund zu versorgen, keiner von uns", beharrten sie. Und spätestens seit dem heutigen Tag verstand Tina, was sie meinten, denn Zeit hatte wirklich keiner von ihnen übrig.

Und am Montag fing die Schule wieder an, für die Tina noch nichts vorbereitet hatte, weder ein sauberes Paar Hosen noch eine Bluse noch sonstwas. Nun, zum Glück hatte sie noch zwei Tage Zeit, und vielleicht würde ja wenigstens der Sonntag etwas geruhsamer verlaufen.

Am anderen Ende der Straße erzählte Carl seiner Großmutter von Joey.

Aber Gran machte sich weniger Gedanken um den Hund als um Tante Cloe. „Für wen ist sie denn eine Hilfe?" fragte sie. „Auf mich hat sie nicht gerade den Eindruck gemacht, als würde sie ordentlich mit anpakken."

„Sie hatte kein leichtes Leben", versuchte Carl Tante Cloe in Schutz zu nehmen.

„Das ist keine Entschuldigung", erwiderte Gran auch prompt. „Ein leichtes Leben hatten wir alle nicht. Und ich sehe einfach nicht, wie sie sechs Wochen ohne Alan auskommen wollen, ja womöglich noch länger, weil in seinem Alter nicht mehr alles so schnell heilt. Und die Schlechtwetterperiode steht bevor, mit Schneewehen und Kälteeinbrüchen. Und wenn er dann endlich nach Hause kommt, kann er nur an Krücken gehen, das ist dir doch hoffentlich klar, Carl?"

„Nun warte doch erst mal ab", wich Carl aus.

„Und diese Reitschule haben sie jetzt auch am Hals, wie ich gehört habe", fuhr Gran unbeirrt fort.

„Wo hast du das gehört?" Jetzt verlor Carl doch die Ruhe.

„In unserem Laden. Rene Ward hat jedem erzählt, daß sie dreitausend Pfund Schadenersatz fordern wird", antwortete Gran.

„Das ist pure Verleumdung!" schrie Carl.

„Das habe ich auch gesagt. Ich habe auch gesagt, daß Ann es mit jedem Tierarzt in der Gegend aufnehmen kann. ‚So viel wie ein Mann kann sie allemal', habe ich gesagt, ‚vielleicht sogar noch mehr'. Ich bin für sie eingetreten, Carl, das kannst du mir glauben", erklärte Gran feierlich. „Möchtest du jetzt vielleicht etwas Kakao?"

Carl schüttelte den Kopf. „Hab sowieso schon zuviel gegessen heute. Montag fängt die Schule wieder an, und ich weiß nicht, wie Ann ohne uns zurechtkommen soll."

„Sie schafft es schon", sagte Gran. „Sie ist eine bewundernswerte Frau."

64

„Hoffentlich! Ich wünschte, ich wäre schon erwachsen und selber Tierarzt, damit ich richtig helfen dürfte. Im Augenblick können weder Tina noch ich viel tun. Wir packen mit an, so gut wir können, aber wenn Ann jetzt die Reitschule aufs Dach steigt, wird sie sich aufregen, auch wenn sie unschuldig ist, und das senkt die Stimmung noch mehr", sinnierte Carl. „Heute haben wir so viel mit Hunden und Pferden zu tun gehabt, daß ich keine mehr sehen kann. Ich wünschte mir ein bißchen mehr Abwechslung. Das Problem ist, daß Simon nur zu gern die Rinder und Schweine übernimmt, um die Ann einen Bogen macht. Ann mag am liebsten kleinere Tiere. Sie sollte in der Stadt eine Kleintierpraxis aufmachen."

„Du kannst ja kaum noch reden vor Müdigkeit! Geh zu Bett, Carl, und vergiß für heute die Probleme", sagte Gran.

Aber obwohl Carl sich ihren Rat zu Herzen nahm, klappte das mit dem Vergessen nicht. Er lag hellwach im Bett und malte sich eine Zukunft aus, die von Stunde zu Stunde düsterer wurde, bis der Schlaf ihn schließlich von diesen dunklen Gedanken erlöste.

3 4771-11

5

Eine Woche war vergangen. Es war wieder mal Samstagmorgen. Ivor hatte die Morgensprechstunde übernommen. Entzückt, seinem häuslichen Einerlei entronnen zu sein, gab sich der bärtige alte Mann mehr wie ein leutseliger Seebär als wie ein Tierarzt. Nun saß er pfeifeschmauchend mit Tina in der Küche und hatte es überhaupt nicht eilig, nach Hause zu gehen. Kate war bei ihren Freundinnen. Gestern war in der Lokalzeitung ein Artikel erschienen, der die Überschrift trug: *Pferd in der Gerichtsmedizin! Reitschule will Tierärztin wegen unterlassener Hilfeleistung belangen.*

Auch ein altes Foto von Ann Carr war dabei. Anns erster Gedanke war gewesen, die Klinik anzurufen und darum zu bitten, daß Alan diese Zeitung nicht in die Hände bekam. Als sie auflegte, liefen ihr Tränen über die Wangen.

„Ich werde für deine Mutter aussagen, Tina, das weißt du. Die Wards wollen Zeit gewinnen und nach Möglichkeit auch ein bißchen Geld dabei herausschlagen. Aber sie werden bestimmt nicht weit kommen", sagte Ivor und verräucherte die ohnehin schon chaotische Küche.

Tante Cloe war gleich zu Anfang vor seinem Pfeifengestank geflohen. Sie war nicht die einzige, die den Qualm nicht mochte, aber entweder hatte Ivor ein sehr dickes Fell, oder er setzte sich einfach darüber hinweg.

Früher war er einer der besten Tierärzte im Land gewesen. Jetzt war er alt, seine Hände zitterten, und er war nicht mehr auf dem laufenden. Aber er besaß immer noch das Wissen, das Simon fehlte, und die Tiere liebten ihn, während man dasselbe von ihren Besitzern oft weniger behaupten konnte.

Den ganzen Vormittag über klingelte das Telefon. Lokalreporter wollten Ann sprechen und ihre Version der „Geschichte" hören. Aber Ann hatte jedesmal erklärt: „Es gibt keine Geschichte!" und den Hörer aufgelegt.

Ivor riet Ann, eine zweite Obduktion zu verlangen, und empfahl ihr, sich einen Rechtsanwalt zu nehmen. Er quoll bald über vor guten Ratschlägen.

Aber Ann lehnte alles ab. Auf ihrem Schreibtisch stapelten sich ungeöffnete amtliche Schreiben. Sie wollte nichts von alledem wissen und weigerte sich, mit irgendwem über die Möglichkeit einer Gerichtsverhandlung zu sprechen. Sie war von sechs Uhr früh bis zehn Uhr abends zu ihren Patienten unterwegs. Sie magerte ab, weil sie, wenn sie endlich nach Hause kam, oft zu müde war, noch etwas zu essen.

Was Kate betraf, so sprach plötzlich keine ihrer Reiterhof-Freundinnen mehr ein Wort mit ihr. Dabei konnte Kate nicht ohne ihre Freundinnen leben. „Wenn du zugibst, daß deine Eltern schuld sind, reden wir wieder mit dir", hatte ihr Diane erklärt, ein kleines, dunkelhaariges Mädchen, das in einer Villa mit Swimmingpool wohnte. Aber das brachte Kate einfach nicht übers Herz. Sosehr sie ihre Freundinnen auch liebte, diese Lüge würde ihr doch im Hals steckenbleiben.

Da fingen die Freundinnen an, Front gegen sie zu machen, und die Schultage wurden für Kate zur Tortur. Ein Jahr zuvor hatten sie schon mal ein Mädchen so behandelt, dessen Bruder ins Gefängnis gekommen war. Damals hatte Kate mitgemacht. Jetzt wußte sie, wie einem in dieser Lage zumute war, und bereute es bitter. Das Mädchen damals hatte irgendwann vor Verzweiflung die Schule gewechselt.

Optimistisch gab sich eigentlich nur Carl, und Tina fragte sich, wieviel davon geheuchelt war. Sie selbst malte sich immer wieder aus, in welch hoffnungslosem Zustand ihr Dad die Praxis vorfinden würde. Sie sah die Schlagzeilen in den Tageszeitungen vor sich, die die Existenz ihrer Familie Stück für Stück zerstören würden. Sie hörte förmlich, wie die Leute sich zuraunten: „Da gehen Sie doch nicht etwa noch hin? Haben Sie denn nicht gehört, was mit dem besten Reitpferd der Wards passiert ist?" Flüsterpropaganda ist die schnellste Methode, jemanden fertigzumachen! dachte sie und wünschte sich, Ivor würde endlich nach Hause gehen, weil sie zu höflich war, in seiner Gegenwart die Fenster aufzureißen und frische Luft hereinzulassen.

Als ein paar Minuten später draußen ein Polizeifahrzeug vorfuhr, fing Tinas Herz an zu rasen. Nicht noch ein Unfall, nicht auch noch Mum!

Ein Polizist kurbelte sein Wagenfenster herunter und rief: „Ich habe hier einen Hund, der eingeschläfert werden muß. Sieht aus, als ob er unter einen Spaten geraten wäre."

Ivor eilte nach draußen, glücklich, daß er gebraucht wurde.

„Wieder so ein Streuner", sagte der Polizist und hob eine kleine schwarzbraune Hündin mit weißer Brust und einem blutenden Hinterbein aus einem Wagen. Ein verängstigtes Bündel, ein Auge halb geschlossen, das Fell blutgesprenkelt.

Ivor unterschrieb ein Stück Papier. Dann trug er das Bündel in die Ambulanz, während der Polizist davonfuhr.

Rachel war schon nach Hause gegangen. Tina sah die Hündin an – es war Liebe auf den ersten Blick. „Können wir denn nicht ein Heim für sie finden?" fragte sie.

„Ein Heim? Es gibt Tausende von Hunden, die ein Heim brauchen. Wer will da schon ein verletztes Tier wie dieses? Bis sie sich erholt hat, können Wochen vergehen. Die Leute wollen hübsche Tiere, Tina, keine zusammengeflickten", sagte Ivor und machte endlich seine Pfeife aus. „Wachhunde wollen sie, Hunde mit Stammbaum. Und wer bezahlt ihre Behandlung? Hast du daran schon mal gedacht? Nein, die schläfern wir besser ein. Sie würde nur wieder auf der Straße herumstreunen und womöglich sogar einen Unfall verursachen. Wir müssen nüchtern denken. Es gibt einfach zu viele Hunde, Tina. Sie wachsen uns über den Kopf."

Während Ivors Redeschwall lag die kleine Hündin wimmernd auf dem Behandlungstisch. Sie hatte helle Tupfer über den Augen, eine lange spitze Nase, weiße Pfötchen und einen buschigen Schwanz. Vor Angst und Schmerz war sie wie gelähmt.

Noch so ein schreckliches Erlebnis in diesem Schreckensmonat! mußte Tina denken. Zuerst Dads Unfall, dann die Probleme mit der Reitschule und jetzt das! Es war einfach zuviel. Tina brach in Tränen aus, und Ivor, der sich sein Leben lang nach einer Tochter gesehnt hatte, konnte Tränen nicht ertragen.

So stand er im nächsten Augenblick am Waschbekken, bürstete sich die Hände und sagte: „Nun, ich denke, wir können sie retten. Du mußt wissen, Tina, daß kein Tierarzt gern tötet. Die Frage ist nur, wer die Behandlung bezahlt?"

„Ich", sagte Tina.

„Aber hast du denn Geld?"

„Ein bißchen. Und ich wünsche mir nichts sehnlicher auf der Welt als einen Hund. Und wenn mein Geld nicht reicht, suche ich mir einen Job", erklärte Tina.

„Du bist ein großartiges Mädchen, Tina", sagte Ivor und verfiel dabei in seinen eigenartigen Dialekt, den er sich während seiner Jahre in Irland angewöhnt hatte. „Machen wir zwei uns also an die Arbeit und flicken den kleinen Unglückswurm hier zusammen. Was meinst du, wie die alle überrascht sein werden!"

Tina wußte nicht genau, wen er mit „alle" meinte, aber sie rieb sich die Augen trocken und brachte ein Lächeln zustande.

„Wir werden es doch schaffen, dieses kleine Biest und sein verflixtes Hinterbein zu retten. Meinst du, deine Mutter hat was dagegen?"

Tina schüttelte den Kopf. „Wenn wir es geschafft haben, kann sie es nicht rückgängig machen. Und schließlich hat Tante Cloe auch einen Hund, und keiner beschwert sich darüber."

Sie betäubten die kleine Hündin, und während Ivor

das verletzte Hinterbein behandelte, spielte Tina die Krankenschwester. Sie reichte ihm die passenden Instrumente, und obwohl ihr die ganze Zeit ziemlich übel war, dachte sie voller Vorfreude daran, daß das kleine Tier gerettet und sie endlich den ersehnten Hund haben würde.

Nach der Behandlung stellten sie einen der Hundekäfige in den Flur, und Ivor sagte: „Sie wird in etwa einer Stunde zu sich kommen. Gib ihr gegen vier Uhr eine leichte Mahlzeit. Bevor ich gehe, kriegt sie von mir noch ein schmerzstillendes Mittel."

Tina bedankte sich mit einem flüchtigen Kuß bei Ivor.

„War doch nichts Besonderes. Reine Alltagsroutine", meinte der alte Ivor etwas verlegen.

Inzwischen war Tante Cloe zurückgekehrt und hatte das Küchenfenster aufgerissen. „In der Stadt reden sie über deine Mutter. Warum nimmt sie sich keinen Anwalt, bevor es zu spät ist?"

„Sie hat doch so viel zu tun, daß sie kaum zu Hause ist. Du weißt doch, was los ist – wir haben die Schweinepest und Infektionen bei den Tieren hier in der Gegend. Ohne Dad ist das alles kaum zu schaffen. Sie kann einfach an nichts anderes denken als an die Arbeit, siehst du das nicht ein, Tante Cloe?" gab Tina zurück. „Gestern abend hat sie Schlaftabletten genommen und heute morgen eine Extraportion Vitamine."

„Vielleicht sollte man die Praxis schließen. Dein Vater könnte doch auch als Amtsarzt arbeiten, mit festem Gehalt und geregelter Arbeitszeit. Bestimmt wäre das besser für euch alle", meinte Tante Cloe, während sie sich einen Gin Tonic mischte. „Dann könntet ihr auch mal wegfahren und Ferien machen wie andere Leute."

Tina malte sich aus, sie würde an einem Sandstrand sitzen und von ausländischen Kellnern bedient werden. Dann aber dachte sie wieder an den kleinen Hund, der noch in seinem Betäubungsschlaf lag, und ihre Urlaubsträume waren wie fortgeblasen.

Dann kam Kate in die Küche. Sie streckte Tina und Tante Cloe eine zerkratzte Hand hin, ihre Augen waren rot gerändert. „Sie haben mit Dosen nach mir geworfen! Seht euch nur meine Hand an!" heulte sie. „Und das waren mal meine Freundinnen, meine besten Freundinnen! Es ist doch nicht meine Schuld, daß Mum Beacon nicht gerettet hat! Ich kann doch nichts dafür!"

„Mum hat an Beacons Tod auch keine Schuld. Ich war mit dabei auf dem Reiterhof. Er hatte irgendeine unheilbare Krankheit", schrie Tina sie an. „Ich sage dir, es war nicht Mums Fehler!"

„So viel Theater um ein Pferd! Ist doch einfach lächerlich!" ereiferte sich Tante Cloe, während sie Desinfektionsmittel und Watte zusammensuchte und anfing, Kates Wunden zu säubern.

„An der Schulter haben sie mich auch getroffen. Es war furchtbar", jammerte Kate. „Was ich durchmache, scheint keinen von euch zu interessieren."

Tina ging wieder nach dem kleinen Hund sehen, der immer noch schlief. Auch sie hatte jetzt richtig Angst, Angst um sie alle. Diese Reitschule hatte großen Zulauf. Wenn sich nun alle diese Leute gegen ihre Familie verschwören würden? Bis Dad wieder gesund war, würde es zu spät sein, noch irgend etwas zu unternehmen. Bis dahin wären sie längst ruiniert...

Einige Zeit später kam Ivor in seinem alten Wagen noch einmal vorbei. „Wie geht es unserer Kleinen?" fragte er Tina.

Die Hündin schlief noch immer in ihrem Käfig. Sie war der einzige Patient, den sie dabehalten hatten.

„Ein Glück, daß die Sehne an ihrem Bein nicht durchtrennt war", sagte Ivor.

Tina wußte, daß er wiedergekommen war, weil er sich einsam fühlte. Sie bat ihn trotzdem nicht in die Wohnung, weil Tante Cloe sich dann wieder über seine Pafferei aufregen würde. „Viel war heute morgen nicht los, oder?" fragte sie. „Weil Alan nicht da ist. Du weißt, daß ich ihn nicht ersetzen kann", antwortete Ivor bescheiden.

„Das ist es nicht allein. Die Leute haben kein Vertrauen mehr zu uns." Tina klang bedrückt.

Ivor schüttelte den Kopf. „Wir müssen alle mal durch schwere Zeiten, aber das geht vorüber, Tina." Dann ging er nach draußen, um seine Pfeife anzuzünden. Eine Weile stand er im Hof und blickte ins Leere. Bevor er ging, streckte er noch kurz seinen Kopf herein: „Heute abend sehe ich noch mal nach meiner Patientin. Mach dir wegen ihr keine Sorgen, morgen früh ist sie wieder putzmunter."

Als Tina in die Küche zurückging, las Kate in einem Buch. Das Essen stand auf dem Tisch, aber von Mum war nichts zu sehen.

*

Carl kaufte für seine Großmutter beim Fleischer ein. Er dachte an die Schule, als eine behäbige Frau ihm zurief: „Na, Carl, unten beim Tierdoktor soll es ja wohl Probleme geben?"

„Was für Probleme?" fragte Carl zurück.

„Liest du denn keine Zeitung?" schrie die schwerhörige Frau.

„Alles Lügen!" schrie Carl ebenfalls.

„Soll das heißen, es ist nicht wahr?"

„Genau! Wir wissen nämlich ganz genau, daß Ann Carr die beste Tierärztin weit und breit ist."

Mittlerweile hörte der ganze Laden zu.

„Ich sage nur, was bei uns in der Straße so erzählt wird", tönte die Frau, bevor sie sich endlich für ein Beefsteak interessierte.

Als Carl später in die Praxis kam, schmuste Tina gerade mit der kleinen Hündin, die sie in den Armen hielt. „Ivor und ich haben sie gerettet. Ist sie nicht süß? Ich nenne sie Becky", erklärte sie.

„Ich dachte, deine Eltern wollen keinen eigenen Hund?" wunderte sich Carl.

„Sie sollte eingeschläfert werden. Die Polizei wollte es. Davor haben wir sie aber bewahrt."

Becky war schon wieder eingeschlafen. Als Carl sich über sie beugte, versteckte sie sich noch tiefer in Tinas Armen.

„War da ein Collie dran beteiligt?" fragte Carl.

„Und ein Spaniel wahrscheinlich und vielleicht auch ein ganz kleines bißchen Dackel. Und sieh mal, was für niedliche helle Tupfer sie über den Augen hat!" begeisterte sich Tina.

„Wirklich ein hübsches Kerlchen. Aber was wird Ann dazu sagen?"

„Die bekommt doch überhaupt nichts mehr mit in letzter Zeit, schrecklich ist das", sagte Tina düster. „Und nach Kate haben Leute mit Dosen geschmissen. Und so was sollen Freunde sein! Auf die Gutshöfe werden Mum und Simon noch gerufen, aber in die Praxis kommen immer weniger Leute. Das ist dir doch sicher auch aufgefallen?"

„Ja, und in der Stadt zerreißen sie sich weiter die Mäuler. Für die seid ihr so was wie eine Sensation. Wahrscheinlich wußten sie bis jetzt noch nicht, daß es auch bei den Tierärzten – genau wie bei anderen Ärzten – aufregend zugehen kann. Aber manche Leute verteidigen euch auch. Einen Alten habe ich sagen hören: ‚Also mich haben sie immer gut behandelt.‘ Aber die meisten fallen über euch her, wie das eben so ist", bedauerte Carl.

„Tante Cloe will unbedingt, daß wir zur Polizei gehen. Aber mir ist nicht klar, wie die uns helfen soll. Ich bringe Becky jetzt in die Wohnung. Bin ich froh, daß wir sie gerettet haben!" sagte Tina.

„Wir sollten uns aber schon überlegen, wie wir zurückschlagen können. Diese Typen sind wirklich eine Gefahr für Kate. Soll ich in die Klinik fahren und mit Alan reden?"

„Bloß nicht, Carl! Das gäbe Mum den Rest. Wir müssen warten, bis es ihm bessergeht", gab Tina zu bedenken und knuddelte Becky.

„Dann könnte es aber schon zu spät sein", sagte Carl.

6

Der Sonntag verlief ziemlich harmonisch. Als Ann Becky sah, murmelte sie nur: „Aha, ein neuer Patient." Und dann erzählte sie Tina und Kate die Geschichte von einer Schildkröte, zu der sie gerufen worden war. „Die Kinder waren in Tränen aufgelöst, weil sie dachten, die Schildkröte würde sterben. Sie versorgten sie nur vorübergehend für Freunde; und niemand hatte ihnen gesagt, daß Schildkröten, wenn es kalt wird, in Winterschlaf fallen. Das arme Tier sehnte sich so danach, sich endlich verkriechen zu dürfen! Die Situation war schon sehr ulkig", schloß Ann lachend.

Kate, die ihr die Stimmung nicht verderben wollte, verschwieg ihr Problem, und als ihre Mutter irgendwann fragte, was mit ihrer Hand passiert sei, antwortete sie: „Das war Abraham, aber ich bin ganz allein schuld. Ich habe mich in seinem Zaum verheddert."

Auch Tante Cloe hielt den Mund. Sie kochte allen eine üppige Mahlzeit, und am Nachmittag machte sie mit Tina, Becky und Bambi einen kurzen Spaziergang.

Ann wurde den ganzen Tag nicht zu Patienten gerufen, was womöglich eine Folge der Gerüchte war. Sie hatte deshalb Zeit, mit Kate Laub zusammenzurechen und dann mit ihr und Tina in die Klinik zu fahren, um Alan zu besuchen.

Diesmal war er viel blasser, und kaum, daß sie sein Zimmer betreten hatten, fing er an zu wettern: „Was hat dieses Gerede über die Reitschule zu bedeuten? Was ist passiert? Sogar hier im Krankenhaus scheint jeder außer mir Bescheid zu wissen. Ich komme mir ganz schön ausgeschlossen vor, Ann!"

Mum umarmte ihn. „Beacon ist tot, und Wards wollen ihre Rechnung nicht bezahlen. Aber unser Anwalt kümmert sich darum, ich war am Freitag bei ihm. Mach dir keine Sorgen, Liebling, es wird alles wieder gut."

„Hoffentlich. Ich hab die Klinik so satt! Solange sie mich hier anbinden, bin ich zu gar nichts nütze."

Damit war das Thema beendet. Als sie nach Hause kamen, döste Tante Cloe in einem Sessel im Wohnzimmer. Becky hatte von einem Läufer eine Franse abgenagt, die Tina sofort versteckte. Für Kate lagen drei schmuddelige Briefe auf dem Tischchen im Flur, die sie niemand zeigen wollte. Draußen brachte Carl die Tiere in ihre Nachtlager.

„Das war einer der schönsten Sonntage seit langem", stellte Tina fest.

„Mit der Einschränkung, daß Dad nicht dabei war", warf Kate ein, während sie die Briefe in ihre Manteltasche stopfte.

Tante Cloe, die mittlerweile wach war, sah es und fuhr hoch: „Ich weiß nicht, wer diese Briefe gebracht hat, Kate. Ich war gerade beim Kochen, aber die Stimmen klangen nach Kindern."

„Sie sind nicht wichtig", antwortete Kate hastig. Aber Tina wußte, daß das nicht stimmte, weil Kates Gesicht rot angelaufen war.

Becky wurde in Tinas Zimmer gesperrt, solange

Tina mit ihrer Mutter vor dem Fernseher saß. Carl ging nach Hause, wo seine Großmutter neben dem Radio saß und Choräle hörte.

So konnte Kate sich ungestört in ihr Zimmer einschließen und die Briefe öffnen. Der erste war in Helens kleiner, schnörkeliger Handschrift geschrieben und bestand aus nur einem Satz: *Keine von uns wird je wieder mit dir reden!*

Da sie ohnehin nicht mehr miteinander sprachen, begriff Kate diesen Aufwand nicht recht. Helen war ein schlaksiges, blondes Mädchen, dessen Eltern das Postamt führten. Kate hatte so viele Stunden mit ihr verbracht – Helens Ablehnung konnte sie kaum ertragen.

Der zweite Brief war mit dem Computer geschrieben. Er stammte von Joseph, der Kate einmal bei einem Schulausflug geküßt hatte. Er hatte rote Haare und tauchte ab und zu auf dem Reiterhof auf. Joseph galt bei allen als äußerst streitlusig. Er hatte geschrieben: *Mach dir bloß keine Hoffnungen! Wir wissen, daß ihr's auf die Reitschule abgesehen habt! Versucht's nur! Sag deiner Mutter, daß wir sie erst mal ins Gefängnis bringen, ehe das passiert! Joseph, dein Feind fürs Leben!*

Kate bekam eine Gänsehaut. Was für schwachsinnige Briefe! Was hatten die Wards Helen und Joseph bloß erzählt, daß sie so viel Gift versprühten? Wieso wandten sie sich so schnell und unerbittlich gegen sie?

Mit zitternden Händen öffnete Kate den dritten Brief, aus dem ein DIN-A4-Blatt fiel. Es war viermal gefaltet und mit einem Stück Tesafilm zugeklebt. Sie mußte zweimal lesen, was darauf stand:

Wir wissen, daß Beacon deiner Mutter egal ist, uns aber nicht. Er war unser bestes Pferd, und wir haben ihn geliebt. Er war sanft, gut und freundlich, und deine Mutter hat ihn sterben lassen. Das verzeihen wir keinem von euch, solange wir leben. Wenn sie uns den Schaden nicht ersetzt, müssen wir zumachen, und dann sorgen wir dafür, daß ihr auch zumachen müßt. Damit wären wir dann quitt. Dianne, Caroline und Sally.

Alle drei gingen in Kates Klasse und sprachen bereits seit Tagen kein Wort mehr mit ihr. Zuvor war Kate zu allen ihren Partys eingeladen worden, hatte mit ihnen Karten gespielt, war sonnabends Arm in Arm mit ihnen durch die Stadt gezogen. Kate wischte sich über die Augen. Jetzt war es wirklich ernst. Das waren nicht irgendwelche Leute, die sie fertigmachen wollten. Es waren ihre besten Freunde!

Von diesem Zeitpunkt an war jeder Wochentag in der Schule eine einzige Bedrohung. Aber Kate wollte sich mit niemandem darüber aussprechen; und gerade ihre Mutter, die so viel anderes am Hals hatte, durfte sie nicht auch noch damit aufregen. Bis vor kurzem noch hatte sie alle ihre Probleme den Freunden erzählt, die sie jetzt auf einmal nicht mehr besaß.

Kate setzte sich auf ihr Bett und weinte, und als Tina zwischendurch hereinkam und fragte, „ob das irgendwelche bösartigen Briefe gewesen seien", schüttelte sie den Kopf, obwohl ihr Zustand deutlich genug das Gegenteil bewies. Es entschlüpfte ihr dann auch die Frage: „Warum haben sie es gerade auf mich abgesehen, Tina?"

Es war die Enttäuschung, die Kate am allermeisten

schmerzte. Alle ihre Freunde hatten sich gegen sie gestellt, ohne Ausnahme und ohne sich wenigstens Kates Version der Geschichte anzuhören. Und sie hatte sich eingebildet, das wären Freunde für immer und ewig!

Tina blieb. Sie setzte sich auf Kates Bettrand, die treue Becky zu ihren Füßen. „Es ist wegen der Reitschule, nicht wahr?" fragte sie.

Kate gab keine Antwort.

„Ist dir klar, daß wir uns jetzt keine Geheimnisse leisten können? Wenn wir nicht zusammenhalten und gemeinsam kämpfen, schaffen wir's nicht. Willst du, daß Dad nach Hause kommt und die Praxis nicht mehr vorfindet?" Tina versuchte jetzt, Kate mit bohrenden Blicken zur Vernunft zu bringen, aber es half nichts.

„Für dich ist es einfach. Du hast keine Freunde." Kate trocknete sich schmollend die Tränen mit der Tagesdecke. „Du findest es ja interessant, ohne Freunde auszukommen. Aber ich brauche welche. Ohne Freunde kann ich nicht leben. Freunde sind für mich wichtiger als Essen oder irgendwas sonst. Ich brauche sie wie meinen Atem", schloß sie theatralisch.

„Nun, ich würde sie nicht unbedingt als Freunde bezeichnen, wenn sie dich einfach so fallenlassen", sagte Tina.

Und wie üblich endete das Ganze damit, daß sie sich gegenseitig beschimpften.

„Du bist fast sechzehn und hast noch nicht mal einen Freund, wie willst du da überhaupt mitreden?" schrie Kate.

„Dumme Gans, es gibt Wichtigeres im Leben als Jungen", schrie Tina zurück und sprang hoch.

„Das sagst du doch nur, weil sich keiner für dich interessiert. Einfach lächerlich!" kreischte Kate, während ihr die Tränen von neuem übers Gesicht liefen.

„Wenn du mich beschimpfen willst, gehe ich lieber", gab Tina zurück und verließ, mit Becky auf den Fersen, den Raum.

Ann war in der Praxis. Tante Cloe saß im Wohnzimmer und trank auf ihr eigenes Wohl. Tina bereitete ihre Sachen für den nächsten Schultag vor. Gegen neun lag sie bereits im Bett, und es kam ihr vor, als ob sie nur Minuten geschlafen hätte, als sie ihre Mutter die Treppe hinauf rufen hörte: „Tina, du mußt mir helfen, den Wagen anzuschieben. Der Motor springt nicht an, und ich muß dringend zum Gestüt. Eine Stute hat Probleme mit ihrem Fohlen. Schnell!"

Tina sprang aus dem Bett, zog sich in fliegender Hast Jeans und Pullover über und band ihre Haare mit einem Gummiband zusammen.

Draußen war es fast noch dunkel, nur im Osten hellte sich der Himmel langsam auf. Becky war natürlich mitgekommen und bewirkte, daß Ann aufschrie: „Schon wieder dieser Hund! Der gehört doch nicht etwa ins Haus!"

„Eigentlich schon", antwortete Tina.

Zum Glück war auch Carl schon da. Er nutzte nur zu gern jede Gelegenheit, um seinem Zuhause zu entkommen und sich mit Tieren zu befassen. Er versuchte, Alans Wagen zu starten, aber da er so lange nicht benutzt worden war, starb der Motor nach jedem Versuch gleich wieder mit einem heiseren Krächzer ab.

„Habt ihr kein Starthilfekabel?" fragte er jetzt.

„Keine Ahnung", schrie Ann. „Wir können aber schieben."

„Was ist denn mit deinem Auto, Mum?" fragte Tina und wischte sich den Schlaf aus den Augen. „Warum benutzen wir nicht dein Auto?"

„Es ist kaputt. Kommt, wir müssen alle anschieben. Beeilt euch, es ist meine einzige Hoffnung", rief Ann.

„Nehmt doch meinen Wagen", rief Tante Cloe aus einem der Fenster. Aber wie gewöhnlich hatte sie ihre Schlüssel verlegt. Sie waren weder in ihrer Handtasche, noch in der Küche, noch im Wohnzimmer, noch in ihrem Einkaufskorb, noch unter ihrem Kopfkissen zu finden.

In der Zwischenzeit schoben Carl und Tina so eifrig, daß der Wagen plötzlich ansprang und einen Satz nach vorn machte. Ann jagte den Motor hoch und schrie über den Lärm hinweg: „Ihr müßt mitkommen! Bestimmt stirbt er wieder ab!"

Kate erschien jetzt im Schlafanzug und bot gleich an: „Ich kümmere mich um Becky."

„Zur ersten Unterrichtsstunde bin ich bestimmt noch nicht zurück", sagte Tina. „Sag ihnen, ich wäre krank."

„Dann gehe ich auch nicht", rief Kate ihnen hinterher, als sie in den Wagen kletterten. „Ich bleibe zu Hause und helfe Rachel."

Ann trat wie wild aufs Gas und ließ den Motor aufjaulen. „Das Gestüt kann ich nicht im Stich lassen, sie sind unsere besten Kunden. Das würde mir euer Vater nie verzeihen."

„Ist diese Stute nicht ziemlich spät dran mit dem Fohlen?" fragte Carl.

„Ja, aber das kommt vor", sagte Ann und überholte einen Zeitungsjungen auf seinem Rad.

„Ich helfe mit. Geburten sind etwas Wunderbares", sagte Carl.

„Hätte sie sich nur eine andere Zeit ausgesucht!" murmelte Ann.

Tina mußte wieder an Becky denken. Seit jenem schlimmen Tag hatte sie sich sehr verändert. Ein liebes, freundliches Geschöpf war aus ihr geworden, so gehorsam und anhänglich, daß es Tina manchmal überwältigte. Auch die Wunde am Bein war rasch verheilt, und wenn sie auch immer eine Narbe zurückbehalten würde, verblaßte die Schnittstelle schon erheblich.

Das Problem mit dem Auto hatte Tina völlig aus ihren Gedanken verdrängt, als ihre Mutter plötzlich aufschrie: „Oh nein, jetzt kein Traktor mit Zuckerrüben! Das darf doch nicht wahr sein, nicht um diese Zeit! Wenn mir die Karre jetzt bloß nicht schlappmacht!"

„Und auch noch an einer Steigung", ergänzte Carl.

Der Wagen verlor bereits an Tempo, und Tina wurde unsanft aus ihren Gedanken gerissen.

Ann zerrte am Choke und trat das Gaspedal durch.

„Keine Sorge, der Hügel hat auch eine abfallende Seite", bemerkte Carl ungerührt.

„Aber zuerst mal müssen wir hinauf!"

Der Traktor war riesig, und sein mit Zuckerrüben beladener Anhänger noch riesiger. Anns Hände verkrampften sich ums Lenkrad. Ihr ganzer Körper schien den Wagen vorantreiben zu wollen – vergebens! Der Motor gurgelte noch einmal auf, bevor er abstarb. Mit wutverzerrtem Gesicht trat Ann auf die Bremse. „Wir sitzen fest!" schrie sie und trommelte mit ihren Fäusten gegen die Tür.

„Auf geht's, Tina, an die Arbeit! Wir sind schon fast oben, und was dann kommt, ist der reine Gleitflug", rief Carl und sprang auf die Straße.

Diesmal schoben sie zu dritt. Ann hielt durch die Türöffnung das Lenkrad. „Wenn jetzt nur irgendein starker Mann da wäre", jammerte sie.

„Oder ein Abschleppwagen", setzte Carl grinsend hinzu.

„Mir ist nicht zum Lachen. Wenn das Fohlen stirbt, habe ich die nächste Klage am Hals. Ihr könnt euch denken, was das für uns bedeuten würde."

„Das gäbe uns sicher den Rest", rief Tina.

„Nur noch ein paar Meter. Schieben, schieben, alle Mann nochmal volle Kraft voraus!" kommandierte Carl.

Alle drei stemmten sich gegen den Kombi. Tina dachte dabei an den ungeduldig wartenden Pferdebesitzer. Ihr Vater, der sonst immer zu ihm gerufen wurde, hatte sich ein bißchen angefreundet mit ihm.

Endlich hatten sie den höchsten Punkt des Hügels erreicht. Vor ihnen lag das Tal im sanften Licht der herbstlichen Morgensonne.

„Vorsicht!" schrie Carl. „Zieh die Handbremse, Ann! Der Wagen darf nicht wieder zurückrollen!"

Aber es kam ganz anders: Während Ann versuchte, an die Bremse zu gelangen, machte sich das Vehikel in die andere Richtung selbständig. Es rollte über die Kuppe und mit wachsendem Tempo talwärts – so schnell, daß Ann gerade noch kreischend ihren Arm aus dem Wagenfenster befreien konnte.

Dann standen alle drei belämmert da und schauten dem Auto nach, bis Ann in Tränen ausbrach und verzweifelt aufschluchzte: „Das ist das Ende! Das absolute Ende!"

Tina wurde plötzlich ganz ruhig. Aus. Vorbei. Sie hatten ihr Bestes getan und es nicht geschafft. Dann bemerkte sie, daß der Kombi sich auf halbem Weg in einem aufgeweichten Stück Boden festgefahren hatte. Wie auf Kommando rannten sie alle gleichzeitig los.

Beim Laufen sah Ann auf ihre Armbanduhr. „Vielleicht nimmt uns jemand mit. Vielleicht schaffen wir's doch noch", rief sie. „Dann kommt ihr auch noch in eure Schule."

„Nur, daß wir da auch erst mal hinfahren müßten", meinte Carl, der den Wagen als erster erreichte.

Es wurde ihnen schnell klar, daß sie ihn mit eigener Kraft nicht aus dem Dreck ziehen konnten.

„Da muß ein Traktor her", keuchte Ann. „Wenn es nicht so fatal wäre, müßte ich lachen. Meine Arzttasche nehme ich besser mit."

„Und jetzt?" fragte Tina.

„Wir brauchen ein Telefon."

„Kriegen wir ihn nicht auf dem Hügel wieder flott?" meinte Tina.

„Wie denn, wenn wir ihn erst gar nicht wieder auf den Hügel kriegen?" Ann klang entnervt.

Mitten in ihr mehr oder weniger hysterisches Gelächter quietschten die Bremsen eines Lastwagens. Der Fahrer beugte sich aus dem Fenster. „Brauchen Sie Hilfe?"

„Ich muß so schnell wie möglich zum Gestüt. Ich bin Tierärztin. Vielleicht sind Sie meine Rettung", sagte Ann, und ihre Stimme klang auf einmal wieder munterer.

Im nächsten Augenblick saßen sie alle in der Fahrerkabine. Ann erzählte, was passiert war.

„Sie sollten Ihren Wagen wohl häufiger mal zur Inspektion bringen", meinte der Fahrer, als sie geendet hatte.

Bei der Farm angelangt, sprangen sie alle aus der Kabine. Das Gestüt lag still da. Sie bedankten sich bei dem Fahrer und rannten die breite, auf beiden Seiten von Pferchzäunen gesäumte Zufahrt entlang.

Der Besitzer, eine elegante Erscheinung – er sah mehr nach Finanzgeschäften als nach Pferdezucht aus – kam ihnen mit zwei goldfarbenen Labradorhunden entgegen. „Mrs. Carr?" Ann nickte.

„Nun, inzwischen haben wir alles schon hinter uns", sagte er.

„Doch keine Komplikationen?" Ann hielt die Luft an.

„Keine. Sie war überfällig, aber mein Stallmeister ist großartig damit fertig geworden. Sie wissen, wie das ist: jemand schickt uns seine Stute, um sie noch einmal von einem Araberhengst decken zu lassen, und wenn irgend etwas schiefgeht, gibt man uns die Schuld. Und je mehr die Besitzer an ihren Stuten hängen, desto haarspalterischer sind ihre Vorwürfe", sagte er. „Wir haben Sie also eigentlich nur rufen lassen, um ganz sicher zu gehen."

„Ist sie nicht ein bißchen spät dran mit dem Fohlen, Sir?" wollte Carl wissen.

„Gewiß, aber diese Stute ist eine Ausnahme: Sie fohlt immer so spät. Da sie jedoch kein Rennpferd ist, spielt es keine große Rolle. Wo ist denn Ihr Wagen geblieben?" fragte er.

Ann erzählte auch ihm, was passiert war, und er rief einen seiner Arbeiter und schickte ihn mit einem Traktor und einem Abschleppseil los, um den Kombi zu befreien.

Inzwischen war das Ganze zu einer Posse geworden: All die Hektik und Aufregung für nichts und wieder nichts! Als Tina mit auf den Traktor kletterte, fühlte sie sich vollkommen ausgelaugt. Da für drei kein Platz war, lief Carl ihnen voraus. Die Straße war inzwischen voller Fahrzeuge, die zur Arbeit fuhren und erbost den Traktor anhupten, und aus den Wagenfenstern heraus schimpften, weil sie nicht an ihm vorbei kamen.

Der wortkarge Traktorfahrer brachte nur einen Kommentar über die Lippen: „Da sehen Sie, was ich davon habe!"

Bald hatte er den Kombi aus dem Dreck gezogen. Nachdem der Motor aber nicht mehr ansprang, schleppte er ihn noch eine Meile bis zur nächsten Werkstatt, wo Ann eine neue Batterie kaufte.

Währenddessen ging Carl durch den Kopf, daß auch die Sache mit dem Gestüt der Carr-Praxis neue Minuspunkte einbringen würde. Der Traktorfahrer würde es bestimmt dem Stallmeister erzählen, und schon war das nächste Gerücht über Ann und Alan in Umlauf gesetzt.

Und Tina machte sich Sorgen, ob ihre erst zwölfjährige Schwester wirklich auf Becky aufpaßte oder ob der kleine Hund weggelaufen und unter die Räder gekommen war.

Ann dachte an die Kosten für die neue Batterie und daß sie für die vergangenen zwei Stunden keinen Pfennig bezahlt bekam und ihr möglicherweise in dieser Zeit ein wichtiger Auftrag durch die Lappen gegangen war.

Als die drei dann schließlich zu Hause eintrafen, wartete Kate schon sehnsüchtig auf sie und verkündete aufgeregt: „Rachel ist nicht gekommen – keiner weiß warum. Ivor und ich haben es halbwegs allein geschafft, aber ich bin heilfroh, daß ihr endlich da seid. Es war schrecklich! Die Karteikarten habe ich ausgefüllt, aber mit dem Computer kommen wir nicht klar, der scheint zu spinnen. Wir haben alles mögliche versucht..."

Ann spürte, wie ihr das Blut in den Kopf schoß. „Was habt ihr mit dem Computer angestellt?"

„Nur so ein paar Tasten gedrückt. Aber er hat immer dasselbe wiederholt. Übrigens, jemand hat eine Meergans gebracht, der ein Angelhaken in der Gurgel steckte. Sie scheint durchzukommen, Ivor hat sie operiert. Ein Glück, daß ich nicht in die Schule gegangen bin! Ich hab mir Rachels Kittel übergezogen, aber stell dir vor, was passiert ist: Ausgerechnet eine Lehrerin war da, mit einer zahmen Ratte; und jetzt will sie dich anzeigen, weil du Minderjährige beschäftigst, die

88

eigentlich in der Schule sein müßten. Daß für mich das Ganze sehr lustig war, hat sie überhaupt nicht kapiert, die blöde Kuh!" Kate war plötzlich wie aufgedreht und redete wie ein Wasserfall.

Ann schoß an ihr vorbei in die Praxis, und Kate überschüttete Tina und Carl mit ihren Erlebnissen... Ivor hatte sie nicht davon abgehalten, den weißen Kittel anzuziehen und Rachel zu spielen. Er hatte gelacht und mit ihr herumgealbert, bis eine großwüchsige Dame erschien und nach einer Hündin fragte, deren Beschreibung verdächtig gut auf Becky paßte. Da wurde Ivor mit einemmal ganz ernst und erklärte der Frau, von einem kürzlich eingelieferten Hund dieser Beschreibung wüßte er nichts. „Einschläfern, das gehört nicht zu meinen Pflichten. Ich bin längst nicht mehr im Dienst und werde nur noch gerufen, wenn's irgendwo brennt."

„Anderson ist mein Name", sagte die Frau, die auf Kate den Eindruck machte, als sei sie es gewohnt, ihren Kopf durchzusetzen. „Der Beamte auf der Polizeistation meinte, es wäre möglich, daß meine süße kleine Penny noch am Leben ist. Er hat mir eine Bestätigung gezeigt, die irgend jemand hier unterschrieben hat. Und außerdem ist meine Hündin kürzlich hier im Ort gesehen worden." Die Frau, die sehr hochhackige Schuhe trug, ließ nicht locker. „Soll ich später noch einmal wiederkommen? Wann ist denn der richtige Tierarzt da?"

Ivor nickte nur zu allem und meinte dann: „Vielleicht nach vier. Versuchen Sie es dann noch mal."

Als Kate Tina jetzt von diesem Besuch erzählte,

brach ihre Schwester in Tränen aus. „Als ob nicht auch so schon alles schlimm genug wäre!"

„Aber Becky ist ja noch da, und außerdem heißt die andere Hündin Penny", meinte Kate naiv.

„Sie kriegt sie nicht zurück! Nur über meine Leiche! Wieso sollte sie einen Hund zurückkriegen, den sie ausgesetzt hat? Schließlich hat die Polizei Becky bei uns als herrenlosen Streuner abgeliefert. Und wer soll Becky überhaupt gesehen haben? Ins Dorf habe ich sie fast noch nie mitgenommen!"

„Reg dich nicht auf, mit der Frau werde ich schon fertig", versuchte Carl sie zu beschwichtigen.

„Aber wie denn?"

„Ich lasse mir schon was einfallen."

„Und du hör auf, dich wichtig zu machen!"schrie Tina ihre Schwester an.

„Mach ich gar nicht. Mich regt das alles auch auf", wehrte sich Kate. „Aber wenn Becky nun mal Mrs. Anderson gehört, müssen wir sie zurückgeben, oder?"

„Nur über meine Leiche!" schrie Tina wieder.

„Was soll denn das Geschrei bedeuten?" fragte ihre Mutter, die aus der Praxis kam.

„Nichts. Wir streiten uns bloß", sagte Kate schnell.

„Hört sofort damit auf", verlangte Ann genervt.

Tina lief hinaus und machte sich auf die Suche nach Becky.

Es war erst halb elf, aber weil sie so früh aufgestanden waren, kam es ihnen viel später vor. Die Sprechstunde war vorüber.

Bevor Ivor heimfuhr, steckte er noch kurz seinen Kopf in die Küche: „Vielen Dank für deine Hilfe,

Kate. Du warst großartig. Es tut mir nur leid, daß wir den Computer kaputtgemacht haben."

Kate ging zu Abraham. Tina hatte sich mit Becky in ihr Zimmer zurückgezogen. Für die Schule war es inzwischen zu spät. Carl setzte sich an den Küchentisch, den Kopf in seine Hände gestützt, und grübelte: Wie könnte man Becky vor ihrer rechtmäßigen Besitzerin bewahren und, was noch wichtiger war, wie Tina vor dem größten Kummer ihres Lebens? Bis vier Uhr mußte er darauf eine Antwort wissen.

7

Der Tag zog sich in die Länge. Ann war erschöpft. Kate redete weiter wie ein Wasserfall, während Tante Cloe versuchte, im Wohnzimmer Ordnung zu schaffen, wobei sie unter den Kissen die seltsamsten Dinge hervorzauberte.

Tina hatte ein leeres Gefühl im Magen, aber sie brachte mittags nichts herunter; allein schon beim Gedanken an Essen wurde ihr übel.

Rachel hatte sich inzwischen mit tausend Entschuldigungen eingefunden. „Ich hatte Nasenbluten. So arg, daß ich sogar in die Klinik mußte", sagte sie.

„Wenigstens anrufen hätten Sie können", meinte Ann kurz angebunden.

„Das habe ich versucht, aber ich bin nicht durchgekommen." Rachel sah noch blasser aus als üblich.

„Hier hätte es eine Katastrophe geben können, ja sogar Todesfälle", fuhr Ann böse fort. Sie war in einer Stimmung, wo sie jeden abkanzelte.

Auch mit Tinas Tränen hatte sie keine Geduld. „Du lieber Himmel, Tina, was hast du überhaupt mit anderer Leute Hunden zu schaffen?" wollte sie wissen.

Tina versuchte es ihr zu erklären, aber ihre Mutter hatte nicht mal Lust zuzuhören. „Du gibst Becky wieder zurück, basta!" bestimmte sie ärgerlich.

Zum Glück war Simon wieder zurück und übernahm den Dienst.

So konnte Tante Cloe Ann dazu überreden, sich eine Weile hinzulegen und auszuruhen. „Je eher diese Praxis zugemacht wird, desto besser", bemerkte sie später beim Abwasch. „Vielleicht werden dann alle wieder normal."

„Das ist alles nur wegen dieser gemeinen Reitschule", wandte Tina ein.

„Nicht ganz. Es kommt alles zusammen: Dein Vater liegt im Krankenhaus, deine Mutter arbeitet sich halbtot, anstatt sich um euch zu kümmern", schimpfte Tante Cloe. „Ihr treibt euch hier herum, anstatt zur Schule zu gehen. Wenn du mich fragst, so läuft das alles ziemlich verkehrt."

Tante Cloes größter Wunsch wäre ein eigenes Kind gewesen. Für ein eigenes Kind hätte sie auch ihre Arbeit aufgegeben. Aber natürlich mußte es ihre Schwägerin sein, die gleich zwei Kinder hatte und trotzdem ihre Arbeit nicht aufgeben wollte. Was dabei herauskam, sah sie ja: das totale Chaos, und mittendrin ihr armer Bruder, der das alles ertragen und auch noch seine Pflicht tun mußte. Das Schicksal war wirklich nicht fair!

Tina kam auch am Nachmittag nicht zur Ruhe. Sie unternahm mit Becky einen kurzen Spaziergang am Kanal, wo nur ein paar Enten und Hausmüll herumschwammen. Langsam zog Nebel auf. Die Kaianlage war feucht und schlüpfrig, die beiden Erfrischungsbuden waren geschlossen. Passend zu dieser trübseligen Stimmung malte Tina sich aus, wie ihr Leben ohne Becky sein würde. Andererseits wußte sie aber auch, daß ihre Mutter recht hatte: Becky gehörte nun mal der

Frau, die sich gemeldet hatte und die Hündin wiederhaben wollte. Daran war nichts zu ändern.

Als Tina niedergeschlagen nach Hause zurückkehrte, hörte sie Kate jemanden am Telefon anschreien. Und Carl mistete schon wieder Abrahams Stall aus.

Tina sah ihn nicht an, weil ihre Augen voll Tränen waren. Und Carl sah Tina nicht an, weil er wußte, daß sie weinte. Die Pappeln ließen welke Blätter auf die Weide regnen. Die Gänse fingen ein grundloses Geschnatter an. Es war einer von diesen Tagen, an denen alles schiefgeht und die Dunkelheit zu früh hereinbricht. „Ich hasse die ganze Welt!" schluchzte Tina vor sich hin, während sie für Carl eine Karre Mist auskippte. Nur Becky sah ihnen schwanzwedelnd zu und ahnte nichts von dem, was ihr bevorstand.

„Es gibt doch noch andere Hunde", versuchte es Carl schließlich.

„Aber den hier haben wir gerettet", schluchzte Tina. „Ich und Ivor. Der Polizist hat Becky zum Einschläfern zu uns gebracht, Carl, und wir haben es nicht gemacht."

„Ich weiß. Du willst immer, daß alles gerecht zugeht, aber das Leben ist anders. Mit den Ungerechtigkeiten muß man halt auch irgendwie fertig werden, weißt du", sagte Carl.

Und Tina fiel plötzlich ein, daß Carl seine Eltern auf einmal verloren hatte, und hielt den Mund. Es wurde allmählich kühl, und Tina fröstelte. Die Gänse verschwanden bereits Richtung Nachtlager. Kaum hatte Carl den letzten Besenstrich in Abrahams Stall getan, rannte der Esel hinein und stellte sich erwartungsvoll vor seinen Futtertrog.

Tina war nun zumute wie vor ihrer eigenen Hinrichtung.

„Ich denke, daß Becky bei uns bleibt", sagte Carl, während er die Stalltür verriegelte.

„Aber wie denn?" fragte Tina.

„Warte mal ab. Versprechen will ich nichts, aber ich habe einen Plan, der vielleicht funktioniert", antwortete er, offensichtlich mit sich selbst zufrieden.

Währenddessen saß Kate in der Praxis und telefonierte der Reihe nach ihre ehemaligen Freunde an, die aus der Schule nach Hause kamen. Jeden unterrichtete sie davon, daß sie ihre Drohbriefe abgeheftet hatte, um sie zum passenden Zeitpunkt der Polizei auszuhändigen. „Es sind Drohbriefe", sagte sie, „und ich behandle sie als Beweismaterial. Demnächst werdet ihr von uns hören."

Helen schien sich Sorgen zu machen, aber Caroline und Sally, die zusammen bei Caroline in der Küche hockten, lachten nur. „Wir haben sie doch gar nicht mit der Post geschickt, du Schlauberger. Außerdem wird keiner dir glauben, Kate, weil sie dich für übergeschnappt halten", kicherte Sally, während Caroline dazwischenquäkte: „Ich sag's meinem Vater, der ist Anwalt und wird dir schon beibringen, wo's langgeht."

Diane fing, kaum daß Kate ihren Namen genannt hatte, an zu heulen. „Du weißt, daß ich dich gern habe, aber die anderen erlauben mir nicht mehr, mit dir befreundet zu sein", jammerte sie. „Und meine Reitschule will ich einfach nicht verlieren."

Joseph begrüßte sie so: „Hallo, Katilein! Vermißt du uns auch schön? Nun, warte nur ab, bald komm ich mit ein paar Kumpels und mach ein bißchen Feuer in eurer großartigen Praxis!"

Und Kate, die ihm so etwas wirklich zutraute, bekam es mit der Angst zu tun. „Wenn du das machst, kommst du in die Jugendstrafanstalt", sagte sie.

„Das ist es mir wert. Beacon war für mich wirklich das beste Pferd auf der Welt, dafür nehm ich schon was auf mich", gab Joseph gelassen zurück.

„Aber meine Mutter kann nichts dafür, daß er tot ist. Er hatte eine unheilbare Krankheit. Geht das nicht in deinen Schädel?" brüllte Kate.

In diesem Moment erschien Simon, riß Kate den Hörer aus der Hand und knallte ihn auf die Gabel. „Dieses Telefon ist für die Praxis, nicht für deine Privatgespräche, Kate", schrie er sie an. „Geh rüber, wenn du telefonieren willst. Ich erwarte einen Anruf. Verschwinde!"

„Vermutlich von Sue", bemerkte Kate mit vielsagendem Lächeln. „Übrigens ist es nicht Ihr Telefon. Es gehört schließlich uns!"

Simon holte gerade zu einer passenden Erwiderung aus, als draußen Mrs. Anderson auf den Hof fuhr, ihr Wagenfenster herunterkurbelte und rief: „Ich komme Penny abholen. Wo ist denn mein kleiner Schatz?"

Tina hatte sich entschlossen, sich auf Carls Idee zu verlassen, und bürstete ganz offen auf der Veranda Beckys Fell.

Mrs. Anderson trug einen Regenmantel, hochhackige Schuhe und einen grünen japanischen Seidenschal.

Ihr Lippenstift war etwas verwischt, und ihre Haare leuchteten unnatürlich blond. Ihr Parfum schien Becky vertraut zu sein; sie schien es nicht zu mögen, denn die Hündin versteckte sich hinter Tinas Beinen.

Carl hatte sich Simons weißen Kittel übergezogen. Die Haare hatte er sich hinter die Ohren gekämmt, und die Schuhe, die von Alan stammten, waren für seine schmalen Füße etwas zu breit. Er streckte Mrs. Anderson die Hand entgegen und schenkte ihr sein strahlendstes Lächeln. „Guten Tag. Wir haben zwar jetzt keine Sprechstunde, aber vielleicht kann ich Ihnen trotzdem helfen?" fragte er zuckersüß.

„Ich habe heute vormittag schon mit einem älteren Herrn gesprochen. Jetzt komme ich noch einmal wegen Penny", sagte Mrs. Anderson und ließ seine Hand los. „Da ist sie ja! Vielen Dank, daß Sie sie gerettet haben. Ein Mädchen in der Reitschule hat mir erzählt, daß sie hier ist. Wieviel schulde ich Ihnen?"

„Ziemlich viel, fürchte ich", antwortete Carl. „Wenn Sie einen Moment warten wollen, lasse ich die Rechnung vom Computer ausdrucken."

Tina zitterte inzwischen am ganzen Körper.

„Komm her, Pennyschätzchen, dein Frauchen ist wieder da. War es schlimm? Hat dich ein böser, böser Polizist erschreckt?" flötete Mrs. Anderson und streckte ihre behandschuhte Hand nach der Hündin aus.

Becky blieb hinter Tinas Beinen hocken. Bei wem sie bleiben wollte, war offensichtlich.

„Gib sie mir. Komm schon, sie gehört mir", forderte Mrs. Anderson.

4 4771-11

„Wieso ist sie mit der Polizei in Berührung gekommen?" fragte Tina mit einer Stimme, die sich sogar für sie selbst fremd anhörte.

„Ich hatte sie zu Freunden gegeben, weil ich mit meinem Mann nach Japan reisen mußte. Ich dachte, das wäre besser als ein Tierheim; aber während wir weg waren, hat sich das Ehepaar zerstritten, und der Mann hat Penny einfach vor die Tür gesetzt", erklärte Mrs. Anderson. „Feine Freunde!"

„Schreckliche Leute müssen das sein", bestätigte Carl, während Mrs. Anderson sich Penny zu nähern versuchte. Der Hund aber riß heftig an der Leine, die Tina nicht mehr halten konnte, und raste davon.

„Oh, das tut mir leid. Ich glaube, sie erkennt Sie nicht mehr", sagte Tina. „Sie ist nun auch schon einige Wochen bei uns. Ich habe geholfen, ihr Bein zu behandeln, und weiß deshalb, wie schwierig die Operation war. Es wäre wirklich besser gewesen, wir hätten sie eingeschläfert. Streunende Hunde dürfen wir nämlich gar nicht behandeln."

„Penny ist keine streunende Hündin!" rief Mrs. Anderson ärgerlich und rannte hinter Becky her. „Penny! Willst du wohl herkommen, du unartiger Hund! Na warte nur, bis ich dich zu fassen kriege! Was bildest du dir eigentlich ein? Penny!"

Carl konnte sich das Lachen nicht mehr verbeißen, und Kate, die inzwischen dazugekommen war, stimmte mit ein. Nur Tina verwendete ihre ganze Kraft darauf, still vor sich hinzubeten: „Bitte, bitte lieber Gott, gib, daß sie Becky nicht mitnimmt!"

Dann riß auf einmal Tante Cloe die Hintertür auf

und rief: „Sie ist in den oberen Stock geflüchtet, die arme Kleine! Soll ich sie holen?" Im Hintergrund kläffte Bambi wie verrückt, und das Radio plärrte noch dazu.

„Ja. Ich will sie wiederhaben. Ich kann beweisen, daß sie mir gehört", antwortete Mrs. Anderson erbost. „Bei uns in der Wohnung war Penny zufrieden. Ganz stubenrein war sie zwar noch nicht, aber ich mußte ja auch den Tag über auswärts arbeiten. Mit der Zeit hätte sie es schon gelernt. Wenn sie wo hingemacht hatte, gab mein Mann ihr mit der zusammengerollten Zeitung einen Klaps. Keinen festen! Und jeden Abend, wenn ich von der Arbeit zurückkam, bin ich ein Stück gelaufen mit ihr. Nicht weit, nur bis zum Park und zurück. Sie hat sich völlig wohl gefühlt bei uns."

Tina mußte tief Luft holen, als sie sich dieses Hundeleben ausmalte. Ihre treue Becky den ganzen Tag in einer Wohnung eingesperrt! Mrs. Anderson behauptete, der Hund hätte sich wohl gefühlt, aber woher wollte sie das denn wissen?

„Sie hat sich so gefreut, wenn ich abends nach Hause gekommen bin. Was für ein Empfang! Immer sehe ich ihr kleines liebevolles Gesicht vor mir!" schwärmte Mrs. Anderson weiter.

Tante Cloe kam, eine widerspenstige, sich mit ganzer Kraft sträubende Becky am Genick gepackt. Tina legte ihr die Leine wieder an.

„Paß diesmal besser auf", sagte Mrs. Anderson. „Damit sie nicht noch einmal ausreißen kann."

Tina nahm der Hündin die Erkennungsmarke ab, auf der Becky Carr stand und auch Telefonnummer und Adresse der Carrs angegeben waren. Dann zog sie leise vor sich hinweinend die Leine strammer. Keinem war nach Lachen zumute, und selbst Kate sah betreten drein. Carl war in die Praxis gegangen, um sich am Computer zu schaffen zu machen.

„Nun, das wäre es wohl", sagte Mrs. Anderson und nahm Becky auf den Arm. „Vielen Dank für alles."

„Moment!" rief da Carl und kam aus der Praxis gelaufen. „Sie können noch nicht gehen! Zuerst müssen Sie diese Rechnung begleichen. Wie Sie wissen, ist dies eine private Tierarztpraxis, wo die Behandlung was kostet." Er gab Mrs. Anderson ein Stück Papier. „Ich habe jede Leistung einzeln aufgeführt", fuhr er fort. „Die Operation war leider nicht billig, aber das ist eine Operation ja nie, und für diesen schwierigen Eingriff sind siebzig Pfund nicht viel."

Mrs. Anderson setzte Becky ab, die augenblicklich wieder zu Tina rannte. „Aber das sind ja zweihundert Pfund plus Gebühren!" rief sie entsetzt.

„Nun, darin sind auch Verbandswechsel und stationäre Betreuung enthalten", erklärte Carl. „Und wie ich gerade sagte, ist dies hier leider eine Privatpraxis."

„Meine Güte! Ich weiß nicht, was ich dazu sagen soll! Soviel Geld kann ich unmöglich bezahlen!"lamentierte Mrs. Anderson, während Becky zitternd in Tinas Armen lag. „Ich werde das kleine Wesen furchtbar vermissen, und mein Mann bestimmt auch. Sie war wie unser Kind! Manchmal kam sie sogar morgens zu uns unter die Bettdecke gekrochen."

Tina glaubte Mrs. Anderson kein Wort. Während sie sich das Gerede anhörte, spürte sie allmählich Hoffnung aufkommen, und ihr wurde etwas leichter ums Herz.

„Du mußt sie irgendwie verhext haben", stellte Mrs. Anderson mit einem finsteren Blick auf Tina fest. „Wie du das gemacht hast, weiß ich nicht."

„Hier hat sie mehr Platz", schaltete sich Carl ein. „Sie kann auf der Weide ihre Knochen verbuddeln und herumrennen, soviel sie mag. Und Tina geht jeden Morgen und jeden Abend mit ihr spazieren, nicht nur bis zur nächsten Ecke, sondern mindestens eine Dreiviertelstunde, und die meiste Zeit ohne Leine."

„Ich verstehe... Wer sind Sie überhaupt?" fragte Mrs. Anderson und sah Carl zum ersten Mal richtig an.

„Der Assistent des praktizierenden Arztes. Und sein Bürogehilfe", mogelte Carl unverfroren.

„Aha. Für so viel Verantwortung wirken Sie reichlich jung."

„Ich bin aber schon eine ganze Weile hier", sagte Carl, während sie ihn argwöhnisch von oben bis unten abschätzte.

„Also gut, behalten Sie sie, werden Sie selig mit ihr!" kreischte sie schließlich. „Aber wenn ich sie hierlasse, brauche ich die Rechnung nicht zu bezahlen?"

„Das stimmt", sagte Carl und lächelte Tina zu, die zurücklächelte und heimlich mit dem Daumen ein Triumphzeichen machte.

Carl hatte aber noch ein zweites Stück Papier für Mrs. Anderson mitgebracht. „Hier müßten Sie bitte auch noch unterschreiben", bat er. „Es ist Ihre Erklärung, daß Sie auf den Hund keine Ansprüche mehr erheben."

Während sie unterschrieb, machte Kate draußen auf dem Rasenstück einen Handstand und murmelte leise dazu: „Wir haben gewonnen!"

Und Tina flüsterte Becky ins Ohr, daß sie nun in Sicherheit sei. „Nun bleibst du für immer und ewig bei uns", tröstete sie den Hund.

Mrs. Anderson gab Papier und Stift an Carl zurück und sagte: „Lebewohl also, du treuloser kleiner Hund! Ich fahre jetzt gleich zum Tierheim und suche mir einen neuen aus. Diesmal nehme ich wahrscheinlich besser einen kleinen Rüden."

„Ja, den kleinsten, den Sie bekommen können, weil der nicht soviel Auslauf braucht", riet ihr Carl.

„Ich suche mir aus, was ich will! Dazu brauche ich Ihren Rat nicht, junger Mann", wies Mrs. Anderson ihn bissig zurecht und stakste zu ihrem Wagen. „Adieu, Penny, du Treulose!"

„Wetten, daß sie diesmal eine noch schlechtere Wahl trifft?" sagte Carl, als sie abgefahren war.

„Einen Rottweiler vielleicht", schlug Kate lachend vor.

„Oder eins von diesen überzüchteten Energiebündeln, die immerzu in Aktion sind", prustete auch Carl los.

„Und ihre schöne Bettdecke in kleine Fetzen reißt!" kreischte Kate vor Vergnügen.

„Und sie einfach weiterzerrt, wenn sie nach der Arbeit mit ihm an der nächsten Ecke umkehren will", malte Carl sich aus.

„Jetzt will ich aber endlich wissen, wie du das mit dem Verhexen gemacht hast, Tina!" Kate lachte übermütig, als ob sie seit Jahren nichts Komischeres gehört hätte.

Dann stürmten alle übermütig ins Haus. Tante Cloe trank gerade den Sherry, der eigentlich zum Kochen gedacht war. „Zur Feier des Tages", erklärte sie entschuldigend. „Und weil diese gräßliche Person weg ist!"

Auch die Hunde schienen begriffen zu haben, daß ein besonderer Tag war: Beide tobten wild jaulend durchs Haus und vollführten einen Freudentanz, bei dem sie alles, was nicht niet- und nagelfest war, in Bewegung brachten. Die Katzen hatten sich auf dem höchsten Schrank in Sicherheit gebracht und beobachteten von dort aus mißbilligend das Theater.

8

Auch als Mrs. Andersons Besuch längst vorbei war, blieb Kate so verdreht. Sie tat das, was ihre Mutter „alte Wunden aufreißen" nannte, aber die ahnte nichts davon. Kate machte alles noch schlimmer, weil sie ihre Probleme immer wieder auffrischte. Dann schloß sie in der Schule plötzlich Freundschaft mit einem großen, derben Mädchen namens Sarah, das nicht gerade aus besten Familienverhältnissen kam.

Alles an Sarah war auffallend, selbst ihre Hände und ihr lautes Lachen. An ihrer Jacke fehlte immer irgendein Knopf, und ihre Schuhe hatten nie im Leben Putzzeug gesehen.

Für Kate war Sarah aber besser als gar niemand, und deshalb ließ sie nichts auf das Mädchen kommen. Abend für Abend nahm sie sie nach der Schule mit nach Hause, und dann verkrochen sie sich in Kates Zimmer und schmiedeten Rachepläne gegen die Reitschule. Herrn und Frau Ward tauften sie in „Bluthund" und „Krüppelmaus" um. Während der Schulstunden malten sie Bilder, auf denen die beiden gräßliche Tode starben. Zu Hause bauten sie scheußliche Pappfiguren von ihnen, um sie anschließend bei einem Freudenfeuer neben dem Misthaufen zu verbrennen.

Tina mochte Sarah nicht. Sie war sicher, daß Sarah an Türen horchte. Und beim Tee aß sie immer den ganzen Kuchen auf, ohne die anderen zu fragen. Einige

Leute hatten sogar Angst vor Sarah. Sie war einfach nicht der richtige Umgang für Kate. Immer schien sie hinter irgendeiner häßlichen Pose zu verbergen, wer sie wirklich war.

Ann Carr schickte Sarah aber nicht weg, und sie sagte auch nicht zu Kate: „Kannst du dir nicht eine nettere Freundin einladen?" Sie wußte, daß Kate wegen der Geschichte mit der Reitschule all ihre Freunde verloren hatte, und daß sie, Ann, mit daran schuld war. Als Tina sich über Sarah beklagte, meinte sie nur: „Kate wird Sarah bald leid haben. Mach dir keine Gedanken, das ist nur eine vorübergehende Phase." Im Grunde war sie selbst auch nicht glücklich über Kates Freundschaft mit diesem Mädchen.

Tante Cloe versuchte, Sarah zu erziehen; sie sagte zum Beispiel: „Könntest du wohl deine Schuhe abtreten, bevor du hereinkommst, Kind?" oder: „Einen heißen Topf stellt man nicht auf poliertes Holz!" Aber das kümmerte Sarah kein bißchen.

Und Carl versuchte, Sarah das Rauchen in der Nähe der Ställe abzugewöhnen, aber sie zog nur eine Grimasse und rauchte weiter. Da half auch seine Terrormethode nichts. „Bald sind deine Lungen nur noch ein Teerklumpen! Dann bist du mit vierzig weg vom Fenster, und solltest du vorher noch ein Kind kriegen, ist es wahrscheinlich behindert!"

Aber Sarah setzte spöttisch dagegen, ihre Großmutter sei inzwischen vierundneunzig und habe sieben Kinder in die Welt gesetzt und rauchte immer noch. Besonders klug war Sarah nicht, aber sie hatte auf alles eine Antwort.

Alan Carr ging es allmählich besser. Bald war Weihnachten, und bis dahin hofften alle, ihn wieder zu Hause zu haben.

Beacons Obduktion hatte ergeben, daß das Tier aufgrund eines verschleppten Wurmbefalls, der auf die Lungen übergegriffen hatte, eingegangen war. In dem Stadium, in dem die Wards Ann gerufen hatten, war die Krankheit bereits unheilbar, aber die Reitschule beschuldigte sie immer noch der Fahrlässigkeit.

Kates Zerwürfnis mit den alten Freunden schien überhaupt nicht mehr zu heilen. Ihre Leistungen in der Schule sanken – aber niemand in der Familie merkte etwas. Jeder war viel zu sehr mit seinen eigenen Problemen beschäftigt: Carl mit Schularbeiten, Tina mit ihren neuen Pflichten als Hundebesitzerin, Ann Carr mit der Praxis, die bis zu Alans Rückkehr wenigstens halbwegs funktionieren mußte. Einzig Tante Cloe ahnte, daß Kate in irgendeiner Krise stecken mußte, aber sie wollte sich nicht vorwerfen lassen, daß sie sich in Familienangelegenheiten mischte, und hielt darum den Mund.

Der November verabschiedete sich mit einem gewaltigen Sturm, der eine von ihren schönen alten Pappeln umriß. Die Abende wurden düster und nebelig. In die Praxis wurden Tiere mit Erkrankungen der Atemwege gebracht. Ivor holte sich eine Rippenfellentzündung und mußte zu Hause bleiben. In Alan Carrs Klinikzimmer stapelten sich schon die Weihnachtskarten. Tante Cloe fing an, Kuchen und Puddings für das Fest zu machen. Ein Bauer schenkte Ann einen Truthahn. Aber wenn der große Tag auch immer näher rückte, so war doch keinem von den Carrs weihnachtlich zumute.

Dann bekam Ann die Vorladung: sie mußte am dritten Januar des kommenden Jahres vor Gericht erscheinen. Als Carl das hörte, sagte er: „Ein gefundenes Fressen für die Lokalpresse! Hoffentlich hat Ann einen guten Anwalt!"

„Aber Mum ist unschuldig! Ivor sagt, daran gäbe es überhaupt keine Zweifel. Wenn die Lunge eines Tieres erst mal von Würmern befallen sei, gäbe es keine Rettung", sagte Tina.

Becky sah sie dabei aus treuen braunen Augen an und registrierte jede Veränderung ihres Gesichtsausdrucks: Wenn Tina die Stirn runzelte, duckte sich Becky, und wenn sie lächelte, wedelte Becky mit dem Schwanz. Seit der Auseinandersetzung mit Mrs. Anderson schien die Hündin zu der beruhigenden Gewißheit gekommen zu sein, daß ihr Heim nun für immer bei Tina war. Sie hatte sich angewöhnt, Besucher zu verbellen und die Ankunft des Postboten zu melden. Mit Bambi spielte Becky jetzt so begeistert, daß Tante Cloe bereits Bedenken bekam, Bambi könnte sich einsam fühlen, wenn sie wieder nach Hause müßten. Aus Becky war in wenigen Wochen ein glücklicher Hund geworden.

Selbst Ann hatte das bemerkt und gelächelt, als Tina erklärte: „Becky und ich sind unzertrennlich geworden. Aber keine Sorge, Mum, sie ist sehr lieb und überhaupt keine Last."

„An diese Gerichtsverhandlung denken wir erst nach Weihnachten wieder", entschied Ann Carr, bevor sie sich auf den Weg zu einem Hühnerhof machte, wo unter den Legehennen irgendeine Krankheit ausgebrochen war.

Und Kate fing auf einmal damit an, sich ein Pony zu wünschen. „Dann könnte ich an Wettbewerben teilnehmen und meine ganzen Feinde schlagen! Platz hätten wir ja wirklich genug dafür, und wenn Tina einen Hund hat, sollte ich auch ein Tier kriegen!" fand sie.

„Warte, bis Dad wieder zu Hause ist", entgegnete Ann jedes Mal. „Jetzt dauert es ja nicht mehr lange. Er meint, daß er zu Weihnachten entlassen wird, und das ist schon in drei Wochen."

„Ich will es aber jetzt!" quängelte Kate wie eine Achtjährige.

„Wenn Dad wieder zu Hause ist, in Ordnung?" sagte ihre Mutter mit Nachdruck. Das sagte sie ziemlich häufig in letzter Zeit. Alles und alle schienen auf den großen Moment zu warten. Tante Cloe hatte sogar schon angefangen zu packen, obwohl sie erst nach Weihnachten abreisen würde. Simon hatte Urlaub beantragt.

„Aber Alan wird noch eine ganze Zeit an Krücken gehen müssen", sagte Carl zu Tina. „Er kann nicht einfach so in seinen Wagen springen und sofort überall hindüsen, wie er es früher gemacht hat."

Kate träumte ihren Ponytraum weiter. Sie malte sich aus, daß ihre Freunde zurückkämen und bettelten, daß sie das Pony einmal reiten durften. Dann würde sie sich endlich von Sarah lösen, die sie eigentlich gar nicht mochte. Wenn Dad dann wieder zu Hause war, liefe bei ihnen alles wieder wie früher. Vielleicht durfte sie ihr Pony sogar in die Reitschule mitbringen und dort Stunden nehmen.

Kate schrieb einen Wunschzettel, auf dem in Großbuchstaben stand: *Pony!* Darunter *Reitkappe, Sattel, Zügel, Geschirr.* Anschließend kamen noch ein paar Kleiderwünsche.

Auch Tina schrieb ihre Wünsche auf. Das meiste war für Becky: ein Schlafkorb, ein neues Halsband, eine neue Leine.

Carl konnte sich einen Wunschzettel sparen, denn seine Gran war der Ansicht, Weihnachten sei kein Geschenkefest, sondern ein Fest zur Geburt Jesu. „Seid bescheiden, dann wird euch gegeben", sagte sie.

Ann Carr hatte keine Zeit, über Geschenke nachzudenken. An einem kalten Dezembermorgen erhielt sie einen anonymen Telefonanruf. „Bei den Glebes gibt es ein paar Tiere, die am Verhungern sind. Die Alte dort ist verrückt. Sie müssen sofort hin!" sagte eine Stimme.

„Kann ich bitte die Adresse haben?" bat Ann.

„Buck Lane, Medenham, ganz unten rechts." Dann wurde aufgelegt.

Der erste Schnee fiel. Kate war mit Sarah einkaufen, Carl war wieder mal beim Stallausmisten, und Tina begleitete ihre Mutter.

„Beeilt euch, sonst kommt ihr nicht wieder nach Hause. Es soll noch stärker schneien", rief Tante Cloe ihnen von der Hintertür aus nach.

Carl wollte auch mitkommen, aber Ann meinte: „Womöglich müssen wir ein paar Tiere transportieren, dann brauchen wir jede Ecke im Wagen."

Also mußte Carl sich damit begnügen, ihnen eine

Schaufel mitzugeben. „Ihr solltet Alans Wagen nehmen, der kommt besser durch den Schnee", riet er ihnen.

„Wir kommen schon zurecht", meinte Ann.

„Warum haben sie eigentlich ausgerechnet euch angerufen?" wunderte sich Carl.

„Glücklicher Zufall", sagte Tina.

„Unglücklicher, willst du wohl sagen. Sieh dir mal den Himmel an", antwortete Carl.

Als Tina und Ann dann aufbrachen, schneite es gleichmäßig sanft von einem dunkelgrauen Himmel. Die Autos fuhren mit Licht. Jeder außer ihnen schien nach Hause kommen zu wollen.

„Wenn es so schlimm ist, wie es sich anhört, müssen wir den Fall der Tierschutzbehörde übergeben", sagte Ann Carr.

Aber Tina kannte ihre Mutter besser: Sie würde kein krankes Tier sich selbst überlassen, sondern alles dafür tun, um Leiden zu lindern. Tina sah ihre Mutter von der Seite an und stellte fest, daß sie seit dem Unfall ihres Vaters gealtert war. Unter ihren Augen waren neue Falten entstanden – oder lag es nur daran, daß sie keine Zeit mehr hatte, sich ein bißchen zu schminken?

Der Schnee blieb noch nicht, wie sonst im Dezember, liegen. Dieser Monat war auch sonst nicht wie Dezember, es war überhaupt kein besonderer Monat, solange Dad noch weg war und der Gerichtstermin wie ein Raubtier lauerte, das früher oder später über sie alle herfallen würde.

In der hereinbrechenden Dämmerung mußte Tina jetzt an Mums Kummer, Dads Wut, die immer leerer werdende Praxis denken. Es ist so gemein! dachte sie und starrte in das immer dichter werdende Schneegestöber. Warum zerrte man ihre Mutter vor Gericht für etwas, was sie überhaupt nicht getan hatte? Kannten diese Wards so einflußreiche Leute? War es so einfach, unschuldige Menschen zu ruinieren? Wenn Mum wenigstens darüber sprechen und es ihr erklären würde! Aber dafür hatte sie nie Zeit, und wenn man den Fall doch einmal erwähnte, bekam sie ihren leeren Gesichtsausdruck und sagte immer nur: „Nicht jetzt. Später." Mum war so anders als Dad. Er pflegte zu sagen: „Geteiltes Leid ist halbes Leid." Oder: „Laßt uns das bis zu Ende durchsprechen." Und hatten sie dann ein Problem zu Ende besprochen, so existierte es oft schon gar nicht mehr.

Jetzt bremste Ann Carr den Wagen. „Hier muß es sein. Daß es so was überhaupt gibt! Das Dach ist ja kurz vorm Einstürzen!" rief sie.

Sie hatten das Ende einer langen, zugewachsenen Einfahrt erreicht. Durch die gesprungenen Fensterscheiben drang kein Lichstrahl aus dem Haus nach draußen. Vor Anns Scheinwerfern tauchte kurz ein Fuchs auf und verschwand gleich wieder.

„Ich glaube, das schaff ich nicht. Hier riecht es überall nach Verwesung. Hörst du auch das Hundegebell?" fragte Ann.

„Ja, ganz schwach."

Sie klopften an die verriegelte Tür und tasteten sich dann im Schein der Taschenlampe zur Rückseite des Hauses. „Einzudringen wage ich nicht", sagte Ann. „Dazu muß ich erst die Polizei rufen."

Tina rief: „Ist da jemand? Keiner zu Hause?"

Während Ann zum Wagen zurückging, wartete Tina an der Rückseite des Hauses. Selbst in der Dunkelheit konnte sie noch erkennen, daß es einmal ein schönes Haus gewesen sein mußte. Jetzt aber war es herunter-gekommen und sah aus wie ein Geisterhaus.

„Die Polizei ist unterwegs", sagte Ann, als sie wie-derkam.

„Könnten wir nicht doch hineinklettern?" fragte Tina. „Ich wäre gern vor ihnen drin."

„Wir brauchen gesetzliche Absicherung", beharrte Ann.

Vor Kälte zitternd warteten sie auf das Eintreffen der Gesetzeshüter.

„Was ist eigentlich mit dem Gerichtstermin? Jetzt hätten wir ja mal Zeit, darüber zu reden", versuchte es Tina. „Du bist doch unschuldig, oder?"

„Nun, Zweifel gibt es immer. Irgendein tierärztli-cher Gutachter vertritt vielleicht eine andere Meinung. Bis ein Fall wirklich abgeschlossen ist, weiß man nie, was noch passiert", antwortete Ann.

„Aber wir sind doch versichert?" fragte Tina.

„Ja, natürlich. Trotzdem steht aber unser guter Ruf auf dem Spiel. Da kommt die Polizei schon! Sie haben sich wirklich beeilt." Ann Carr richtete ihre Taschen-lampe auf den Landrover der Polizei.

Die Polizisten traten die Tür ein. Vor dem Gestank, der ihnen entgegenkam, wichen sie erst alle einmal wieder zurück. „Bleib lieber draußen, Tina", riet Ann ihrer Tochter.

Aber Tina war zu neugierig und ging mit hinein.

Drinnen wimmelte es von Tieren, aber es war alles andere als ein erfreulicher Anblick. Tina dachte kurz, daß so ähnlich die Hölle sein müßte, und kämpfte gegen die Übelkeit an. Der faulige Geruch kam von dem überall verstreuten Unrat, er entströmte aufgeschlitzten Stuhlsitzen und verfaulten Essensresten. Ein paar der Tiere konnten kaum mehr stehen.

Einer der Polizisten ging zum Wagen zurück, um die Tierschutzbehörde anzurufen. Durch die aufgebrochene Tür stoben Schneeflocken herein. Als sie, unter Lumpen und zerrissenem Bettzeug vergraben, endlich auch die alte Frau fanden, bestellte der Beamte auch noch einen Rettungswagen.

„So was fehlte uns gerade noch vor Weihnachten", stellte einer der Polizisten fest, ein großer, sehr schlanker und drahtiger Mann.

„Es ist zum Verzweifeln", meinte der andere. „So eine alte Frau hätte doch längst nicht mehr allein leben dürfen!"

„Anfangen tut es immer nur mit ein, zwei Tieren. Aber die kriegen Junge, und auf einmal werden die alten Leute nicht mehr damit fertig, weil das Geld nicht reicht. Das erlebe ich immer wieder", erzählte Ann Carr resigniert. „Dutzende von verwilderten, halbverhungerten Tieren, und mittendrin liegt eine geistig umnachtete, halbverhungerte Frau." Ann holte ihre Tasche aus dem Wagen.

Im Haus gab es kein elektrisches Licht, aber sie hatten genügend Taschenlampen. Tina wußte, daß die meisten Tiere eingeschläfert werden mußten, und eine lähmende Kälte ergriff von ihr Besitz.

„Geh lieber zurück in den Wagen. Du hättest nicht mitkommen sollen. Ich habe nicht geahnt, wie schlimm es hier tatsächlich aussehen würde. Hier, nimm den Wellensittich mit", sagte Ann und hielt Tina einen Käfig hin.

Aber Tina konnte sich vor Entsetzen nicht rühren. Sämtliche dunkle Ecken dieses Raumes schienen Katzen auszuspeien, glutäugige, verzweifelt maunzende Kreaturen. Der Spuk verflüchtigte sich allmählich, als ein uniformierter Mann von der Tierschutzbehörde erschien – und kurz nach ihm die Sanitäter. Überall waren plötzlich Uniformierte am Werk. Ein kleiner Hund bellte sich die Seele aus dem Leib, während die Sanitäter die halb bewußtlose Frau wegtrugen, die zweimal mit zittriger Stimme versicherte: „Ich habe mein Bestes getan."

Ihr Gesicht schien schmutzverkrustet zu sein, oder ließen die Taschenlampen es nur so erscheinen? Tina kam es plötzlich so vor, als wäre alles nur ein böser Traum. Es schien ihr unmöglich, daß dies alles wirklich passierte.

„Setz dich in den Wagen, Tina! Du mußt nur weinen, wenn du hier zuschaust", wiederholte Ann.

Aber Tina konnte nicht einmal weinen. Das alles war nicht Realität, die verfilzten Hunde und die ausgemergelten Katzen. So etwas gab es doch nicht im zivilisierten England. Jedenfalls hatte Tina das bisher geglaubt. Völlig benommen tastete sie sich zum Wagen zurück und hörte, wie einer der Beamten ihrer Mutter zurief: „Hier ist noch eine Katze! Und oben sind noch ein paar Junge!"

114

Die Sanitäter waren mit der alten Frau abgefahren. Es hatte aufgehört zu schneien, und der Himmel klärte sich auf. Carls Schaufel würden sie nun doch nicht brauchen.

Der Tierschutzbeamte trug einen Käfig voller Katzen zu seinem Wagen. „Hunde kann ich keine mehr unterbringen", erklärte er.

„Genau wie die Tierheime", bemerkte der drahtige Polizist.

„Ich bin nur froh, daß wir wenigstens keine Pferde angetroffen haben." Beladen mit fünf abgemagerten schwarzweißen Welpen verließ sie das Häuschen. „Bei denen habe ich es einfach nicht über mich gebracht", sagte sie und setzte sie ins Auto. „Nach Weihnachten müssen wir sehen, wo wir sie unterbringen."

Außer dem Gerangel der Welpen hinten im Transporter war es still im Wagen. Am klaren Nachthimmel funkelten die Sterne, und auf den Ästen glitzerte gefrorener Schnee. Ann fuhr zügig. Ihr ging durch den Kopf, was der Tierschutzbeamte zu der bevorstehenden Gerichtsverhandlung gesagt hatte.

Aufgrund eines anonymen Anrufs, so erzählte er, sei er in der Reitschule gewesen. Dort hätte er zwar einiges Beanstandenswerte entdeckt, aber nichts, was eine Anzeige gerechtfertigt hätte. Die Wards hätten sich darauf berufen, daß ihr Hof unter ständiger tierärztlicher Überwachung stünde. Herr und Frau Carr würden die Tiere regelmäßig untersuchen, betonte Mr. Ward. „„Sie machen auch sämtliche Wurmkuren bei unseren Pferden. Deshalb waren wir ja so entsetzt, als Beacon, unser bestes Pferd, einging. Wenn Sie mir

115

nicht glauben wollen, zeige ich Ihnen unsere Bücher, dann sehen Sie, wie oft wir die Carrs allein im letzten Jahr gerufen haben.' So haben sie argumentiert", schloß der Beamte, und seine braunen Augen hatten dabei einen ernsten Ausdruck. „Die beiden sind mit allen Wassern gewaschen. Und wenn die mit Schmutz werfen, bleibt immer was kleben, wenn Sie verstehen, was ich meine."

Ann Carr wußte nicht recht, was sie darauf erwidern sollte. Als sie sich jetzt das Gespräch in Erinnerung rief, lief ihr ein Schauer über den Rücken.

„Mum, wieso ist das passiert?" fragte Tina unvermittelt. „Warum hat sich diese alte Frau so viele Tiere angeschafft? Ist sie geisteskrank?"

„Du meinst die Frau, die wir eben gesehen haben?" Ann war in Gedanken noch ganz woanders.

Tina nickte. Sie waren jetzt wieder in ihrer kleinen Stadt, wo die Straßenlaternen gelbe Kringel in den Schnee malten.

„Sie hat es sicher gut gemeint, aber sie hat dabei einfach vergessen, daß wir alle mal älter werden und uns dann nicht mehr so gut um die Tiere kümmern können", sagte Ann. „In gewisser Weise liebte sie Tiere zu sehr. Hätte sie sie sterilisieren lassen, wäre alles gut gewesen, aber so haben sie sich ständig vermehrt. Aber so ein Schicksal darf dir nicht das Herz brechen, Tina. Es gibt nun einmal Irrtümer im Leben."

Zu Hause war alles dunkel. Sie nahmen den Wellensittich mit hinein und versorgten ihn mit Futter und Wasser. Dann holten sie Stroh und machten im Stall ein Bett für die Welpen. Als nächstes verpaßte Ann jedem Tier eine kräftigende Vitaminspritze, danach brachte sie ihnen etwas zu fressen. Ann zitterte vor Erschöpfung, und auch Tina sehnte sich nach ihrem Bett. Aber als sie endlich darin lag, gingen ihr die jüngsten Ereignisse wie ein Mühlrad im Kopf herum, und es wurde zwei Uhr früh, bis sie endlich einschlief.

9

Am nächsten Morgen kamen Tina die Ereignisse des Vorabends vor wie ein böser Traum. Aber die Welpen, die sich schon etwas erholt hatten, zeugten nur allzu deutlich von der Wirklichkeit.

Mum hatte ihnen sogar schon Namen gegeben: Gemmy, die Kleinste von allen, hatte über einem Auge einen markanten schwarzen Punkt; Libby hatte dafür nicht eine einzige dunkle Stelle im Gesicht; Scorpy war zu drei Vierteln schwarz, wogegen ihr weißer Bauch und das weiße Gesicht besonders hell abstachen; die drei Rüden waren hauptsächlich weiß und sollten nun auf die Namen Airy, Pisky und Cappy hören. Schließlich noch Leo, dessen schwarzes Fell wie eine Kappe auf seinem Kopf thronte. Ihn stufte Mum als „halb Chow-Chow, halb Collie" ein. Allen gemeinsam war das lockige Fell und die kurze Nase. Und trotz ihrer Jugend unterschieden sie sich schon nicht nur äußerlich, sondern auch in ihrer Wesensart.

Als Becky Bekanntschaft mit ihnen machte, drehte sie fast durch vor Freude. Zuerst rannte sie in immer größeren und schnelleren Kreisen um sie herum, dann leckte sie jeden Welpen einzeln ab und wollte dafür von Tina gelobt werden.

Wegen der Welpen wollte an diesem Vormittag weder Kate noch Tina in die Schule. „Ohne uns wirst du doch gar nicht mit ihnen fertig, Mum", meinte Kate.

„Sie müssen alle zwei Stunden gefüttert werden. Wie willst du das denn allein schaffen?" fragte Tina.

„Not macht erfinderisch", zitierte Ann. „Außerdem kann Rachel mir helfen." Und so mußten die beiden doch zur Schule.

Tina war immer noch nicht imstande, über das zu reden, was sie in dem gruseligen Haus gesehen hatte. Auch ihre Mutter vermied das Thema. Tante Cloe hatte den Wellensittich adoptiert und wollte ihn nach Hause mitnehmen, wenn die Zeit gekommen war. Vor diesem Tag fürchtete Kate sich bereits. Sie wurde immer magerer und nervöser. Tante Cloe tat ihr Bestes um sie aufzupäppeln, aber den Verlust der Freunde konnte sie damit bei Kate nicht wettmachen.

Als Kate an diesem Morgen zur Schule ging, wurde es besonders schlimm. Zuerst entdeckte einer der Lehrer, daß Sarah die Hausaufgaben von Kate abgeschrieben hatte, und beide wurden zum Nachsitzen verdonnert. Als nächstes pöbelte Diane sie an der Garderobe an: „Herzlichen Dank, daß du die Reitschule bei der Tierschutzbehörde angezeigt hast! Das war wirklich eine große Hilfe! Die Wards werden es dir danken!"

„Aber das habe ich nicht getan! Ich kann's beschwören!" rief Kate. „Können wir denn nicht wieder Freundinnen sein? Ich kriege bald ein eigenes Pony, dann kannst du bei mir reiten, wann du Lust hast."

Aber Diane ließ sich nicht beeindrucken. Groß und dunkelhaarig pflanzte sie sich vor Kate auf und teilte ihr hochmütig mit: „Du kannst eigene Ponys haben, soviel du willst, Kate, bei dir würde ich niemals reiten. Du weißt genau, wie wenig Geld die Wards haben. Du weißt, wie hart sie arbeiten, und da zeigst du sie bei den Tierschützern an! Dafür hasse ich dich, wir alle tun das. Kannst du dir überhaupt vorstellen, wie Mrs. Ward geweint hat, als dieser Beamte gegangen war?"

Stumm und niedergeschlagen blieb Kate zurück. Sie hatte einen Versöhnungsversuch gemacht und war zurückgestoßen worden.

Später gestand Sarah ihr, daß sie es war, die die Reitschule bei der Tierschutzbehörde angezeigt hatte. "Meine Mum hat mir gesagt, daß die für so was zuständig sind. Da habe ich angerufen."

"*Du* hast die Tierschutzbehörde angerufen?" schrie Kate.

Sarah nickte und starrte Kate aus ihren kleinen grauen Augen an.

"Aber damit hast du alles noch schlimmer gemacht, ist dir das nicht klar?" jammerte Kate. "Alle denken, daß ich es war, und hassen uns noch mehr. Jetzt lassen sie uns überhaupt nicht mehr in Ruhe, und dabei ist doch bald diese Gerichtsverhandlung!"

Sarah machte ein langes Gesicht. Von zu Hause war sie gewöhnt, nur getadelt und niemals gelobt zu werden. Darum hatte sie sich abgewöhnt, sich ernsthaft zu verteidigen. "Ich dachte, du freust dich, wenn man die Wards wegen Tierquälerei anzeigt", sagte sie nur. "Vielleicht wäre das sogar im Fernsehen gekommen! Manchmal weiß ich wirklich nicht, was du willst", fügte sie nach einer Weile hinzu.

Kate gab keine Antwort. Am liebsten aber hätte sie zu Sarah gesagt: "Ich will meine alten Freunde wiederhaben und daß die Gerichtsverhandlung abgeblasen wird." Die Schulglocke ersparte ihr aber jeden Kommentar.

Auch in der Schule war alles schon weihnachtlich geschmückt. In drei Tagen sollte nebenan in der Kirche das alljährliche Weihnachtssingen stattfinden. Kate sang im Chor mit. Tante Cloe hatte versprochen zu kommen. Mit ihrer Mutter rechnete Kate gar nicht erst; Mum hatte es noch nie geschafft, dabeizusein, ebensowenig wie Dad. Irgendein Notfall kam immer im letzten Moment dazwischen.

Die Lehrer waren jetzt eifrig mit den Zensuren beschäftigt. Kate wußte, daß ihre schlecht ausfallen würden – wie gewöhnlich. Da ihre Eltern aber nie die Hoffnung auf bessere Noten aufgaben, fühlte Kate sich jedesmal schuldig, wenn sie ihre enttäuschten Gesichter sah und ihren Vater sagen hörte: „Ach Kate, schon wieder so schlecht! Kannst du dir nicht ein bißchen mehr Mühe geben?" Und ihre Mutter: „Lernen ist doch so wichtig, Kate! Du willst doch mal was erreichen im Leben!" So hatten sie sich letztes Jahr noch angehört. Diesmal würden sie vermutlich zum ersten Mal richtig böse werden.

Tina brachte immer gute Zeugnisse nach Hause, und die Eltern hatten selbst früher auch immer gute Noten, sonst hätten sie das Tierarztstudium nicht gepackt. Das alles war Kate klar, aber es war für sie kein Antrieb, mehr zu tun. Tante Cloe meinte: „Sieh mich an, Kind. Hauptsache, du wirst später mal eine gute Hausfrau!" Aber das war das Letzte, was Kate anstrebte. Sie wollte etwas machen, womit man wirklich Erfolg hatte.

Als sie das Nachsitzen in der Schule hinter sich

hatten, hängte Sarah sich wieder an Kate. Wie gewöhnlich trödelten sie noch eine Weile vor den Schaufenstern herum. Sie redeten über Weihnachten und erzählten sich, was sie sich wünschten. Später tranken sie bei den Carrs in der Küche Tee, und Sarah aß den Schokoladenkuchen auf und öffnete noch eine neue Packung Kekse.

Das war der Moment, in dem Kate anfing, Sarah zu hassen. Plötzlich war ihr alles an Sarah zuwider: ihr Gesicht mit den aufgeworfenen Lippen, die Gier, mit der sie alles in sich hineinschlang, ohne richtig zu kauen, die Art, wie sie sich in den Sessel fläzte.

Und fast im selben Augenblick mußte Kate an Carl denken. Er war so ganz anders als Sarah. Sie sah sein sanftes Gesicht vor sich, seine braunen Augen, seine dunklen Haare. Carl wurde mit allem fertig. Er war stark und hilfsbereit. Becky hatte er vor Mrs. Anderson bewahrt, und nun kümmerte er sich im Stall um die Welpen. Es schien nichts zu geben, das ihn aus der Fassung brachte, und man konnte sich immer auf ihn verlassen. Gerade so jemanden brauchte Kate, besonders jetzt, wo alles in ihrem Leben schiefzulaufen schien.

Sarah plapperte mittlerweile über Kleider, aber Kate hörte nicht zu. Sie stellte sich vor, wie die Eltern ihr Zeugnis lasen, vor allem ihr Vater, der gerade erst aus dem Krankenhaus kam. Lange würden sie ihr wahrscheinlich nicht böse sein, weil sie zu sehr mit ihren eigenen Sorgen beschäftigt waren.

„Was ist los, Kate? Denkst du immer noch an deine Noten?" fragte Sarah, als könne sie Gedanken lesen.

„Mach dir nichts draus, meine sind auch eine Katastrophe."

Aber Kate wollte nicht mit Sarah in einen Topf geworfen werden. Sie wollte sein wie Tina, die in fast allen Fächern Klassenbeste war. Sie wollte nicht zu den lahmen Enten in der Schule gehören, sie lehnte sie sogar auf einmal ab. Aber am wichtigsten von allem war ihr, die Fehde mit der Reitschule zu begraben, die so schwer auf ihr lastete, und endlich wieder echte Freunde zu haben. „Ich gehe in die Reitschule. Sobald ich Zeit habe, gehe ich hin und entschuldige mich", sagte sie entschlossen.

„Entschuldigen? Wofür denn?" rief Sarah verständnislos.

„Für alles."

„Du bist verrückt. Aber ich komme mit dir", sagte Sarah und zog ein Päckchen Zigaretten aus der Tasche.

Kate sagte nicht, daß sie lieber allein hingehen wollte. Sie wollte Sarahs Freundschaft nicht aufs Spiel setzen, solange sie mit ihren alten Freunden noch nicht einig war. Deshalb sagte sie nur: „Wenn du rauchen willst, gehen wir besser nach draußen. Du weißt ja, wie Tante Cloe darüber denkt."

Es war schon dunkel geworden. Tina und Carl waren immer noch bei den Welpen. Abraham kaute an seinem Heu. Sarah rauchte draußen ihre Zigarette und machte sich dann auf den Heimweg. Kate ging ins Haus und las die Weihnachtskarten, die sie erhalten hatte; es waren wesentlich weniger als im vergangenen Jahr. Am schlimmsten war aber, daß sie dieses Jahr zu keiner einzigen Party eingeladen worden war.

Mum hatte Dad besucht. Als sie nach Hause kam, strahlte sie. „Übermorgen wird er entlassen! Er kommt nach Hause! Ist das nicht großartig? Ich muß das Büro auf Vordermann bringen und Blumen fürs Wohnzimmer besorgen. Und wir müssen auch noch einen Weihnachtsbaum besorgen!" Ihre Stimmung war so gut, daß sie plötzlich um Jahre jünger wirkte. „Und dieses Jahr schaffen Dad und ich es auch, beim Weihnachtssingen dabeizusein!" versprach sie Kate und tanzte durch die Küche.

„Denk aber dran, daß Alan noch schnell ermüden wird", erinnerte Carl Ann. „Und da er an Krücken geht, müssen wir sein Bett hier unten aufstellen."

„Oh Carl, du denkst wirklich an alles!" rief Ann überwältigt. „Aber es wird wundervoll, wenn er endlich wieder da ist! Wer weiß, vielleicht schafft er es auch, mit der Reitschule Frieden zu schließen..."

Carl sah in Tinas Richtung und zog eine Augenbraue in die Höhe. Sie begriff, daß er ihr damit seine Zweifel signalisieren wollte, aber sie ließ sich nichts anmerken und sagte nur: „Ja, das wäre wirklich großartig, Mum!"

Zur Reitschule ging Kate dann am nächsten Tag doch nicht. In der Schule wurde eine Weihnachtsparty gefeiert, und abends mußte sie daheim helfen, alles für Dad auf Hochglanz zu bringen.

Sie waren noch längst nicht fertig, da erschien eine korpulente Frau mit einer Schubkarre, in der sie ihren Hund brachte. Der Hund war riesig, sein dickes Fell und sein Schwanz hingen über den Karrenrand. Die

124

Frau hieß Mrs. Benson. Sie war schon ein- oder zweimal zuvor in die Sprechstunde gekommen. Der Hund wurde Bunter gerufen.

„Er ist zusammengebrochen! Er kann sich nicht mehr bewegen!" schrie Mrs. Benson schon an der Tür. „Er kann nicht mehr laufen! Er stirbt!"

Ann kam herbeigelaufen. „Ach du meine Güte, er ist ja noch fetter geworden!" stellte sie fest. „Habe ich Sie nicht davor gewarnt, daß ihm das viele Süßzeug schaden würde, Mrs. Benson?"

„Die Abendsprechstunde ist schon vorbei", sagte Carl, der mit Tina dazugekommen war.

„Ich weiß. Aber es ist nun mal jetzt passiert. Und da ich mir einen Hausbesuch nicht leisten kann und auch kein Auto habe, habe ich jetzt Bunter mit der Schubkarre zu ihnen gebracht. Bitte helfen Sie mir!" Mrs. Benson warf Ann flehende Blicke zu.

Ann, Carl, Tina und Mrs. Benson mußten gemeinsam mit anpacken, um den Hund auf den Behandlungstisch zu hieven. Dann fing Mrs. Benson an zu heulen. „Ich weiß nicht, was ich ohne ihn anfangen soll, ich weiß es einfach nicht! Er ist doch alles, was ich habe. Ist das das Ende, Mrs. Carr? Wird er sterben?"

„Ich denke, er ist zuckerkrank. Habe ich Ihnen nicht bei Ihrem vorigen Besuch gesagt, Sie sollten ihm keine Schokolade und auch keine anderen Süßigkeiten mehr geben?" schimpfte Ann.

„Ich bringe es einfach nicht fertig, ihm nichts abzugeben. Und er liebt Schokolade doch so sehr, und jetzt, wo er nicht mehr lange laufen kann, ist das doch seine einzige Freude", klagte Mrs. Benson.

Anns Ton wurde nun tröstlicher: „Wir behalten ihn heute nacht zur Beobachtung hier. Ich muß sofort ein paar Tests machen. Rufen Sie uns morgen früh an. Und keine Sorge, er wird die Nacht überleben."

Mrs. Benson küßte Bunter auf die Nase. Dann wischte sie sich die Tränen aus den Augen und schneuzte sich geräuschvoll.

„Lassen Sie die Schubkarre hier. Wir bringen sie Ihnen morgen früh vorbei", sagte Ann.

„Vielen Dank! Sie sind alle so freundlich hier. Allen erzähle ich das, aber sie wollen mir nicht glauben, jetzt nicht mehr. Ich kann mir einfach nicht vorstellen, was Sie falsch gemacht haben sollen, mich und Bunter haben Sie immer tadellos behandelt." Mrs. Benson trocknete sich erneut die Augen. „Immer wieder sage ich das zu den Leuten, aber die hören einfach nicht zu."

Tina beobachtete ihre Mutter: Anns Gesichtsausdruck schien gleichgültig, aber sie hatte ihre Fäuste so fest geballt, daß die Knöchel weiß hervortraten. „Ist schon recht, Mrs. Benson, wir kümmern uns um Bunter, keine Sorge", sagte sie.

„Er ist im Koma, nicht wahr?" fragte Mrs. Benson, und wieder liefen ihr die Tränen über die Wangen.

Ann nickte. „Deshalb müssen wir so schnell wie möglich etwas unternehmen."

„Ist der fett!" sagte Tina, nachdem Mrs. Benson gegangen war. „Einfach unglaublich! Sieht sie denn nicht, was sie ihm antut?"

„Sie will wahrscheinlich, daß er so wird wie sie", spottete Carl.

Danach beschäftigten Tinas Gedanken sich damit,

wen Mrs. Benson wohl mit den „Leuten" meinte, und ob überhaupt noch jemand sein Tier in die Praxis brächte, wenn Dad ab morgen wieder zu Hause war.

Carl blieb noch, um Ann zu helfen, während Tina Becky im Dunkeln rund um die Weide rennen ließ. Als sie wieder ins Haus kamen, hatten Tante Cloe und Kate ein Transparent gemalt, auf dem WILLKOMMEN ZU HAUSE! stand.

„Das hängen wir für Dad über die Tür", erklärte Kate ganz stolz.

Alle schienen nur noch auf Alan Carr zu warten. Das Haus strotzte nur so vor Sauberkeit und erstrahlte in weihnachtlichem Glanz.

Tante Cloe hatte sich ihrem Bruder zu Ehren eine neue Dauerwelle machen lassen. Sie bereitete das Festessen vor, während Tina Beckys Fell striegelte und ihr dabei gut zuredete: „Wenn Dad morgen kommt, darfst du ihn nicht anbellen, hörst du, Becky? Es ist sein Haus!"

Irgendwie waren sie alle völlig aufgeregt, auch wenn sie es nicht genau begründen konnten. Ann machte Bunter für die Nacht zurecht. „Es geht ihm schlecht, aber er wird wohl durchkommen", meinte sie danach beim Abendbrot. „Wenn Mrs. Benson ihn nicht so überfüttern würde, wäre er ein richtig netter Hund. Aber das kann ich ihr noch tausendmal sagen, ändern wird sich nichts. Nie wird sich da etwas ändern, weil die Leute nun mal ihre Lieblinge vollstopfen müssen, auch wenn das ebenso grausam ist wie Unterernährung. Sie verwöhnen ihren Hund, damit sie sich selbst wohl fühlen."

Kate kam es vor, als ob seit dem Unfall ihres Vaters Jahre vergangen wären. In Tinas Augen war es eine Zeit ständiger Katastrophen. Für Carl, der nach Hause gegangen war und für Gran das Geschirr spülte, war es eine Phase des Erwachsenwerdens. Er fragte sich, ob er zu Alan noch das gleiche gute Verhältnis haben würde wie vor dem Unfall. Für Carl war es schwer vorstellbar, daß die ganze Last der Verantwortung bald wieder voll auf Alans Schultern liegen würde. Aber während er sich die Hände abtrocknete, fragte er sich auch: Was soll ich bei Tierärzten in einer Praxis, die kaum noch Patienten hat?

Später ging Ann noch einmal nach Bunter sehen. Er schien sich schon etwas erholt zu haben, aber sie wußte, daß es noch lange dauern würde, seine Insulindosis richtig einzustellen. Innerlich fluchte sie auf sämtliche Mrs. Bensons, die ihre Tiere aus Liebe überfütterten. Die Zuckerkrankheit hatte Bunters Augen und Füße schon merklich angegriffen.

Ann sah sich im Behandlungsraum um: Alles war blitzsauber und für den nächsten Tag bereit. Sie hatte es mehr schlecht als recht geschafft, ohne Alan auszukommen. Und der Gerichtstermin mit dem ganzen Presserummel hing wie ein Damoklesschwert über ihr. Spätestens übermorgen würde sie nicht mehr vor Alan verbergen können, wie die Dinge standen. Er mußte die ganze Geschichte erfahren.

Und dann dachte sie an Kate; sie mußte zur Vernunft gebracht werden. Kate war zu oft mit dieser Sarah zusammen – das war nicht der richtige Umgang für sie. Und dann ihr Ponywunsch! Vielleicht sollten sie ihn ihr erfüllen, weil Kate etwas zum Liebhaben brauchte. Aber zuerst mußte Alan gefragt werden, der oft genug geäußert hatte, daß er für noch mehr Tiere nicht auch noch die Verantwortung übernehmen wollte. Und Becky war ja auch noch da!

Kaum zu fassen, daß in so kurzer Zeit so viel passiert war! Ja, und dann waren da auch noch die kleineren Zwischenfälle zu erwähnen – zum Beispiel, daß Tante Cloe Alans besten alten Portwein ausgetrunken hatte, daß die Computerdaten durcheinandergebracht wurden und daß Carl sich offensichtlich für Tina zu interessieren anfing.

Anns Freude über Alans Rückkehr war demnach etwas gedämpft durch all die Dinge, die in seiner Abwesenheit geschehen waren. Erst war sie vor Freude fast närrisch gewesen, jetzt fühlte sie sich eher ein bißchen beklommen. Außerdem würde Alan vorerst nur an Krücken gehen können, und das gäbe Probleme, wie Carl prophezeite. Tante Cloe hatte vor, im Wohnzimmer ein Bett für Alan zu richten, und ein Bad gab es zum Glück auch im Untergeschoß. Aber womöglich bestand er darauf, sich die Treppen hochzuquälen.

Ann schloß die Praxis ab und ging in die Wohnung, wo Kate im Flur mit Sarah telefonierte, die offenbar nie zu Bett ging.

„Nein, das mache ich nicht! Ich gehe hin und schließe Frieden mit ihnen!" schrie Kate gerade in den Hörer. Als sie ihre Mutter bemerkte, legte sie schnell auf.

„Worum ging es denn?" fragte Ann.

„Nichts Wichtiges", sagte Kate und wurde rot.

„Ich weiß, daß mich das eigentlich nichts angeht, Kate, aber mir ist Sarah unsympathisch. Findest du keine andere Freundin? Du hattest doch so viele", fragte Ann.

„Sie sind alle in der Reitschule. Darum hassen sie uns jetzt", sagte Kate düster.

„Das tut mir leid." Ann wollte den Arm um ihre Tochter legen, aber Kate wich ihr aus.

„Wenn du es genau wissen willst: was du in der Reitschule gemacht hast, hat mein Leben ruiniert", sagte sie.

„Aber was soll ich denn gemacht haben?"

„Du weißt genau, was ich meine", schrie Kate sie an und rannte die Treppe hoch in ihr Zimmer. Auf dem Weg bereute sie bereits, etwas gesagt zu haben. Sie wünschte sich, jemand könnte die Uhr anhalten und sechs Wochen zurückdrehen, damit sie ihre alten Freunde wieder hätte und nicht mehr böse auf ihre Mutter sein müßte.

Für Alan Carr sah bei seiner Heimkehr alles irgendwie
verändert aus – sauberer und übersichtlicher vor allem.
Ein fremder kleiner Hund begrüßte ihn, der Becky
hieß und Tina gehörte, wie Ann sagte. Tante Cloe hatte
die Möbel umgeräumt und für das Wohnzimmerfen-
ster neue Gardinen genäht, die ihm nicht gefielen. Die
Praxis war wie ausgestorben, der einzige stationäre
Patient war ein dicker Hund namens Bunter. Im Kalender standen nur wenige Termine, und zur Abendsprechstunde war überhaupt niemand erschienen. Das
Laufen an Krücken strengte Alan noch sehr an, und zu
allem Überfluß hatte Becky Angst davor und bellte
ständig.
Tee und ein selbstgebackener Kuchen standen bereit,
und über der Tür hing ein Transparent: HERZLICH
WILLKOMMEN! Alan betonte auch immerzu, wie
„großartig" alles sei, aber in Wirklichkeit verwirrte es
ihn: Er spurte, daß sich seit seinem Unfall einiges
verändert hatte, aber er konnte nicht genau sagen, was.

Kate ließ die Kirchentür nicht aus den Augen, um ihre
Eltern hereinkommen zu sehen. Mum hatte versprochen, daß sie zum Weihnachtssingen kämen. Aber sie
beobachtete nur, wie Sarahs Mutter an ihren Platz
hetzte, zwei kleine Kinder und eine große Einkaufsta-
sche im Schlepp. Tina und Carl saßen neben Carls

Großmutter, die ein Wagenrad von Hut trug, der besser zu einer Hochzeit gepaßt hätte als zum Weihnachtssingen. Auch Helen war im Chor, aber sie vermied es, Kate anzuschauen. Carl war ausgewählt worden, aus dem Weihnachtsevangelium vorzulesen.

Als das erste Lied angestimmt wurde, waren Kates Eltern noch immer nicht da, und als die schweren Türen dann geschlossen wurden, fühlte sie sich ganz elend vor Enttäuschung. Sie haben eben kein Interesse! dachte sie. Wenn es um mich geht, kommen sie nicht. Ich zähle nicht. Und Tante Cloe, wo blieb die?

In Wirklichkeit hatte Ann sich sehr auf das Weihnachtssingen gefreut, aber Alan kam mit seinen neuen Krücken schlecht voran und fand alles zu umständlich. „Kates Freunde sind doch dabei, was braucht sie da uns? Außerdem komme ich nicht in dein Auto rein", meinte er. „Das war keine gute Idee, Ann."

„Wir könnten deinen Wagen nehmen", versuchte es Ann.

„In der Kirche kriege ich auch Probleme. Ich kann nicht so lange sitzen. Die Bänke sind viel zu eng für mich", wandte er als nächstes ein.

Dann rief Mrs. Benson an, um sich nach Bunter zu erkundigen. „Ich habe kein Auge zugemacht vor Sorge um ihn", klagte sie.

Ann sagte ihr, daß sie ihren Hund später abholen könnte, ihn aber so lange regelmäßig in die Sprechstunde bringen müßte, bis sein Zuckerspiegel stabil wäre.

„Es ist so ruhig. Wieso kommt heute kein Mensch in die Sprechstunde?" fragte Alan.

Da mußte Ann ihm von der Reitschule erzählen. „Sie machen uns schlecht, wo sie nur können, und du weißt ja, wie das ist: Zunächst kümmert es die Leute wenig, aber ist ein Gerücht erst mal in Umlauf gekommen, wird es immer mehr aufgebauscht, und wenn die Presse es spitzkriegt, ist alles aus", schloß sie.

„Man hätte das Ganze gleich im Keim ersticken müssen!" Alan war verärgert.

„Dazu waren wir nicht stark genug, jedenfalls nicht zu Beginn. Und jetzt, wo die Patienten wegbleiben, ist es schon zu spät. Wir waren einfach einer zu wenig in der Praxis, Alan! Wir haben unser Bestes getan, aber es war leider nicht genug. Tut mir leid." Nun weinte Ann.

Als Tina und Kate vom Weihnachtssingen zurückkamen, pflanzte sich Kate vor den Eltern auf. „Warum habt ihr euer Versprechen nicht gehalten?" fragte sie mit blitzenden Augen und einer Stimme, die rauh war vor Wut und Enttäuschung.

Ihr Vater raffte sich hoch und streckte seine Arme aus, aber Kate rührte sich nicht vom Fleck. „Noch nie seid ihr dabeigewesen, noch kein einziges Mal! Tante Cloe findet auch, daß das eine Schande ist", sagte sie gerade, als Tina lächelnd hereinkam und wissen wollte, ob Becky ihnen auch nicht zur Last gefallen sei.

„Tut mir wirklich leid, aber das lange Sitzen wäre einfach noch nicht gegangen", sagte Alan.

„Sogar Sarahs Mutter war da", fuhr Kate erbarmungslos fort. „Und wo war Tante Cloe? Keiner von meiner Familie war da! Es war so erniedrigend!"

„Dad ist doch eben erst aus dem Krankenhaus gekommen, Kate, das mußt du doch verstehen..." Ann legte beschützend einen Arm um ihren Mann.

Aber Kate war immer noch wütend. Sie lief hinauf in ihr Zimmer und heulte, als ob für sie eine Welt zusammengebrochen wäre. Sie hatte sich so erhofft, daß nach Dads Rückkehr alles wieder gut werden würde. Aber jetzt mußte sie feststellen, daß alles beim alten geblieben war. Und das ausgerechnet an Weihnachten! Das machte alles nur noch schlimmer, denn an Weihnachten sollten doch eigentlich alle Menschen glücklich sein. Es sollte der schönste Tag im Jahr sein mit jeder Menge Partys, Geschenken und Stapeln von Weihnachtskarten. Sie aber hockte allein in ihrem Zimmer und heulte! Sie hörte, wie man sie von unten zum Tee rief, aber sie blieb oben.

Nach einer Weile kam Tina herauf, klopfte an die Tür und rief: „Komm runter, der Kuchen ist Spitze, und es ist Dads erster Tag wieder zu Hause. Tu ihm das doch nicht an!"

Aber Kate gab keine Antwort. Sie blieb auf ihrem Bett liegen und dachte: Wenn ich jetzt ein Pony hätte, ginge ich zu ihm und würde in seine Mähne heulen, und es würde mich nicht anmotzen, sondern mich trösten. Aber ich kriege nie ein Pony, und meine Freunde kriege ich auch nie im Leben zurück!

Dann dachte sie wieder daran, daß sie zur Reitschule gehen und ihren Freunden sagen würde, daß an Beacons Tod ihre Mutter schuld sei. Und das nur, damit die anderen wieder mit ihr zu tun haben wollten. Kate malte sich aus, wie sich jetzt alle gemeinsam amüsierten – ohne sie.

Als auch ihre Mutter nach ihr rief, trocknete sich Kate die Augen und ging hinunter. „Ich möchte bald wieder in die Reitschule gehen. Ihr habt doch nichts dagegen? Da kann ich meine ganzen Freunde wiedersehen. Ich vermisse sie so", sagte sie und nahm sich ein Stück Kuchen.

„Natürlich, weshalb solltest du nicht hingehen", meinte ihr Vater lächelnd. „Laß dich nur nicht auf irgendwelche Diskussionen ein."

„Aber...", setzte Tina an.

„Kein Aber. Keiner von uns hat etwas Böses getan. Niemand kann etwas dafür, wenn ein Pferd an Wurmbefall stirbt, den es sich schon als junges Tier zugezogen hat und der seine Eingeweide zerfrißt."

Typisch Dad! dachte Tina bei sich. Weil er selbst nicht nachtragend sein konnte, wollte er nicht wahrhaben, daß es Menschen wie die Wards gab, und war sicher, daß sich am Ende alles wieder einrenken würde. Und wenn es dann doch nicht so lief, war es eben Schicksal, und das Leben mußte weitergehen. Dad ahnte gar nicht, wie schlimm es diesmal stand!

Am nächsten Tag machten Ann, Tina und Kate Weihnachtseinkäufe. Sie brauchten den ganzen Tag dafür, und als sie fertig waren, fühlten sie sich alle ein bißchen wohler. In der Zwischenzeit übernahmen Ivor und Alan den Bereitschaftsdienst. Ivor war wieder gesund und hatte angeboten, Alan überallhin zu fahren, wo er gebraucht wurde. Und obwohl Alan sich nicht gerade darauf freute, in Ivors alte Klapperkiste verfrachtet zu werden, nahm er doch dankbar an.

Aus Anns Gesicht war die Anspannung gewichen, und aus Kates der Ärger. Dad hatte Kate klargemacht, daß es sinnvoller wäre, mit dem Pony bis zum Frühjahr zu warten. Die Welpen fingen an, feste Nahrung zu fressen, und Carl bastelte den ganzen Tag an einem Auslauf, wo sie sich austoben konnten. Tina schmückte das Haus mit Mistelzweigen. Das Leben schien tatsächlich wieder in normale Bahnen zu kommen.

Am Nachmittag erschien Sarah und aß den Kuchen auf, den Tante Cloe für Dad gebacken hatte. Sie erzählte Kate, sie wäre bereits in der Reitschule gewesen, aber man hätte sie weggeschickt. „Sie haben sich aufgeführt wie im Zirkus", sagte sie. „Die Kinder tobten herum, und keiner von den Erwachsenen unternahm etwas dagegen. Aber warte nur ab, denen zeige ich's schon noch!"

„Laß es lieber, es hat keinen Sinn. Die Wards müssen ohnehin bald zumachen, weil sie kein Geld mehr haben", riet Carl, der zugehört hatte. „Im Alleingang würdest du alles nur noch schlimmer machen. So ist das nun mal."

Kate hatte sich im stillen schon längst vorgenommen, ohne Sarah hinzugehen. Sie malte sich aus, wie sie ganz allein ihren Bußgang antrat, ihren Freunden die Hände entgegenstreckte und rief: „Es tut mir wirklich alles sehr, sehr leid." Und ihre Freunde würden dann zurückrufen: „In Ordnung, wir vergeben dir. Laß uns wieder Freunde sein!"

*

An Heiligabend wurden sie morgens von einer weißen Welt empfangen; es hatte so ausgiebig geschneit, daß sich sogar die Gänse grau gegen die weiße Landschaft abhoben. Für Kate und Tina hatte der „Weihnachtsmann" die beiden Strümpfe am Bettpfosten gefüllt: mit Taschenkalendern, Schokolade, Nüssen und einer Mandarine im großen Zeh. Die richtigen Geschenke wurden erst später verteilt, unterm Weihnachtsbaum im Wohnzimmer. Auch die Katzen und Becky wurden bedacht. Abraham und die Gänse bekamen ein besonders gutes Frühstück. Um elf wurden Mum und Dad zu einem kranken Meerschweinchen gerufen. Um zwölf erschien Carl und brachte jedem von ihnen ein Geschenk mit. Auch Sarah hatte alle beschenkt, sogar Alan Carr. Da außer Kate niemand an Sarah gedacht hatte, wurden sie alle ziemlich verlegen.

„Warum denn?" fragte Carl. „Das ist ihr Dankeschön für alles, was sie so in sich hineingefuttert hat, ohne zu fragen."

Als Kate den Schnee draußen sah, bedauerte sie es doch, mit dem Pony bis zum Frühling warten zu müssen. Sie stellte sich vor, wie es sich an sie drängelte und ihr zeigte, daß es sie am liebsten von allen mochte, lieber als Carl oder Tina. Und sie würde es auch lieben, sie ganz allein. Was war, wenn Dad nun sein Versprechen nicht hielt?

Carl konnte nicht viel mit Weihnachten anfangen. Er sehnte sich danach, daß endlich wieder alles seinen gewohnten Lauf nähme, einfach wieder Alltag wäre. Am liebsten hätte er Alan in der Sprechstunde geholfen, aber Weihnachten war keine Sprechstunde. Die Carrs hatten seine Großmutter und ihn zum Weihnachtsessen eingeladen.

Gran brachte den Carrs eine Schachtel Kekse mit und eine Flasche Wein. Tante Cloe trank zuviel und mußte sich zurückziehen, als das Essen erst zur Hälfte serviert war. „Das ist nur, weil ich die ganze Woche lang nur Tee getrunken habe", erklärte sie, als sie – mit Bambi auf den Fersen – die Treppe hinaufwankte.

Das Weihnachtsmahl fiel so üppig aus, daß ihnen allen hinterher etwas flau im Magen war. Becky fraß die Pralinenschachtel leer, die Rachel Alan Carr geschenkt hatte, und Bambi riß fast die ganze Dekoration vom Weihnachtsbaum.

Alan Carr verbrachte den Rest des Abends schon wieder über seinen Büchern und versuchte herauszufinden, was mit dem Computer los war. Später erklärte er: „Wenn jeder die Schulden bezahlen würde, die er bei uns hat, wären wir Millionäre. Wenn ich nur mal die Reitschule herausgreife ..."

„Hör auf zu arbeiten", unterbrach Mum ihn. „Soviel ich weiß, feiert man an Heiligabend das Fest der Familie."

In dieser Nacht träumte Kate von ihrem Besuch in der Reitschule. Aber es war kein friedlicher Besuch. Ihre Freunde gingen mit Mistgabeln auf sie los, warfen sie zu Boden und fesselten sie. „Das ist die Belohnung dafür, daß du versucht hast, die Wards ins Gefängnis zu bringen!" schrien sie, und Helen sprang auf ihrem Rücken herum.

Kate wachte davon auf, daß sie gräßlich fror. Ihre Bettdecke war auf den Boden gerutscht. Auf einmal war ihr völlig klar: wenn sie morgen nicht zur Reitschule ginge, würde sie noch verrückt! Und sie schwor sich, ihren Plan endlich in die Tat umzusetzen.

11

In der kommenden Nacht fiel der Schnee so gleichmäßig und dicht, daß er sich wie eine Decke über das
ganze Städtchen legte. Als Kate erwachte, bemerkte sie
als erstes diese seltsame Stille, die der Schnee mit sich
bringt. Sie erinnerte sich an ihren nächtlichen Schwur.
Er erfüllte sie jetzt mit einer seltsamen Mischung aus
Triumph und Furcht. Es kam ihr vor, als müßte sie in
eine Schlacht ziehen, in der sie entweder siegen oder
ihre Freunde auf ewig verlieren würde.

Als Kate ins Bad ging, stieg ihr von unten frischer
Kaffeeduft in die Nase. Tante Cloe verwöhnte Dad in
einem Ausmaß, wie Mum es nie geschafft hätte. Kate
zog sich Hemd, Jeans, Pulli und dicke Socken an.

Carl war gerade dabei, den neu gebauten Hundeaus-
lauf vom Schnee zu befreien.

„Morgen, Kate!" rief ihr Vater ihr entgegen, als sie
die Küche betrat. Nach seinem Lächeln zu urteilen,
hatte er gute Laune. „Tina und deine Mutter sind
schon zu einer Katze unterwegs, die irgendwas Gifti-
ges gefressen hat", erzählte er.

Ihre eigenen Katzen lagen schnurrend im Sessel.
Bambi hockte zu Tante Cloes Füßen. Einen Moment
lang war Kate versucht, ihren Plan doch aufzugeben.
Am liebsten hätte sie sich auf den einzigen freien Stuhl
sinken lassen und geschnurrt wie diese Katzen. Aber
sie wußte, daß sie es später bereuen würde. Außerdem

war es schon neun Uhr. Höchste Zeit zu gehen! Bald wären ihre Freunde auf der Reitschule mit dem Ausmisten und Füttern fertig. Kate machte sich ein Schälchen Müsli mit Milch zurecht.

„Wo willst du denn hin?" fragte ihr Vater, als sie kurz darauf nach ihrem Mantel griff.

„Freunde besuchen."

„Hoffentlich nicht diese Sarah", sagte Alan Carr. „Dieses Mädchen gefällt mir nicht."

„Warum? Etwa weil sie nicht reich genug ist?" fragte Kate bissig. „Du enttäuschst mich wirklich, Dad! Ich weiß auch, daß Sarah in einer häßlichen Sozialwohnung lebt, aber kann sie denn was dafür, daß ihre Eltern arm sind? Sei doch mal gerecht!" forderte Kate.

„Das ist nicht der Grund. Mir ist sie rein menschlich gesehen nicht sympathisch."

„Aber du kennst sie doch gar nicht", wandte Kate ein. Sie sah Dads Gesicht an, daß er inzwischen mit seinen Gedanken schon wieder woanders war. Kate war wütend. „Na gut, perfekt ist sie nicht, aber wer ist das schon?" giftete sie ihn an.

„Was ist denn mit Helen? Mit diesem netten blonden Mädchen, dessen Eltern das Postamt betreiben, und mit all den anderen, die sonst immer bei uns waren? Wie hießen die noch?" fragte Dad als nächstes.

„Sie haben sich alle gegen mich verschworen, weil sie die Wards mögen, die ihnen jede Menge Lügen über Mum aufgetischt haben, wenn du es genau wissen willst!" schrie Kate. „Jetzt hassen sie mich, und darum halte ich mich an Sarah. Sarah ist jetzt meine einzige Freundin, Dad!" setzte sie böse hinzu.

„Das ist kein Grund, so zu schreien", mischte sich jetzt Tante Cloe ein. „Schreien ist ein Zeichen von Schwäche. Wer im Recht ist, braucht nicht zu schreien."

Aber Kate war bereits hinausgerannt und hatte die Tür hinter sich zugeworfen. Ihr Herz raste wie verrückt, denn so hatte sie noch kein einziges Mal mit ihrem Vater geredet, noch nie in ihrem ganzen Leben! Mit Mum schon mal, aber mit Dad noch nie!

Carl winkte vom Hof herüber. Sie sah ihn an und stellte fest, daß vor dem weißen Hintergrund seine Haare noch dunkler wirkten. „Laß dich auf nichts Gefährliches ein, paß auf dich auf", rief er.

„Ich bin doch kein Kind mehr!" gab Kate unfreundlich zurück.

„Sei doch nicht so empfindlich, du weißt doch, wie ich es gemeint habe, Kate", beschwichtigte er sie.

Jetzt war Kate wirklich zumute wie vor ihrer eigenen Hinrichtung. Der Alptraum dieser Nacht stand ihr wieder so deutlich vor Augen, daß sie am liebsten wieder in die warme Küche und zu dem frischen Kaffeeduft geflohen wäre.

Vorsichtig setzte Ann Carr den getigerten Kater in den Reisekorb. „Wir versuchen unser Bestes", erklärte sie dem alten Mann, der am Herd saß.

„Bestimmt ist es das Gift, das mein Nachbar ausgelegt hat! Man müßte ihn anzeigen. Immer wieder erzähle ich das der Polizei, aber die scheint das nicht im geringsten zu kümmern", sagte der alte Mann. „Wird das viel kosten, Frau Doktor? Ich habe nur meine

Rente, und obwohl ich mein ganzes Leben lang hart gearbeitet habe, konnte ich keinen Pfennig beiseite legen. Die Zeiten waren einfach zu schwer. Mit zehn mußte ich schon draußen auf dem Feld arbeiten. Harte Arbeit war das." Er war ein einsamer Mann, der froh war, mit jemandem reden zu können. Er mußte sich durch den Schnee arbeiten, um von einer Telefonzelle aus die Praxis zu erreichen. Jetzt saß er am Herd, eine alte Decke über den Knien.

„Nein, nein, so teuer wird das schon nicht", sagte Ann und klopfte ihm beruhigend auf die Schulter.

„Das ist schon das zweite Mal. Das erste Mal war es nicht ganz so schlimm. Da habe ich ihn mit dem Bus zu dem anderen Tierarzt gebracht. Aber diesmal wollte ich lieber Sie haben, schon um der Reitschule eins auszuwischen", sagte er verschmitzt.

„Was haben Sie denn gegen diese Leute?" fragte Tina, die neugierig geworden war.

„Ich habe mal gesehen, wie Jim Ward ein Pferd ganz scheußlich geprügelt hat. Mit Pferden hab ich auch mal viel gearbeitet, herrliche Tiere sind das..." Und dann verlor er sich wieder in wehmütigen Erinnerungen an seine „gute Frau" und all die Tiere, die er im Lauf seines Lebens versorgt hatte.

„Wenigstens war das mal jemand, der unbedingt unsere Hilfe wollte", sagte Tina, als sie wieder zum Wagen gingen. „Vielleicht ist das ja der erste Schritt zur Besserung. Vielleicht gewinnst du ja doch den Prozeß, und die Wards müssen auch noch die ganzen Kosten tragen, wäre das nicht was?"

„Ich weiß nicht so recht", meinte Ann bedächtig.

„Wenn sie nämlich den Fall verlieren und auch noch die Kosten übernehmen müssen, gehen sie endgültig bankrott."

„Und hassen uns dann noch mehr?"

„Noch hundertmal mehr", bestätigte Ann.

Draußen vor der armseligen Behausung des Alten blieb ihr Wagen im Schnee stecken. Als der alte Mann es bemerkte, kam er mit einer Schaufel und einem alten Futtersack an, den er unter die Hinterräder stopfte. Er war so alt und langsam, daß jeder Handgriff eine Ewigkeit dauerte.

Tina fing an, die Nerven zu verlieren, aber ihre Mutter mahnte sie immer wieder zur Geduld.

Der getigerte Kater maunzte jämmerlich in seinem Korb, obwohl Ann ihm gegen die Schmerzen schon eine Spritze gegeben hatte. Es war klirrend kalt. Tina fiel ein, daß Tante Cloe vor kurzem gesagt hatte, daß sie dieses Jahr einen langen kalten Winter bekämen.

Endlich waren sie dann wieder auf der Straße. Tina mußte daran denken, was der alte Mann erzählt hatte. „Jim Ward prügelt also manchmal auf seine Pferde ein. Wie können die Leute ihn dann mögen?"

„Vielleicht war es ein einmaliger Ausrutscher. Wer weiß, was das Pferd angestellt hat. Außerdem kannst du nicht alles glauben, was so ein alter Mann erzählt", meinte Ann.

„Doch, ich kann", sagte Tina. „Und du nimmst Jim Ward tatsächlich noch in Schutz?"

„Ja. Auch wenn sich das verrückt anhört", erklärte Ann Carr.

*

Kates Füße schienen ihr immer schwerer zu werden, je näher sie der Reitschule kam. Sie bereute jetzt, daß sie Carl nicht gebeten hatte, sie zu begleiten. An seiner Seite hätte sie sich sicher gefühlt, denn er war stark und ruhig. Er hätte ihre Freunde schon zur Vernunft gebracht. Aber wahrscheinlich wäre er sowieso nicht mitgekommen. Er hätte Arbeit vorgeschützt. So machte er es immer. Darin war er wie alle anderen: zu beschäftigt, um sich mit ihren Problemen zu befassen. Außerdem mochte er sie ja auch nicht. Niemand außer Sarah mochte sie. Davon war Kate jetzt felsenfest überzeugt. Ihre Eltern würden ihr bestimmt auch kein Pony kaufen. Sie mochten Tina lieber als sie.

Kate blieb abrupt stehen und starrte in den Schnee. Ja, das stimmte, das stimmte haargenau! Natürlich mochten sie Tina lieber, denn Tina machte alles richtig und sah auch noch toll aus mit ihrer schönen Nase und ihren langen blonden Haaren. Und auf einmal war es Kate egal, daß sie ihre Mutter bei den Freunden verriet und sie für Beacons Tod verantwortlich machte, auch wenn das nicht der Wahrheit entsprach. Sie würde sich auf diese Weise an Mum rächen und ihr ihre Gleichgültigkeit heimzahlen!

Nun konnte Kate die Reitschule schon erkennen. Auf den umliegenden Feldern scharten sich die Ponys um kleine dunkle Flecke, das mußten Heuhaufen sein. In der Nähe der Ponys machten sich lauter kleine Gestalten zu schaffen – ihre Freunde, die sich wie besessen für diese miesen Wards abrackerten! Heute wurden bestimmt keine Reitstunden abgehalten. Der Schnee war zu tief und zu naß, das wußte sogar Kate, obwohl sie in ihrem Leben nur ein paarmal geritten war. Mum hatte sie nie dort reiten lassen; sie behauptete, die Reitschule würde schlecht geführt, und als Tierärzte hätten sie die Verpflichtung, solche Leute nicht zu unterstützen. Noch so eine Ungerechtigkeit! mußte Kate denken, als sie sich dem Gelände näherte.

Dann hörte sie plötzlich jemanden rufen: „Warte auf mich! Ich habe dich von weitem gesehen und wußte nicht, ob du's bist, Kate! Was hast du vor?"

Es war natürlich Sarah. Die einzige Freundin, die Kate nicht los wurde. Zwei Ausgestoßene, die aufeinander angewiesen waren, mußte Kate über sich und Sarah denken, und ihr fiel ein, was ihr Vater über Sarah gesagt hatte. Noch schlimmer aber war Kates Gewißheit, daß ihre Freunde Sarah nie akzeptieren würden. Sie vielleicht irgendwann wieder, aber Sarah? Niemals!

„Ich wollte eigentlich allein gehen", sagte Kate mit einem Seitenblick auf Sarah, die einen Anorak, dünne Hosen und Gummistiefel anhatte.

Sarah steckte sich eine Zigarette an.

„Du weißt doch, daß du dir damit deine Lungen kaputtmachst? Warum hörst du nicht auf zu rauchen?" fragte Kate ärgerlich.

„Weil es meine Nerven beruhigt. Und wen kümmert's schon?" fragte Sarah und kniff ihre Augen zu schmalen Schlitzen zusammen.

„Du zerstörst damit auch die Erdatmosphäre", versuchte Kate es noch einmal.

„Sag doch lieber gleich, daß du mich nicht dabeihaben willst!" Sarah durchschaute ihr Ablenkungsmanöver.

Kate wußte nicht, was sie darauf sagen sollte. Im Grunde genommen mochte sie Sarah tatsächlich nicht. Andererseits war die Vorstellung, in der Schule überhaupt keine Freunde mehr zu haben, zu schrecklich. „Du mußt selbst wissen, ob du mich begleiten willst oder nicht", meinte sie deshalb und lief weiter.

Ihr war auf einmal schrecklich kalt, und in ihrem Innern stritten sich zwei Stimmen. „Kehr um!" forderte die eine, „Vorwärts!" die andere. Alles, was sie sich vorher eingeredet hatte, war Selbstbetrug gewesen. Die Reitschule rückte Sekunde um Sekunde näher, und jede Sekunde war mit Feinden angefüllt.

12

In der Praxis bemühten sich Mum und Tina gleich um die vergiftete Katze. Es war noch nicht abzusehen, ob sie durchkommen würde. Rachel hatte heute keinen Dienst. Simon war über die Weihnachtstage verreist. Carl war zu seiner Gran gegangen. Alan Carr verwünschte seine Krücken, die ihm seinen Einsatz bei Notfällen so erschwerten. Daß er nun auf einen Fahrer angewiesen war, paßte ihm ganz und gar nicht. Auch die vielen offenen Rechnungen gingen ihm zunehmend auf die Nerven, zumal sie das Geld dringend nötig hatten. Angesichts der hohen Unkosten war es auch der helle Wahnsinn, daß die weichherzige Ann vielen ihrer Patienten nur einen Bruchteil dessen berechnet hatte, was tatsächlich gemacht worden war.

Tante Cloe sorgte sich um Kate. Kate war ohne Handschuhe aus dem Haus gerannt, und es war noch mehr Schnee angesagt. Daß Ann und Alan gar nicht mitzukriegen schienen, wie verwahrlost dieses Mädchen aufwuchs, störte Cloe am meisten.

Nachdem sie ihrer Mutter in der Praxis geholfen hatte, spielte Tina im Haus mit Becky. Ihr Vater hatte sich endlich mit diesem zusätzlichen kleinen Hausgenossen abgefunden, ja er schien sogar gelegentlich seinen Spaß an der Hündin zu haben. Da es mit Kate immer nur Ärger gab, war Tina ganz froh, daß sie weggegangen war.

Trotzdem war Kate auch jetzt wieder ein Streitpunkt zwischen Dad und Tante Cloe. Alan Carr beklagte sich: „Wir versuchen wirklich alle, auf sie einzugehen, aber sie gebärdet sich wie ein verwundetes Tier. Heute früh hast du es ja selbst erlebt. Kannst du nicht mal mit ihr reden, Cloe?"

Tina, die mit Becky im Treppenhaus herumtobte, hielt inne und lauschte. Sie bekam jedes Wort mit. Es war kalt. Im ganzen Haus war es kalt, weil Dad die Heizung abgestellt hatte, um zu sparen.

„Und was soll ich ihr sagen?" fragte Tante Cloe. „Was, bitteschön, soll ich ihr sagen?"

„Daß sie sich schlecht benimmt. Daß sie lieber mal die Ärmel hochkrempeln und mit anpacken sollte, zum Beispiel", schlug Dad vor.

„Ich meine eher, daß sie Zeit braucht, *deine* Zeit, Alan!" bemerkte Tante Cloe weise. „Ich glaube, sie fühlt sich hinter ihrer Schwester zurückgesetzt."

„Aber sie war doch immer das verwöhnte Nesthäkchen der Familie!" wunderte sich Alan.

„Nur, daß sie aus diesem Alter heraus ist! Du liebe Güte, das Mädchen ist zwölf, Alan!" warf Tante Cloe ihm vor.

„Ich möchte jetzt allein weiter", bemerkte Kate, als sie vor dem Tor der Reitschule und dem großen Schild angelangt waren, das so stolz verkündete: DIE GROSSE GELÄNDE-REITSCHULE.

Inhaber: James und Irene Ward.

„Warum?" fragte Sarah und warf ihre Zigarettenkippe in den Schnee.

„Einfach so, okay? Schließlich leben wir ja in einem freien Land. Ich rufe dich bald an, okay?"

Sarah setzte wie üblich ihr beleidigtes Gesicht auf. Sie hatte wieder mal eine Abfuhr bekommen, von ihrer einzigen Freundin, die sie um keinen Preis verlieren durfte. Sogar ihre Mutter würde das hart treffen, denn dann konnte sie nicht mehr überall herumerzählen: „Sarah ist mit der Tochter dieser Tierärztin befreundet, Mrs. Carr, Sie wissen schon, die in der Zeitung gestanden hat! Soll eine kluge Person sein!"

„Dann bring ich dich nur noch ein Stück weit", lenkte Sarah dann ein, und damit mußte Kate sich zufriedengeben.

Auf der langen Zufahrt zur Reitschule versanken Kates Stiefel zur Hälfte im Schnee. Aus den Halbtürboxen lugten Pferdeköpfe. Vor der Sattelkammer stand ein Schneemann mit Reitkappe, Pfeife und Augen aus zwei grauen Steinen.

Kaum hatten die anderen Kinder Kate bemerkt, schlugen sie Haken wie die Kaninchen und verschwanden in der Sattelkammer. Irgendwo wieherte ein Pferd. Danach wurde plötzlich alles unheimlich still. Kate drehte sich um, sah, daß Sarah ihr folgte und machte ihr Zeichen zurückzubleiben. Dann rief sie laut: „Ich bin gekommen, um Frieden zu schließen!" Schade, daß sie kein weißes Tuch dabeihatte – sonst hätte sie damit gewunken.

Keine Reaktion! Kate warf einen Blick auf ihre Armbanduhr und stellte fest, daß es kurz nach neun war. Vermutlich saßen die Wards gemütlich beim Frühstück im Haus, während die Ponys draußen auf den Feldern ihr Heu auffraßen und ihre weißbereiften Rücken in die spärliche Sonne hielten.

Einen Moment zögerte Kate, aber dann sagte sie sich, daß sie jetzt einfach weitermachen mußte. Während sie sich der Sattelkammer näherte, rief sie vorsichtshalber: „Ich bin's, Kate! Ich will mit euch Frieden schließen! Ich weiß jetzt, daß meine Mutter einen Fehler gemacht hat! Ich bin bereit, es zuzugeben! Aber sie hat es nicht mit Absicht gemacht! Versucht das doch zu verstehen!" Tränen strömten plötzlich über ihre eisigen Wangen. Ihre Hände waren blau vor Kälte. Sie stopfte sie in ihre Taschen, ging weiter und rief dabei immer wieder: „Ich bin's, Kate! Ich bin gekommen, um Frieden zu schließen! Hört ihr? Ich möchte, daß wir wieder Freunde sind!"

Hinter ihr plärrte Sarah: „Du spinnst doch, Kate Carr! Deine Mutter hat keinen Fehler gemacht! Beacon war schon vorher halbtot, das wissen wir alle!"

Kate war aber fast schon in der Sattelkammer: „Ich bin's, Kate! Wir wollen wieder Freunde sein! Es tut mir leid, daß das passiert ist! Uns allen! Es war ein Unglück!"

Im selben Augenblick sprang die Tür zur Sattelkammer auf, und ein Hagel aus leeren Coladosen und kleinen harten Schneebällen prasselte aus allen Richtungen auf Kate ein.

„Deine Mutter ist dir also auch nichts wert!" ertönte Helens schrille Stimme. „Die lieferst du jetzt also auch ans Messer?"

„Du mieses Stück hast uns beim Tierschutz angezeigt!" schrie Diane.

„Und dafür gesorgt, daß die Reitschule verurteilt wird!" setzte Caroline mit hoher Stimme hinzu.

„So jemand wollen wir nicht als Freundin! Das muß doch selbst in dein armseliges Hirn reingehen! Deine Mutter hat Beacon umgebracht, reicht das nicht?" heulte Helen nun laut heraus.

„Du hast die Tierschützer geholt, nur weil die Wards nicht soviel Geld haben, um genug Futter zu kaufen!" rief Joseph, auf dessen rotem Schopf eine Kappe aus Schnee thronte.

„Nein, hat sie nicht! Ich war das!" schrie Sarah, die Kate eingeholt hatte und Schneebälle zurückfeuerte. „Komm, Kate, beachte die doch gar nicht. Die sind doch beschränkt! Ja, das sind die doch!" rief Sarah und zerrte Kate weg.

Und Kate, die keinen einzigen Schneeball geworfen und die ganze Zeit nur wie gelähmt dagestanden hatte, zitterte jetzt wie Espenlaub.

„Warum brauchst du die denn so dringend als Freunde? Bin ich nicht gut genug?" fragte Sarah, als sie wieder auf der Straße waren, und sah Kate dabei eindringlich ins Gesicht.

„Aber das waren alles mal meine Freunde! Helen kenne ich schon so lange. Sogar im Kindergarten haben wir schon zusammen gespielt!" weinte Kate. „Sie war meine Freundin, lange, lange bevor du dazugekommen bist!"

„Wieso zitterst du so?" fragte Sarah. „Vor Kälte oder vor Angst?"

„Ich habe keine Angst, ich rege mich nur fürchterlich auf", behauptete Kate. „Deshalb zittere ich. Versuch doch mal, das zu begreifen: Alle waren mal meine Freunde!"

„Ich gehe noch mal zurück. Denen werde ich eine Lektion erteilen", drohte Sarah. „Eine, die sie im Leben nicht vergessen! Die regen dich nicht noch mal auf, und je schneller sie das begreifen, desto besser!"

„Nicht, Sarah, bitte nicht! Es ist so schon alles schlimm genug, mach es nicht noch schlimmer!" schrie Kate verzweifelt. Ihr ganzer Mut hatte sie verlassen.

„Die tun dir bloß auch noch weh!" versuchte sie es noch einmal, als Sarah sich wieder Richtung Hof in Bewegung setzte. „Nicht, Sarah! Komm zurück!"

Aber auf Kate schien wohl überhaupt keiner mehr hören zu wollen. Sarah lief einfach weiter. Der Hof war menschenleer. Die Meute war offensichtlich in der Sattelkammer geblieben und feierte dort Kates Niederlage.

Kate wollte nach Hause. Sie wollte ihre Hände wärmen und sich ein Stück Kuchen abschneiden. Tante Cloe versteht mich bestimmt, dachte sie. Tina hält mich für verrückt. Aber keinem werde ich erzählen, wie es wirklich gewesen ist! Das wäre zu erbärmlich!

Es hörte nicht auf zu schneien. Tante Cloe sah aus dem Fenster. „Wo Kate bloß bleibt?"

„Ist sie noch nicht zurück?" wunderte sich Alan. „Oh, dieses Mädchen!"

„Ich dachte, sie ist mit Sarah unterwegs", meinte Ann, die gerade in die Küche kam.

„Bloß nicht", knurrte Alan. „Ich mag diese Sarah nicht."

„Vielleicht sind sie zu ihr gegangen?" mutmaßte Tante Cloe.

„Nein, das machen sie nie. Sarah kommt immer hierher", wußte Ann.

„Sie hat ihre Handschuhe vergessen", berichtete Tante Cloe als nächstes und machte ein besorgtes Gesicht.

„Wenn sie nicht bald zurück ist, starte ich eine Suchaktion", sagte Ann und brühte sich einen Kaffee.

„Soviel ich mitbekommen habe, wollte Kate zur Reitschule", verkündete Carl, der jetzt mit Schnee an den Stiefeln in die Küche kam.

„Bleib draußen! Keinen Schritt weiter! Du ruinierst mit deinen Stiefeln meinen schönen sauberen Boden!" rief Tante Cloe entsetzt.

Carl zog sich seine Stiefel aus und meinte: „Kate tut mir echt leid. Sie ist so unglücklich, weil sie ihre ganzen Freunde verloren hat. Die Wards haben sie alle gegen Kate aufgehetzt – ihr kennt ja ihre menschenfreundliche Art! Und jetzt hält sich Kate an Sarah. Sie mag sie auch nicht besonders, aber Sarah ist besser als gar niemand. Jedenfalls habe ich diesen Eindruck."

Ann war richtig geschockt. „Arme Kate! Und ich war so beschäftigt, daß ich nichts bemerkt habe. Was können wir bloß tun?"

„Ich weiß auch nicht. Vielleicht sollte sie die Schule wechseln", überlegte Dad. „Ganz von vorn anfangen."

„Das empfände Kate aber auch nur wieder als Zurückweisung", gab Carl zu bedenken. „Soll ich mich auf die Suche nach ihr machen? Kann mir jemand ein Paar trockene Handschuhe leihen?"

„Ich komme mit", sagte Tina und wollte Becky holen.

„Eigentlich würde ich lieber allein gehen", sagte Carl.

Sarah arbeitete sich stolpernd durch den hohen Schnee, um Kate wieder einzuholen. „Ich hab's getan! Ich hab's getan! Ich habe dich gerächt!" schrie sie und fuchtelte wie verrückt mit den Armen herum.

„Was hast du getan?" fragte Kate. Und dann sah sie, daß auf dem Hof plötzlich alle aufgeregt durcheinanderrannten, sogar die Wards waren plötzlich da.

„Los, wir müssen weg, bevor sie uns kriegen", keuchte Sarah und zerrte an Kates Arm. „Bleib nicht stehen wie 'ne Salzsäule!"

„Was hast du nur getan?" schrie Kate heiser auf, als sie im Hintergrund eine Rauchsäule aufsteigen sah.

„Nur ein bißchen Heu angezündet und ein paar Pferde rausgelassen! Das vergessen die nicht so schnell!" kreischte Sarah triumphierend.

„Ich muß ihnen helfen!" rief Kate.

„Laß es lieber! Diesmal kommst du nicht so glimpflich davon", meinte Sarah.

Jetzt erst bemerkte Kate, daß eine der Blechdosen sie am Kinn getroffen hatte und das Blut in den Schnee tropfte.

„Hör auf, dich verrückt zu machen, der Schnee wird das Feuer schon löschen", sagte Sarah. „Wir gehen jetzt zu dir und wärmen uns erst mal auf."

„Ich wünschte, du hättest das nicht getan, wirklich!" Kate setzte sich mechanisch in Bewegung.

Die Sonne war nun völlig verschwunden, und von einem bleigrauen Himmel fiel der Schnee so gleichmäßig und schnell, daß die ganze Landschaft um sie herum immer mehr unter der dicken weißen Decke verschwand. Durch den dichten Flockenwirbel konnte sie kaum erkennen, wohin sie rannten. Als sie schließlich die Landstraße erreichten, trafen sie auf eine Kette dahinkriechender Autos; ihre Reifen waren schneeverkrustet und die Scheibenwischer am Glas festgefroren.

„Wenn du nur nicht noch mal zurückgegangen wärst!" wiederholte Kate monoton.

Sie fühlte sich jetzt so leer und elend, daß sie nicht einmal mehr nach Hause wollte. Tina würde sie ausquetschen, wo sie gewesen war. Tante Cloe würde mit ihr schimpfen, weil sie die Handschuhe vergessen hatte. Dad war auch nicht gut auf sie zu sprechen, und Mum hatte bestimmt wieder viel Wichtigeres zu tun, als sich mit ihr zu beschäftigen. Niemand würde sich also über ihre Rückkehr freuen. Sie bewegte sich in einem weißen Alptraum, der keinen Anfang und kein Ende hatte.

„Geh lieber nach Hause, sonst sitzt du bei uns im Schnee fest", sagte Kate und rieb sich die Augen. „Geh, bitte!"

„Das wäre doch toll!" meinte Sarah unbekümmert. „Einfach fabelhaft!"

„Jetzt nicht mehr, wo mein Vater wieder zu Hause ist", entgegnete Kate. „Außerdem geht bei uns alles drunter und drüber. Und Tante Cloe können wir nicht noch eine Person mehr zumuten."

„Willst du dich nicht wenigstens bei mir bedanken?"

„Wofür denn?"

„Daß ich mitgekommen bin. Daß ich deinen Freunden einen Denkzettel verpaßt habe!"

„Ich wünschte, das hättest du nicht getan."

„Reizend", bemerkte Sarah spöttisch.

Sie kamen jetzt an einem verschneiten Hügel vorbei; dort tobte eine ausgelassene Gruppe von Kindern herum. Kate beneidete sie.

„Bis später also dann", verabschiedete sich Sarah.

Kurz darauf hörte sie Carls Stimme: „Kate! Kate, bist du in Ordnung?"

Kate war sehr froh, daß es Carl war. „Ja!" rief sie zurück, aber der Schnee verwehte ihre Worte wie alles um sie herum. Besorgt warf Kate einen Blick zum Himmel, aber über die wenigen Meter, die man überhaupt sehen konnte, war kein Rauch mehr zu erkennen. Auch keines der Pferde war an ihr vorbeigelaufen, was wohl bedeutete, daß sie alle wieder eingefangen worden waren. Mit etwas Glück schien also alles wieder in Ordnung gekommen zu sein, oder wenigstens so weit in Ordnung, wie es vor einer Stunde gewesen war, ehe sie zu ihrer denkwürdigen Aktion aufbrach.

„Da bist du ja endlich, wir haben uns Sorgen gemacht", sagte Carl, der plötzlich wie ein Phantom aus dem Schneegestöber auftauchte. Er fragte sie nicht, wo sie gewesen war, sondern gab ihr nur seine Handschuhe: „Hier, zieh die an, deine Hände sehen ja ganz erfroren aus!" Dann entdeckte er die Wunde an ihrem Kinn, aus der es immer noch in den Schnee blutete. „Da muß ein Druckverband drauf. Hier, presse mein Taschentuch dagegen. Es ist sauber, du kennst ja Gran:

Weißer als weiß muß es sein, und jedes Stück wird noch auf die altmodische Art gekocht."

Kate konnte ihn durch den Schnee kaum sehen.

„Nimm meine Hand, wir rennen das letzte Stück", sagte er dann. „Los, komm, davon wird dir warm, und außerdem wird das Schlamassel hier jede Sekunde schlimmer."

Die ganze Zeit über versuchte Kate, die Tränen zurückzuhalten – auch Tränen der Erleichterung darüber, daß Carl es war, der sich auf die Suche nach ihr gemacht hatte.

Daheim empfing sie eine herrlich warme Küche, und es fiel kein böses Wort, weil jeder sich freute, daß sie wieder da war. Dad schien ihren Ausbruch vergessen zu haben, Mum verarztete ihr Kinn mit Heftpflaster, und Tante Cloe fragte: „Fehlt dir auch wirklich nichts?" Und es hörte sich an, als ob sie sich ernstlich Sorgen machte.

Tante Cloe war es auch, die ihr ein Stück Ingwerbrot und einen Becher heiße Schokolade servierte. Als Kate sich hinsetzte, kletterte Mopsy auf ihre Knie und fing an zu schnurren. Kate wartete darauf, daß irgendwer anfinge, Fragen zu stellen. Daß sie kommen mußten, war ihr klar, sie ließen ihr einfach nur Zeit, ein wenig zu sich zu kommen, bevor das große Verhör begann.

Deshalb war sie wirklich überrascht, als ihr Vater dann plötzlich anfing: „Mum und ich haben uns überlegt, daß du dein Pony schon vor dem Frühling bekommen sollst, sobald das Wetter besser wird, Kate. Was meinst du dazu?"

„Das wäre einfach wahnsinnig, unglaublich schön!"

sagte Kate, obwohl sie irgendwo tief in ihrem Innern mißtrauisch war, ob er wirklich Wort halten würde.

Dann hörte sie sich auf einmal selbst sagen: „Also, ich war in der Reitschule, weil ich ihnen ein Friedensangebot machen wollte, aber es ging schief. Meine Freunde haben sich zusammengerottet und Schneebälle nach mir geworfen." Sie versuchte, dabei zu lachen, aber es gelang ihr nicht, und sie brach in heiseres Schluchzen aus.

Ihr Vater erhob sich, hinkte quer durch die Küche zu ihrem Platz und legte ihr die Hand tröstend auf die Schulter. „Das tut mir leid. Aber gräm dich nicht zu sehr, sieh es als ein vorübergehendes Tief an. Am Ende werden deine Freunde alle wieder zur Vernunft kommen", sagte er. Und dann: „Würdest du lieber woanders zur Schule gehen, viele neue Freunde finden und das hier alles hinter dir lassen? Ist nur so eine Idee von mir."

„Nicht, wenn ich ein Pony kriege", sagte Kate. „Wenn ich ein Pony habe, brauche ich eigentlich keine anderen Freunde mehr."

Dann wurden Mum und Dad zu einem kranken Esel gerufen. Mum setzte sich ans Steuer, weil Dad immer noch nicht allein fahren konnte.

Carl ging auf Kate zu. Seine Haare klebten noch naß vom Schnee an seinem Kopf. Während des letzten Jahres schien er noch ein paar Zentimeter gewachsen zu sein. Er war jetzt fast so groß wie Alan Carr.

„Für dein Pony müssen wir einen Teil des Stalles freimachen, Kate. Wollen wir heute nachmittag damit anfangen?" schlug er vor. „Mit dem ganzen alten Holz könnten wir ein schönes großes Lagerfeuer machen."

Aber Kate ging nicht darauf ein. Sie lief ans Fenster, um sich zu vergewissern, daß von der Reitschule wirklich kein Rauch mehr herüberwehte.

Für den Rest des Tages war Kate zumute, als säße sie auf einer Zeitbombe. Jeder war nett zu ihr. Keiner fragte, was genau eigentlich auf dem Reiterhof passiert war. Aber früher oder später würden sie darauf zurückkommen, da war Kate sich sicher.

Dann ging sie doch nach draußen und half Carl, den alten Stall auszumisten, neben dem die Welpen hausten.

Inzwischen hatte es aufgehört zu schneien. Die bleiche Wintersonne zeigte sich am trüben Himmel, der sich schon bald wieder verdunkeln würde.

„Oh, wie ich diesen Schnee hasse! Alles macht er so naß und schwer!" fluchte Carl. „Magst du Schnee?"

„Nein, ich hasse ihn auch", sagte Kate. Am liebsten hätte sie kein Wort geredet. Sie fühlte sich so schrecklich müde.

„Du wirkst ziemlich niedergeschlagen", stellte Carl schließlich fest. „Ist irgendwas?"

„Nicht mehr als das Übliche", log Kate.

„Bestimmt geht's dir besser, wenn du ein Pony hast. Was für eins willst du denn? Ein graues?"

„Das ist mir gleich." Kate glaubte immer noch nicht ernsthaft daran, daß sie es bekommen würde. Sie glaubte überhaupt nicht, daß sich irgend etwas bessern würde. Nicht bevor sie erwachsen war, nicht mehr zur Schule mußte und frei war.

Mum und Dad kamen zurück: Der kranke Esel würde sich wieder erholen. Sie lachten miteinander und bewarfen sich mit Schneebällen, und Tante Cloe rief: „Kommt jetzt bloß nicht mit euren ganzen nassen Klamotten herein! Ihr zwei seid ja schlimmer als eure Kinder!"

In zwei Tagen wollte Tante Cloe abreisen. Kate würde sie und Bambi vermissen.

Auch beim Tee waren alle nett zu Kate und gaben sich die größte Mühe mit ihr. Sie waren lustig und freundlich, und Dad kündigte an, er wolle auf der Stelle ihr Taschengeld erhöhen. „Sagen wir, doppelt soviel", meinte er großzügig, „wegen der ständigen Preissteigerung".

Aber Kate konnte sich über nichts richtig freuen. Die Ereignisse dieses Morgens machten sie zu einer Täterin, deren Strafe zur Bewährung ausgesetzt war. Dies alles hier war nur die Ruhe vor dem Sturm.

Tina ahnte längst, daß etwas Schreckliches in der Luft lag, aber ihr Vater hatte sie beschworen, unter allen Umständen nett zu Kate zu sein, und sie versuchte es tapfer.

Carl war nach Hause gegangen, aber beim Abschied hatte er ihr noch freundschaftlich geraten: „Paß auf, daß du jetzt keine Erkältung bekommst, Kate. Und wenn du traurig bist, denk an das supertolle Pony, das du bekommst!"

In diesem Moment hatte Kate ihn mehr geliebt als ihre Eltern oder Tina oder Tante Cloe.

Danach hatte Kate wieder auf den „Sturm" gewartet, und schließlich war es soweit: Sie räumten gerade das

Teegeschirr zusammen, als es so heftig an die Tür klopfte, daß die beiden Hunde wie wild anfingen zu bellen. Mum öffnete, sie erwartete, daß jemand mit einem kranken Tier Hilfe brauchte.

Draußen stand aber eine Polizistin: „Sind Sie Mrs. Carr?"

Als Mum nickte, fuhr sie fort: „Könnte Ihre Tochter Kate vielleicht mit aufs Revier kommen? Ihre Freundin ist schon dort, und wir würden die beiden gern gemeinsam verhören, wenn Sie nichts dagegen haben."

Es entstand eine beängstigende Stille, bis Kate endlich sagte: „Ich bin nur hingegangen, um meinen Freunden etwas zu sagen. Ich habe nichts Böses getan, das schwöre ich!"

Alan Carr mischte sich ein. „Ich begleite dich", erklärte er und raffte sich hoch.

„Wir beide", ergänzte Ann.

„Ich bringe Sie hin", erbot sich die Polizistin. „Mein Wagen steht im Hof."

Draußen schnitt ihnen ein eisiger Wind ins Gesicht. Der Himmel war jetzt sternklar.

„Es wird einen heftigen Kälteeinbruch geben", sagte die Polizistin auf dem Weg zum Auto.

„Mit Sicherheit", bestätigte Dad. Kate bemerkte jetzt, daß er sich nur noch auf einen Spazierstock stützte; die Krücken hatte er zu Hause gelassen.

Das ist der schlimmste Augenblick in meinem ganzen Leben! dachte Kate, als sie in das Polizeiauto kletterten. Ihr Magen flatterte vor Angst, und ihre Hände waren klamm.

Der Wagen rutschte und schlidderte durch den

Schnee, und mit jeder Sekunde rückte die Polizeistation näher, und keiner sprach ein Wort. Selbst Dad saß mit düsterer Miene da, die eine Mischung aus Zorn und Fassungslosigkeit ausdrückte. Jetzt ist alles aus! mußte Kate auf einmal denken. Jetzt kriege ich nie mehr ein Pony und nie mehr richtige Freunde!

Auf der Polizeistation begrüßte Sarah sie, und dann mußten sie alle auf einem langen Korridor warten.

„Ich habe ihnen alles gesagt", erzählte Sarah. „Und mit einem Reporter habe ich auch schon gesprochen. Ich habe ihm erzählt, wie das alles in Wirklichkeit gewesen ist. Dir passiert also gar nichts. Wir werden nicht bestraft und kommen auch nicht in eine Erziehungsanstalt. Du kannst dich entspannen, Kate, wir sind aus dem Schneider!"

Kate blickte Sarah ungläubig an. Dann sah sie ihre Eltern an, die sich an den Händen hielten und ernst und traurig dreinschauten. Da wußte sie, daß Sarah unrecht hatte: Sie waren nicht „aus dem Schneider", und in Ordnung würde vermutlich nie wieder etwas sein!

12

Als eine zweite Polizistin mit einem Ordner unter dem Arm den Korridor herunterkam, wäre Kate am liebsten im Erdboden versunken.

„Ich würde gern allein mit dir sprechen, Kate, wenn das möglich ist", sagte sie lächelnd.

Aber Alan Carr war dagegen. „Sie ist minderjährig, und ich als ihr Vater habe das Recht dabeizusein", erklärte er und erhob sich. Er lächelte weder Kate zu noch irgendwem sonst. Kate dachte, daß sie lieber allein wäre, aber das wagte sie nicht zu sagen.

„Ich komme auch mit. Vielleicht kann ich etwas zu Kates Verteidigung beitragen." Mum rang sich ein gequältes Lächeln ab und stand ebenfalls auf.

„Ich habe es allein gemacht! Dazu brauchte ich keine Hilfe!" erklärte Sarah. Sie hockte auf einem Holzstuhl. „Sie haben mich einfach hierher geschleppt, und keiner hat mich gefragt, ob meine Mam oder mein Dad kommen sollen. Ich hab sofort zugegeben, was ich gemacht habe!"

Dad stützte sich schwer auf seinen Stock und warf einen verächtlichen Blick auf Sarah. Mum stützte ihn am Arm. Der Korridor war nur spärlich von einer nackten Glühbirne beleuchtet.

Kate wäre am liebsten in Tränen ausgebrochen. „Es war nicht meine Idee, das schwöre ich! Ich wollte wirklich nur Frieden mit ihnen schließen."

„Sag das der Polizistin", flüsterte Mum. „Nimm auf keinen Fall irgendwelche Schuld auf dich!"

„Sag einfach die Wahrheit. Das ist alles, was wir hören wollen!" sagte Dad ungehalten.

Dann traten sie in einen Raum, der nur mit einem Tisch und ein paar Stühlen möbliert war.

„Also gut, Kate. Wie alt bist du?" fragte die Polizistin.

„Zwölf."

„Hast du noch andere Vornamen?"

„Ja, Anna. Ich heiße Kate Anna Carr", erklärte Kate mit fester Stimme. Auf einmal hatte sie ihre Gefühle völlig unter Kontrolle, ihr Kopf war kühl und klar, die Panikstimmung war verflogen.

„Warum warst du in der Reitschule?"

Kate war sich plötzlich bewußt, daß jedes Wort, das sie sagte, zu Protokoll genommen wurde. „Ich hatte gehofft, Frieden mit ihnen schließen zu können. Aber es war nicht möglich", antwortete sie, und nun zitterte ihre Stimme doch wieder vor Aufregung.

Sie wollte Sarah nicht anklagen, aber sie konnte auch nicht leugnen, daß Sarah auf eigene Faust gehandelt und in der Reitschule die Pferde herausgelassen hatte – und dann auch noch einen Heuballen angezündet hatte. Sie mußte die Wahrheit sagen, auch wenn ihr die ganze Zeit bewußt war, daß sie eine Freundin verriet, die einzige, die sie im Moment hatte.

Bald schaltete Ann Carr sich ein und verteidigte Kate, indem sie erzählte: „Die Wards sind schon eine ganze Weile hinter uns her, hinter jedem von uns. Aber dafür kann unsere Tochter überhaupt nichts."

Nur Alan Carr saß die ganze Zeit wie ein brummiger Bär dabei, sagte kein Wort und wünschte sich, Ann hielte lieber den Mund. Er wäre am liebsten weit weg gewesen.

Als Kate die ganze herzzerreißende Episode zu Ende erzählt hatte, stellte die Polizistin das Tonband ab.

„Wir sind froh, daß wir nun deine Version von dieser Angelegenheit kennen", sagte sie. „Wir werden nichts weiter unternehmen. Aber um aller Beteiligten willen rate ich dir dringend, dich erst einmal von der Reitschule und von Mr. und Mrs. Ward fernzuhalten, Kate", schloß sie.

„Aber was ist mit meinen Freunden dort?" fragte Kate verzweifelt.

„Auf mich wirken sie nicht besonders freundschaftlich", meinte die Polizistin lächelnd. „Aber wenn du sie unbedingt sehen willst, geh zu ihnen nach Hause, nicht in die Reitschule." Sie erhob sich. „Ich werde jemand bitten, Sie nach Hause zu fahren. Sie und auch Sarah." Die Polizistin lächelte immer noch.

Alan Carr sagte mit einem Seitenblick auf Kate: „Ich denke, meine Tochter ist in die Irre geleitet worden. Das wird kein zweites Mal vorkommen, das verspreche ich Ihnen." Er schüttelte der Polizistin zum Abschied die Hand.

Draußen schneite es wieder. Unter der Schneelast wirkten die Häuser niedriger und die Straßen enger als gewöhnlich, und der Himmel schien tiefer als sonst zu hängen.

„Gott sei Dank, daß wir das hinter uns haben", atmete Mum auf. „Ich hatte es mir schlimmer vorgestellt."

„Sie hatten sich schon an mir abreagiert, Mrs. Carr! Ausgepreßt haben sie mich wie eine Zitrone. Sie wollten wissen, was für eine Beziehung ich zur Reitschule hätte, und rauchen durfte ich auch nicht!" beschwerte sich Sarah.

Kate aber dachte nur: Es ist vorüber, und mir wird jetzt nichts Schlimmes mehr passieren. Noch nie war ihr die kleine Stadt so wundervoll erschienen wie in diesem Moment.

Bald fuhr vor dem Revier der Wagen vor, der sie alle nach Hause bringen sollte.

„Hoffentlich ist die Sache jetzt aber wirklich ein für allemal ausgestanden. Diese ganze Reitschul-Affäre hängt mir total zum Hals heraus!" Ann seufzte tief.

„Nächste Woche steht uns aber noch der Prozeß gegen die Wards bevor", erinnerte Alan sie.

„Und dann wird die Reitschule endlich dazu verurteilt werden, ihre Schulden bei uns zu bezahlen."

„Danach werden sie wohl schließen müssen und uns endlich in Ruhe lassen", hoffte Dad.

„Darauf kann einer Häuser bauen", meinte Sarah altklug. „So würde meine Mutter es nennen."

Als sie bei Sarahs Eltern eintrafen, war alles hell erleuchtet; vor den Scheiben waren keine Gardinen. Eines der Fenstergläser war durch ein Stück Pappe ersetzt.

„Bis demnächst!" rief Sarah und rannte den verschneiten Weg zum Haus hinüber.

„Armes Geschöpf", sagte der Polizist am Steuer und fuhr weiter.

„Wo sollen sie denn alle reiten, wenn die Reitschule

dichtmacht?" Kate war schon wieder in Gedanken bei ihren Freunden.

„Irgendwo anders", antwortete ihr Vater nüchtern.

„Die werden toben vor Wut, und alle, alle werden wieder uns die Schuld geben!" Kate bekam es erneut mit der Angst zu tun.

„Das ist ihr Problem, nicht unseres. Wir sind kein Wohltätigkeitsverein", gab ihr Vater ärgerlich zurück. „Die ganze Zeit benutzen sie Arzneien und Wurmkuren, die wir für sie gekauft haben. Soll das immer so weitergehen? Dinge zu benutzen und nicht dafür zu bezahlen ist eine Form von Diebstahl, das mußt du doch einsehen, Kate!"

Kate sah ihn an: Sein Haar, das manchmal so widerspenstig war wie Roßhaar, hatte weiße Schneesprenkel, und seine Nase, der ihrer eigenen so ähnlich sah, hatte vor Kälte eine rote Spitze.

Und Mum wirkt wie ein erschöpftes Tier, das sich am liebsten in seiner Höhle verkriechen möchte, fand Kate. Dann wünschte sie sich eine andere Nase und andere Hände und Beine – so wie Tina.

Einerseits fühlte sich Kate unendlich erleichtert, daß ihr Besuch auf dem Polizeirevier vorüber war. Andererseits hatte sie aber auch Schuldgefühle gegenüber ihrer Familie – sie hatte sie alle in ihr Problem mit hineingezogen, wenn auch bestimmt nicht mit Absicht. Sie hätte irgendwie verhindern müssen, daß Sarah die Pferde herausließ und das Feuer legte. Aber sie hatte es nicht einmal versucht. Sie hatte es einfach geschehen lassen.

Tina erwartete sie zu Hause. „Da seid ihr ja endlich!" rief sie und riß die Hintertür weit auf. „Wie war's? Wirst du bestraft?"

Wie immer war Becky an Tinas Seite. Wäre das gut, so geliebt zu werden, wie Tina von Becky geliebt wird! mußte Kate denken. Ihr Vater bedankte sich bei dem Polizisten für den Transport.

„Das habe ich gern getan, Sir", antwortete der Polizist, und dann drehte er sich plötzlich zu Kate um und lächelte ihr zu, als wüßte er, daß sie das alles nicht gewollt hatte. „Paß auf dich auf", sagte er zu ihr, als ihre Eltern schon Richtung Küche liefen, erleichtert, daß der Spuk vorüber war.

„Sie haben Sarah und mich dann doch nicht gemeinsam verhört, und darüber bin ich froh", berichtete Kate dann in der Küche und streifte ihre Stiefel ab, während Tante Cloe geschäftig zwischen ihnen allen hin und her lief. Die drei Katzen hatten sich auf einem Stuhl zusammengekuschelt, weil Bambi einen zweiten ganz für sich allein beanspruchte. Tante Cloe mußte lachen, als sie die Tiere sah. „Sie wissen genau, daß sie nicht nach draußen müssen, weil es schneit."

Dann kam Carl und fragte: „Ist alles in Ordnung?"

„Aber natürlich", antwortete Mum vergnügt. „Es war alles nicht Kates Schuld. Sie hat überhaupt nichts angestellt. Sarah war es. Ich wußte schon die ganze Zeit, daß sie es war."

Anschließend saßen sie noch alle zusammen und redeten, und plötzlich war alles wieder so wie vor Dads Unfall, als die Welt noch in Ordnung war. Sie waren wieder eine große Familie, und Kate fühlte sich nicht mehr ausgesperrt. Wie sie da saß und ihre Ellenbogen auf den großen Küchentisch stützte, war sie plötzlich bereit, Sarah aufzugeben. „Aber ich muß das behutsam machen", sagte sie. „Noch eine Feindin verkrafte ich nämlich nicht."

Dad fing immer wieder von ihrem Pony an. „Ein kleiner Grauer, der dein Herz erglühen läßt", scherzte er.

Kate sah sich im Geist bereits durch die Wälder reiten und malte sich die neidischen Gesichter ihrer Freunde aus. Sie schlang ihre Arme um Dads Hals und gab ihm einen Kuß. Danach kam ihre Mutter dran, und auch Tante Cloe wurde kurz auf die Wange geküßt. Nur Tina nicht, weil sie in ihr immer noch eine Rivalin sah, und Carl auch nicht, obwohl sie es gern getan hätte.

Dann meinte Dad, daß die Praxis jetzt wieder auf Touren käme. Und Mum sagte, sie hätten eben einfach eine Pechsträhne gehabt, und den Prozeß würde sie bestimmt gewinnen, weil die gesamte Tierärzteschaft hinter ihr stände.

Carl sagte gar nichts. Er umklammerte mit seinen langgliedrigen Fingern einen Kaffeebecher und dachte die ganze Zeit: Eines Tages werde ich auch in meiner eigenen Küche sitzen, als richtiger, voll ausgebildeter Tierarzt. Bis dahin, träumte er, gäbe es nur noch artgerechte Tierhaltung, keine Massenaufzucht mehr, keine Kälber in Miniboxen oder eingepferchte Säue und Ferkel. Die Kühe würden wieder auf der Weide grasen, die Hühner frei umherlaufen, und die Schweine hätten ihren eigenen Koben, mit Stroh ausgelegt, das nicht mit Insektenvertilger besprüht worden war.

Die Katzen hüpften von ihrem Stuhl und fingen an, auf ihren Knien herumzuturnen, während Becky zu Tinas Füßen den Platz gefunden hatte, wo sie sich am wohlsten fühlte. Alle fühlten sich wohl und geborgen. In diesem Augenblick wußte Kate, daß ihr Leben von nun an in die richtigen Bahnen käme, und auch Tina spürte, daß dies ein einmaliger Moment war.

Dann klingelte das Telefon, und eine Minute später kündigte Dad ihnen an: „Ich muß zur Cowslip Farm – ein Tierarzt hat eben nie Feierabend." Aber während er das sagte, lächelte er glücklicher, als Tina ihn je lächeln gesehen hatte, und Carl sagte sofort: „Ich komme mit! Ich will so viel lernen, wie ich nur kann, denn ich habe fest vor, eines Tages in eure Fußstapfen zu treten."

„In meine nicht, solange ich noch drin stehe", gab Alan zurück und lachte fröhlich.

Tina und ihre Mutter sahen sich lächelnd an, und beide dachten das gleiche: der Alptraum war endlich ausgeträumt! Aber so ganz natürlich doch noch nicht, denn vor ihnen lag immer noch die Gerichtsverhandlung, und Kate sehnte sich immer noch nach ihren alten Freunden. Im Augenblick schien allerdings eine Art Waffenstillstand eingetreten zu sein.

Tina war glücklich: Dad würde wieder mit Leib und Seele seinen tierärztlichen Pflichten nachgehen, die Praxis hatte auch mit einem Tierarzt zuwenig überlebt. Aber in Tinas Augen war am schönsten, daß Kate bei ihnen geblieben war und nicht in eine Erziehungsanstalt mußte. Nun würde sie vielleicht tatsächlich Sarah aufgeben und eine neue Freundin finden. Und für sie, Tina, war das Leben schön, seit sie Becky hatte.

Später sprach Tina ihre Mutter auf den Gerichtstermin an.

„Mach dir keine Sorgen, wir werden gewinnen", sagte sie, während sie sich das müde Gesicht mit Creme einrieb. „Der ganze tierärztliche Berufsstand steht hinter uns. Und wenn man dran glaubt, gibt es immer einen Silberstreifen am Horizont", fügte sie hinzu.

Zu diesem Zeitpunkt lag Kate bereits im Bett und hatte das Gefühl, jemand hätte ihr eine Zentnerlast von den Schultern genommen. Jetzt habe ich nichts, überhaupt nichts mehr zu verbergen! dachte sie. Es ist gut, daß Mum und Dad alles wissen. Jetzt kann mir nichts Schlimmes mehr passieren, und sie glauben mir auch wirklich, daß nicht ich das Feuer gelegt habe. Wenn ich wieder ein Problem habe, erzähle ich es ihnen gleich, auch wenn ich es auf ein Stück Papier schreiben und ihnen unter die Nase halten muß. Aber mit ein bißchen Glück wird es kein nächstes Mal geben.

Carl begleitete Alan zur Cowslip Farm und half ihm, einen riesigen Shire-Hengst zu behandeln, der eine Kolik hatte. Erst spät kam er zu seiner Großmutter nach Hause. Sie hatte auf ihn gewartet, und ihre Augen waren vor Müdigkeit trübe.

„Ich dachte, du kommst überhaupt nicht mehr heim", empfing sie ihn vorwurfsvoll. „Du bist wie eine Kerze, die an zwei Enden brennt, mein Junge!" Das war einer ihrer Lieblingssprüche.

„Du mußt dir nicht so viele Gedanken machen, Gran", sagte er jetzt zu ihr und fühlte sich schon sehr erwachsen und auf dem besten Weg zum Tierarzt.

Er hatte immer noch den riesigen, geduldigen Hengst vor Augen und der starke Pferdegeruch war ihm auch noch in der Nase, als er sich wusch. Mit so einem Tier hatte er noch nie zu tun gehabt. Alan hatte seinen Hals gestreichelt und mit ihm geredet wie mit einem Kind. Gemeinsam hatten sie die Arznei für ihn gemixt und sie ihm eingeflößt. Das Tier hatte dabei so tapfer stillgehalten, als ob es verstünde, daß sie ihm helfen wollten. Dann hatte Alan ihm ein Beruhigungsmittel gespritzt, und mit einer Decke über seinem breiten Rücken ließen sie das Tier, das bereits schläfrig wurde, in seinem Stall zurück. Sein Besitzer, ein kleiner, krummbeiniger Mann, hatte sich mehrmals für ihre Mühe bedankt, und wie üblich hatte Alan bescheiden abgewunken: Das alles gehöre zu seinem normalen Tagesablauf und schließlich sei er dafür ja da und so weiter... Carl kannte das längst alles. Aber dann hatte Alan noch hinzugefügt: „Ich wünschte, alle unsere Patienten wären halb so brav. Er ist ein großartiges Pferd!" Da war Carl auf einmal sicher, daß dieses Tier sich erholen würde.

Der Besitzer hatte ihnen dann die Hand geschüttelt, und Carl hatte gesagt: „Es war mir ein Vergnügen!" und Alan hatte gesagt: „Alles Gute!" Genau in diesem Moment war Carl sich auf einmal völlig erwachsen vorgekommen, so, als ob er seine Kindheit für immer hinter sich gelassen hätte.

„Das war ein großartiges Erlebnis, Alan", hatte er geschwärmt, als sie heimwärts fuhren. „Und ich habe unheimlich viel dazugelernt, aber das tue ich ja immer, wenn ich dich begleite."

„Wenn du erst mal deine Zeugnisse und deinen Doktortitel hast, bist du ein guter Tierarzt", hatte Alan Carr grinsend gemeint.

„Glaubst du das wirklich?"

„Ja, das glaube ich. Aber bis dahin mußt du dich noch ziemlich schinden, mein Sohn!" hatte er gesagt.

„Ich werde Tierarzt, Gran", erklärte Carl nun seiner Großmutter. „Und nichts auf der Welt wird mich davon abhalten."

„Irgendwie muß dir das im Blut liegen. Eine andere Erklärung gibt es nicht, wenn du dir so einen harten, unsicheren und zeitraubenden Beruf aussuchst", sagte sie.

Die Nacht war sternklar. In Carls Zimmer war es eisig kalt, aber diesmal spürte er es kaum: der Traum vom Tierarztberuf mit einer eigenen Praxis und einem eigenen Haus wärmte ihn. Bis dahin aber gäbe es noch eine Menge Hürden zu überwinden, aber Carl war sicher, daß er sie alle nehmen würde.

Als er in sein Bett stieg, fragte er sich, ob seine Eltern ihm in seiner Berufswahl zugestimmt hätten, wenn sie noch lebten. Eines Tages wollte er mehr über seine Eltern erfahren. Aber dazu bräuchte er sehr viel Zeit und die würde er noch lange nicht haben.

Traumberuf
Tierarzt?

1

Kate fragte sich, wie lange ihr Vater brauchen würde, um für sie ein Pony zu finden. Sie wartete voller Ungeduld darauf, daß neben Abrahams langohrigem Eselskopf endlich ein Ponykopf über die Stalltür schaute. Das eigene Pony war für sie das wichtigste geworden, wichtiger sogar als der Wunsch, ihre Freunde zurückzugewinnen. Mit einem eigenen Pony würden sich ihre Probleme von selbst lösen, und sie könnte vieles leichter ertragen, da war sie ganz sicher. Das Pony ist nur für mich da! stellte sie sich vor. Bei ihm kann ich mich ausweinen, und ihm kann ich jedes Geheimnis anvertrauen, weil ich weiß, daß es mich niemals verraten würde. Was ich auch tue, es hält immer zu mir.

Da rief ihr Vater, der japanische Jeep, den er bestellt hätte, sei eingetroffen. „Simon möchte ihn ausprobieren, und Mr. Abbott hat mich für zehn Uhr auf seine Farm bestellt. Es ist sehr schön dort – wer möchte mitkommen?" rief er.

Mum mußte die Morgenambulanz übernehmen. Die Putzhilfe hatte schon saubergemacht, und Rachel und Carl wollten Mum helfen. So blieben nur Tina und Kate übrig, die Alan und Simon begleiten konnten.

Ann Carr hatte jetzt wieder den gewohnten großen Zulauf jener Tierbesitzer, die lieber zu ihr kamen als zu ihrem Mann. Dafür war Alan bei den Bauern beliebter: Er wußte, wie man mit ihnen reden mußte oder daß man manchmal lange schweigend an einem Zaun lehnen mußte, bis sie schließlich mit ihren Problemen herausrückten. Ann Carr dagegen war bei diesen Leuten immer nervös und hatte ständig Angst, daß ihre Hilfe zu spät kommen könnte.

Ihre geliebte Becky nahm Tina diesmal nicht mit. Sie winkte ihr vom Jeep aus zu und rief: „Keine Angst, Becky, wir sind bald wieder da!"

„Wenn du glaubst, sie versteht dich, bist du noch närrischer, als ich dachte", meinte Dad und drehte sich lächelnd zu ihr um. Seit seinem schweren Unfall bewegte er sich immer noch etwas steif.

„Einer meiner Freunde hat einen Hund, der fernsehen kann. Jedesmal wenn auf der Mattscheibe ein Hund erscheint, knurrt er ihn an. Ich glaube, Hunde verstehen viel mehr, als wir ihnen zutrauen", sagte Simon.

In Dads Augen hatte Simon, der noch nicht mal dreißig war, noch eine Menge zu lernen. Auch Carl fand manchmal, daß Simon sich oft überschätzte. Und Tina spottete gern, daß Simon sich mit seinen blonden Haaren und den leuchtendblauen Augen, gern für den Traum aller Frauen hielte. So hatte jeder auf seine Art irgendwas an ihm auszusetzen.

Tina hatte noch keinen Freund, wollte nicht mal einen haben, und sie schminkte sich auch nicht. Kates Freundinnen hatten Kate immer wieder gesagt, ihre Schwester sei wie eine alte Jungfer. „Sie *will* doch gar keinen Freund!" hatte Kate Tina verteidigt. Seit dem großen Streit mit der Reitschule interessierten sich ihre Freundinnen nicht mehr dafür, weder für Tina noch für Kate. Und Sarah, ihre unselige Ersatzfreundin, von der Mum behauptete, sie brauchte wegen ihrer traurigen Familienverhältnisse mehr Liebe, hatte andere Probleme gehabt.

Mr. Abbotts Hof lag in einem Tal. Um das Wohnhaus standen jahrhundertealte Eichen. Es gab noch eine richtige Pferdetränke und hohe Hecken und einen im Rechteck angeordneten Stalltrakt und eine riesige altmodische Scheune.

„Er führt einen sogenannten biodynamischen Hof", erklärte ihnen Dad, als sie eintrafen. „Die Küken, die da unten frei am Misthaufen herumlaufen, beweisen es. Wie auf einem alten Gemälde!"

Simon, der sehr auf Reinlichkeit hielt – zu sehr in Mums Augen – lachte spöttisch auf. „Sehen Sie sich aber mal den Mist an. Wenn Sie nicht aufpassen, bleiben Ihre Stiefel im Dreck stecken."

„Keine Bange", meinte Dad und kletterte vorsichtig aus dem Jeep. Am Eingangstor war ein Schild angebracht: *Lebensmittel aus biodynamischem Anbau! Eier von freilaufenden Hühnern!*

Tina mußte an die anderen Bauernhöfe denken, die sie gesehen hatte: da waren Tiere ihr Leben lang auf engstem Raum zusammengepfercht, die Stallungen, in denen es nach Chemikalien roch, waren die reinsten Lagerhäuser.

Ein Mann führte gerade zwei kräftige Arbeitspferde über den Hof.

„Die haben ihm früher bestimmt mal die Traktoren ersetzt", stellte Dad bewundernd fest.

Nun wurden sie von bellenden, schwanzwedelnden

Hunden begrüßt. Hinter ihnen erschien Mr. Abbott, groß und mit wettergegerbtem Gesicht, in Windjacke, Cordhosen und Gummistiefeln.

Simon klopfte den Jeep wie ein braves Pferd. „Wirklich Klasse, was?" rief er, aber das interessierte im Augenblick niemand, am wenigsten Mr. Abbott, der bereits mit Alan Carr über eine verstauchte Pferdefessel und eine Kuh mit entzündetem Euter sprach.

Tina und Kate erforschten den Bauernhof. Der Geruch nach Kühen und Pferden war atemberaubend, aber es war ein natürlicher Geruch. Auch nach Heu roch es stark, und überall trat man drauf, denn besonders gepflegt war der Hof wirklich nicht. Die Hennen, die alles, was ihnen unter die Füße kam, gewissenhaft nach Körnern durchforsteten, verteilten die Halme über den ganzen Hof.

„Schade, daß ich Becky nicht mitgenommen habe", bedauerte Tina.

„Ich hatte gehofft, hier gäbe es ein Pony für mich. Eigentlich dachte ich, daß Dad mich nur deshalb dabeihaben wollte", sagte Kate, die ihre Enttäuschung nicht verbergen konnte.

„Er wird bestimmt noch eins für dich finden. Schließlich muß es ein sicheres, gut erzogenes Tier sein, wenn du allein mit ihm ausreiten willst", sagte Tina.

Wie Kate Tinas Art haßte, die große Schwester zu spielen! Immer war sie, Kate, die kleine Schwester, die im Schatten der großen stand, auch äußerlich. Oft fühlte sie sich wie ein Aschenputtel neben der blondmähnigen, langbeinigen Schönheit Tina.

Carl war der einzige, der Kates Kummer verstand. Oft genug trat er für sie ein oder sorgte dafür, daß man sie beachtete, wenn ihre Eltern gerade mal wieder zuviel anderes im Kopf hatten.

Und Tante Cloe, die auch nach Dads Rückkehr aus dem Krankenhaus noch bei ihnen blieb, verstand sie auch. Aber sie hatte nie die nötige Zeit und Ruhe gehabt, um etwas an Kates Situation zu ändern.

In den Ställen liefen geschäftig die Hühner zwischen den Kühen herum. Jedes Tier schien vollauf mit sich selbst beschäftigt zu sein, sogar die jungen Färsen in der Scheune käuten ihr Futter so gleichmäßig wieder, als ob sie ihre Kiefer nach Kommando bewegten.

„Ich glaube, daß ich überhaupt kein Pony von Dad kriege. Er hat deswegen noch nicht ein einziges Mal telefoniert. Wahrscheinlich bleibt es eins von den vielen unerfüllten Versprechen", fuhr Kate bitter fort.

„Rom wurde auch nicht an einem Tag erbaut", zitierte Tina weise. „Und du weißt doch selbst, daß Dad wenig Zeit hat. Sieh dir nur an, wie er schon seit mindestens zehn Minuten an der Stalltür lehnt! Du kannst ihn nicht ändern."

Simon trommelte inzwischen ungeduldig auf der Motorhaube des Jeeps herum. Vom Himmel schien eine bleiche Wintersonne herab. Die Hühner pickten unermüdlich Hafer vom Stallboden, die Kühe fraßen im Zeitlupentempo. Kein Lebewesen schien es hier eilig zu haben, auch nicht die Pferde, die jetzt mit einer Karre voll Winterkohl ankamen.

Sie folgen alle dem Rhythmus der Natur, mußte Tina denken.

Simon beeindruckte diese Ruhe nicht. Er rannte nervös im Hof hin und her, die Hände in die Taschen gestopft, die Stirn vor Ungeduld zerfurcht.

Kate, die plötzlich fror, kletterte in den Wagen. Der Hof hier gefiel ihr nicht. Tina dagegen wäre noch stundenlang dort geblieben, wenn sie nur Becky bei sich gehabt hätte.

Endlich erschien auch Dad wieder, stieg in den Landrover und sagte: „Ein erfahrener alter Hase ist das! Jedesmal wenn ich von hier weggehe, habe ich etwas Neues dazugelernt."

Schweigend fuhr Simon sie nach Hause. Dort tranken sie in der Küche, noch in ihren Mänteln, im Stehen einen Kaffee, bis Dad achselzuckend meinte: „Das war noch nicht alles!" und in der Praxis verschwand.

Es war ein Morgen wie jeder andere, ein wenig geruhsamer als sonst vielleicht. Aber Tina hatte so ein Gefühl, als wäre dies nur die Ruhe vor dem Sturm.

Kate redete von ihrem Pony wie eine hängengebliebene Schallplatte, die ununterbrochen dieselbe Stelle wiederholte. „Ein graues möchte ich oder ein gescheckter, das ist mir egal. Und mindestens einsdreißig muß es hoch sein, weil ich ziemlich schwer bin und außerdem schnell wachse. Und jung genug muß es sein, weil ich es selbst trainieren will."

„Aber weißt du denn, wie man ein Pony trainiert?" fragte Tante Cloe.

„Nein, aber das kann ich ja lernen", meinte Kate.

Als Carl dazukam, erklärte er Kate, daß sie ein erfahrenes Tier brauchte, das nicht zum Ausbrechen neigte. „Wir wollen doch nicht, daß du herunterfällst", sagte er.

Auf Carl hörte Kate immer. Deshalb gab sie ihm auch jetzt recht und meinte, eines Tages besäße sie vielleicht zwei Ponys und würde jedes Reitturnier mitmachen und berühmt werden.

Später nahm Tina Becky auf ihren Lieblingsspaziergang mit, den ganzen Kanal entlang und zurück. Es war Nachmittag, und über dem Wasser lag schon kalter Nebel. Außer einer alten Frau mit einem steifbeinigen alten Hund begegnete ihr niemand. Aber Tina war froh, allein zu sein, und dankbar, daß den ganzen Tag nichts Schlimmes passiert war. Es wurde ihr noch immer ganz flau im Magen, wenn sie daran dachte, wie Kate die Vorladung zur Polizei erhalten hatte, und vermutlich würde sie nie den Ausdruck in den Gesichtern ihrer Eltern vergessen, als sie in das Polizeiauto eingestiegen waren.

Und jetzt lag dieser Gerichtstermin vor ihnen. Aber Tina wußte, daß Beacons Tod unter gar keinen Umständen die Schuld ihrer Mutter gewesen sein konnte, und mit Hilfe eines guten Verteidigers würde Mum am dritten Januar vermutlich gewinnen. Dann wäre dieser gräßliche Alptraum endlich ein für allemal vorbei. An diese Hoffnung klammerte sie sich. Aber ganz sicher durfte man nie sein, sagte sie sich, während sie Becky wieder an die Leine nahm.

Zu Hause saß Tante Cloe in der Küche und versuchte, Kate das Stricken beizubringen. „Bei uns ist dreimal angerufen worden, ohne daß sich jemand gemeldet hat. Was glaubst du, was das zu bedeuten hat?" fragte Kate und ließ drei Maschen fallen.

„Verwählt wahrscheinlich", meinte Tina.

„Ich glaube eher, jemand versucht herauszukriegen, ob wir zu Hause sind", widersprach Kate. „Ist das nicht schrecklich beängstigend?"

„Schrecklich", wiederholte Tina spöttisch. Warum mußte ihre Schwester nur alles so dramatisieren!

„Wie meinst du das?" fuhr Kate hoch.

„Aber Kinder!" rief Tante Cloe in einem Ton, den sie beide nicht mochten.

Später erzählte Kate, daß sie weggewesen sei und sich die Zeitschrift *Pferd und Hund* gekauft hätte. Das Geld dafür hatte ihr Tante Cloe geliehen. „Da stehen jede Menge geeignete Ponys drin", erzählte sie weiter. „Ich hab sie rot umkringelt. Später zeige ich sie Dad."

Aber Kate fand dazu keine Gelegenheit: Alan wurde noch zu einem Pony gerufen, das sich ein paar Meter neben der Landstraße an Jakobskraut vergiftet hatte. So mußte Ann auch die Abendsprechstunde übernehmen. Und Carl war auch nicht da. Er hockte in seinem kleinen Zimmer im großmütterlichen Haus und brütete über einem Essay für die Schule. Weil seine Gran warme Schlafräume für ungesund hielt und den oberen Stock nicht heizte, hatte er drei Paar Socken übereinander angezogen und sich in eine Decke gewickelt.

Kate war wieder mal völlig mit Tina zerstritten. Tina wusch sich die Haare, konnte damit aber auch nicht die quälende Beklemmung wegspülen, dieses bedrohliche Gefühl, daß das Unheil doch noch irgendwo auf sie lauerte und sie plötzlich wie ein wildes Tier anspringen würde.

Später kochte Tante Cloe für alle Tee. Wie viele

Übergewichtige aß Tante Cloe gern und viel und am allerliebsten Kuchen, so daß sie zu jedem Nachmittagstee welchen auf den Tisch brachte. „Eigentlich wollte ich morgen weg", sagte Tante Cloe, wie sie es schon die ganze Woche lang sagte. „Aber ich fürchte, bei dem Wetter schaffe ich das nicht." Da sie seit dem Mittagessen drei Gin Tonic getrunken hatte, schwankte sie etwas beim Gehen. Der Wellensittich, den sie wieder hochgepäppelt hatte, flog in ihrem Schlafzimmer herum, was Alan Carr für ziemlich ungesund hielt. „Weißt du denn nicht, daß du dir die Papageienkrankheit holen kannst, wenn du so dicht mit diesem Vogel zusammenlebst?" Aber damit konnte er sie nicht beeindrucken.

Als Kate dann schon im Bett lag, klopfte Dad an ihre Tür. „Das mit dem Pony für dich meine ich wirklich ernst. Du kannst dich drauf verlassen, daß ich mein Versprechen halte", sagte er. Und dann fügte er hinzu: „Macht's dir was aus, wenn ich mich noch ein bißchen zu dir setze und rede?"

Kate schüttelte den Kopf.

„Aber dafür wünsche ich mir von dir, daß du diese Freundschaft mit Sarah aufgibst, in Ordnung?" fuhr Dad fort.

Kate sah das aber immer noch nicht recht ein. Immerhin hatte Sarah als einzige zu ihr gehalten, als die früheren Freundinnen nicht mehr mit ihr sprachen. Sarah allein glaubte, daß Kates Mutter nicht schuld war am Tod des beliebten Reitschulpferdes Beacon. In der Schule würde Kate nach wie vor nur Feinde haben. Überall wäre sie allein, in den Pausen, beim Essen, im

Bus, nicht äußerlich, aber innerlich. Den ganzen Tag lang würde es niemand geben, mit dem sie reden konnte.

„Ich will's versuchen", rang sie sich schließlich ab.

„Versuchen reicht nicht. Wir wollen nicht, daß du noch mal mit der Polizei zu tun bekommst, weder du noch wir", spielte Dad deutlich auf den schlimmen Tag an, als Kate zu Sarahs Reiterhof-Zündelei aussagen mußte.

„Sarah kann man nicht einfach so fallenlassen wie eine heiße Kartoffel!" regte Kate sich nun doch auf. „Wir sind beide einsam, zwei einsame Mädchen, die sonst niemanden zum Freund haben, verstehst du das nicht, Dad?"

Alan Carr verstand es nicht. „Mach doch kein solches Drama draus, Kate", sagte er. „Bestimmt findest du neue Freunde. Meine Güte, wie viele Schüler besuchen deine Schule?"

„Sechshundert."

„Na also, sechshundert! Und unter denen soll keine einzige Freundin für dich sein? Du bist wirklich ein Schäfchen, Kate."

„Du verstehst nicht, daß das so einfach nicht ist!" sagte Kate. „Ich wünschte, es wäre so!"

„Nun gut, tu also bitte, worum ich dich gebeten habe, in Ordnung?" Kates Vater schien alles andere nicht gehört zu haben.

Und wieder einmal mußte sich Kate sagen, daß ihm nicht wirklich etwas an ihr lag. Im Grunde hatte er nichts im Kopf als seine Praxis. Carl hätte sie verstanden, aber Dad war überhaupt nicht fähig dazu, vielleicht weil er zu alt war oder in seiner Jugend völlig andere Erfahrungen gemacht hatte.

„Und jetzt schlaf schön!" Er drückte ihr einen Kuß auf die Stirn, humpelte aus dem Zimmer und machte die Tür leise hinter sich zu. Alles war jetzt unheimlich still. Kein einziger Vogel piepste, nicht einmal Jerry, ihre zahme Elster, ließ ihr Gekrächze vernehmen. Kein Hund bellte, kein Auto fuhr die Hauptstraße entlang, kein Flugzeug surrte am Nachthimmel. Kate fing an zu weinen, und ihr Tränenstrom durchnäßte mit der Zeit das ganze Kopfkissen.

Etwa zur gleichen Zeit ließ Tina Bambi und Becky noch einmal nach draußen, Tante Cloe leerte das Katzenklo aus und Mum und Dad machten den Arbeitsplan für den kommenden Tag. Das alte Jahr neigte sich seinem Ende zu, und für das neue hofften sie, es möge sie mit Knochenbrüchen, Gerichtsverhandlungen und Polizeibesuchen verschonen.

Alan Carr ermüdete noch immer rasch, weil sein Beckenbruch ihm ständig Beschwerden machte und er sich weigerte, die verordneten Schmerzmittel einzunehmen. Ann Carr litt unter Kates Art und unter der starren Haltung der Reitschule. Aber als Tierärzte hatten sie beide gelernt, Katastrophen ebenso zu meistern wie freudige Überraschungen. Es gehörte einfach zu ihrer Arbeit. Also rissen sie sich auch an diesem Abend zusammen und lachten sogar fröhlich miteinander, als sie schließlich zu Bett gingen.

Kate, die immer noch in ihr Kissen weinte, hörte es und nahm es als einen neuen Beweis dafür, daß sie ihren Eltern gleichgültig war.

Tina, die inzwischen auch im Bett lag, machte sich Sorgen über alles: Über Dads oft schmerzverzerrtes Gesicht und Mums Gerichtstermin. Sie hatte Angst, wie sie alles schaffen sollten, wenn Tante Cloe weg war. Und sie malte sich aus, was noch alles auf die Familie zukommen konnte, wenn ihre Schwester Kate sich nicht bald dazu durchrang, die Freundschaft mit Sarah aufzugeben.

Carl küßte seine Großmutter auf die Wange und ging in sein Zimmer hinauf. Wenn dieses Jahr um ist, bin ich froh! dachte er. Aber wer weiß, was das nächste bringen wird? Dann fiel ihm ein, daß er bald alt genug wäre, seinen Führerschein zu machen. Und nur noch ein paar Jahre, dann ziehe ich für immer aus diesem engen Haus! dachte er, und anschließend wanderten seine Gedanken zu Kate, die von Tag zu Tag mehr ihren inneren Halt zu verlieren schien. Er sah deutlich, daß sie Hilfe brauchte, wußte aber nicht, wie er es anstellen sollte. Schließlich schüttelte er sich und sagte sich: Carl, jetzt überschätzt du dich aber gewaltig! Kate hat zwei wundervolle Eltern und eine große Schwester, die ihr helfen können!

Als er in sein Bett kletterte, war ihm aber klar, daß es so einfach doch nicht lief. Vor dem Einschlafen ließ er noch einmal an sich vorüberziehen, wie es bei den Carrs gewesen war, bevor Alan den Beckenbruch hatte und Ann die Probleme mit der Reitschule bekam. Damals waren sie so glücklich gewesen, daß ihr Leben ein einziger strahlender Sommertag zu sein schien. „So spielt das Leben eben!" hätte seine Großmutter gesagt.

Aber Carl gab sich nicht zufrieden mit solchen Weisheiten. Er wollte eine Antwort auf die Frage finden, warum das Leben sich gerade auf einem Höhepunkt so plötzlich verfinstern konnte. Bevor er sie finden konnte, überwältigte ihn jedoch der Schlaf.

2

Am nächsten Tag war es klirrend kalt. Da Weihnachtsferien waren, blieb Kate lange im Bett, was Tina zu der Frage veranlaßte: „Wie will sie ihr Pony versorgen, wenn sie so spät aufsteht?"

„Wenn sie erst mal ein Pony hat, gibt es für sie auch einen Grund zum Aufstehen", antwortete Carl, der gerade Abrahams kräftigen Hals fest im Arm hielt. Tina staunte immer wieder über Abrahams Streifen am Rücken, der exakt an seiner Wirbelsäule entlanglief und an seinem Widerrist ein Kreuz bildete. Becky wälzte sich im Schnee. Die Gänse standen verloren auf dem zugefrorenen Teich herum.

„Mir tut Kate leid", sagte Carl. „Irgendwie scheint sie immer das fünfte Rad am Wagen zu sein."

„Als Baby und Krabbelkind war sie der erklärte Liebling von allen. Sie hat sich erst in letzter Zeit so verändert", gab Tina zurück.

„Du meinst wohl, sie wird erwachsen und versucht, mit sich zurechtzukommen", verbesserte Carl.

Inzwischen war Simon eingetroffen und machte die Praxis auf. „Ich mußte laufen. Die Straße ist von einem Laster blockiert, der im Schnee steckengeblieben ist", erzählte er.

Als nächstes erschien Rachel. „Der Bus fährt nicht. Ich bin zu Fuß gekommen." Sie war in Wollmütze und dicken Stiefeln.

Ann und Alan waren in der Praxis gerade dabei, das Tagespensum zu verteilen, als Daphne Holbeach kam und fragte: „Haben Sie das schon gelesen, Mr. Carr?" Sie hielt ihm die Lokalzeitung hin, die sie schon so gefaltet hatte, daß Alan Sarahs Gesicht entgegensprang. Darunter stand: *Tierarzttochter bringt mit Freundin Reiterhof in Gefahr!*

Einen Augenblick war es beängstigend still. Dann sagte Carl: „Das ist natürlich gelogen. Kate hat weder Feuer gelegt noch ein einziges Pferd herausgelassen. Sie wollte Frieden stiften, das arme Ding."

„Gütiger Himmel! Nein! Wieso ist das so schnell durchgesickert?" rief Ann verzweifelt.

Alan las laut und langsam vor, was in dem Bericht stand: „Gestern legte Kate Carr, die Tochter des bekannten Tierarzt-Ehepaars Ann und Alan Carr, in der Reitschule von Jim und Rene Ward Feuer. Sie war in Begleitung eines Mädchens namens Sarah Johnson. Nur durch das rasche Eingreifen der dort anwesenden Kinder wurde verhindert, daß die Ställe in Flammen aufgingen."

Alan warf die Zeitung hin. „Mehr will ich davon nicht lesen!"

„Aber das ist Verleumdung! Das wissen wir doch alle!" rief Carl erbost.

„Die Zeitung übertreibt immer, das wissen wir auch alle", fügte Tina leise hinzu, und ihr Herz wurde schwer wie ein Stein.

Alan dachte mit Ärger daran, was jetzt auf sie zukäme. Auf Schritt und Tritt würden die Leute fragen: „Warum hat Ihre Tochter denn so was getan?" Weil sie wieder einmal der Zeitung glauben würden, genau wie sie alles glaubten, was im Radio gesendet wurde. Als ob es das Evangelium wäre.

„Das muß ich ihr zeigen! Ich muß Kate sagen, was sie angerichtet hat! Gib mir die Zeitung!" schrie Tina und sah ihrem Vater herausfordernd in sein sorgenvolles Gesicht.

„Das läßt du bleiben! Damit machst du alles nur noch schlimmer!" fuhr Carl dazwischen. „Gib her!"

„Wo rennt ihr denn alle hin?" fragte Alan. „Wir haben zu arbeiten, und unglücklicherweise bin ich immer noch auf einen Fahrer angewiesen."

„Ich bringe Sie in Ihrem Jeep", erbot sich Simon sofort, denn um den Jeep zu steuern, kam ihm jede Gelegenheit recht.

„Ich halte die Morgensprechstunde ab", sagte Ann.

„Falls bei diesem Wetter überhaupt jemand kommt", zweifelte Carl.

Allen war die Zeitungsmeldung in die Glieder gefahren. Am schlimmsten hatte es Tina erwischt. Sie war so wütend, daß sie am liebsten die Zeitung zusammengerollt und ihrer Schwester in den Hals gestopft hätte. Als sie ins Haus rannte, folgte Becky ihr mit eingezogenem Schwanz, weil sie meinte, Tinas Zorn gelte ihr.

„Man sollte von den Zeitungsfritzen einen Widerruf verlangen, in dem deutlich steht, daß Kate mit dem Anschlag nichts zu tun hatte", sagte Carl, als er Tina eingeholt hatte.

Tina überlegte kurz, meinte aber dann: „Dadurch würden sich die Leute alles nur noch besser einprägen."

„Aber an den Herausgeber der Zeitung sollte man wenigstens schreiben", beharrte Carl.

„Aber sie *war* doch dabei!" schrie Tina ihn an. „Sieh das doch endlich ein! Sie war dabei und hat nichts getan, um Sarah zu stoppen!"

„Meiner Meinung nach sollten wir ihr trotzdem diesen Artikel nicht zeigen", sagte Carl.

„Das würdest du fertigbringen!" höhnte Tina.

Aber inzwischen war ihre eigene Zeitung geliefert worden, und Kate hatte sie auf dem Küchentisch ausgebreitet.

Tante Cloe, verquollen und wie Kate noch im Morgenmantel, legte den Arm um Kate. „Mach dir nichts draus, Kind. In ein paar Monaten erinnert sich kein Mensch mehr an diese Geschichte", sagte sie tröstend.

„Das ist alles nicht wahr! Wie ich diese Reporter hasse!" schrie Kate mit hochrotem Gesicht. Dann starrte sie mit rotgeränderten Augen Carl und Tina an. „Und was ist für euch daran so lächerlich?" giftete sie die beiden an.

„Wir finden gar nichts lächerlich, und Tante Cloe hat recht: So was legt sich ganz von selbst", antwortete Carl geduldig. „Mach dich also nicht verrückt."

„Eines weiß ich genau: nie in meinem ganzen Leben werde ich auch nur noch ein einziges Mal in die Nähe dieses Reiterhofes gehen! Jetzt habe ich den Beweis, daß sie alle nur Lügner und Verleumder sind!" tobte Kate weiter.

„Willst du wirklich heute abreisen, Tante Cloe?" fragte Tina, die um jeden Preis das Thema wechseln wollte.

7 4771-11

„Das hatte ich vor. Aber es geht nicht. Sieh dir nur dieses Wetter an! Und in den Nachrichten haben sie gemeldet, es würde noch viel, viel schlechter, hast du das gehört?"

„Ich weiß nur, was in der Zeitung steht", gab Tina bissig zurück.

Auch Tante Cloe, die während Dads Krankheit recht hilfreich für sie alle gewesen war, ging ihr jetzt auf die Nerven. Seit Dads Rückkehr redete sie täglich von ihrer Abreise, aber da bei ihr zu Hause niemand auf sie wartete, fand sie ständig eine neue Entschuldigung, weshalb sie noch bleiben mußte. Diesmal erklärte sie: „Also, es soll noch mehr Schnee geben, und danach Sturm. Mit meinem kleinen Auto sollte ich mich wohl doch besser nicht diesen Gefahren aussetzen, oder?"

„Sicher nicht", antwortete Carl für alle.

Unser Friedensstifter vom Dienst! dachte Tina böse, obwohl es auch für sie Gründe gab, Tante Cloes Abreise zu bedauern. Am meisten würde Tina Bambi, den kleinen Yorkshireterrier, vermissen, aber auch wie die gesamte Familie Tante Cloes selbstgebackene Kuchen und ihre wunderbaren Süßspeisen.

Kurze Zeit später sah Kate Sarah in den Hof kommen. Hastig zog sie ihre Gummistiefel über und rannte, immer noch im Morgenmantel, nach draußen. „Tut mir leid, aber du kannst nicht mehr herkommen", rief sie Sarah entgegen.

Sarah lächelte. „Hast du mein Bild in der Zeitung gesehen? Überall sprechen sie drüber. Sehe doch gar nicht übel aus, was? Mum meckert nur, daß ich mich nicht vorher gekämmt habe. Tut mir leid, daß sie von dir keins gebracht haben. Eigentlich hätten sie uns zusammen fotografieren müssen, so richtig eng umschlungen", plapperte sie mit strahlendem Gesicht drauflos.

„Ich habe gesagt, daß du nicht mehr zu uns kommen sollst! Merkst du gar nicht, was du uns angetan hast? Wir können gut darauf verzichten, auf so eine Art berühmt zu werden! Außerdem war ich nicht diejenige, die Feuer gelegt hat!" unterbrach Kate sie wütend.

„Ach, jetzt schiebst du wohl mir allein die Schuld zu?"

„Allerdings!"

„Wenn ich du wäre, würde ich mich hier lieber nicht mehr sehen lassen", meinte Carl, der Kate gefolgt war. „Hier ist im Augenblick keiner besonders gut auf dich zu sprechen. Also los, geh schon!"

Sarah entfernte sich mit langsamen, schlurfenden Schritten. Sie drehte sich noch einmal um und rief über die Schulter: „Bis demnächst."

Nach diesem Zwischenfall zog Kate sich an und spielte mit den Welpen. Sie wurden täglich größer. Ihren ersten, fast weißen Fellflaum hatten sie verloren, aber sie hatten immer noch den typischen Welpengeruch. Kate blieb bei den jungen Hunden, um mit niemand sprechen zu müssen, nicht einmal mit Carl. Irgendwie hatte sie noch immer das Gefühl, sie alle enttäuscht zu haben.

Tina war losgezogen, um mit Becky den gewohnten Spaziergang am Kanal zu unternehmen.

Als Alan mit Simon im Jeep unterwegs zu einem Patienten war, war sein Ärger bereits verflogen, und er meinte, solche Schlagzeilen seien letztlich nur ein „Sturm im Wasserglas".

Auch Ann gab sich gelassen, obwohl ihr Gesicht die innere Anspannung verriet. Nur Tante Cloe redete von nichts anderem als von dem Zeitungsartikel.

Carl wünschte insgeheim, er wäre nicht nach Hause gegangen, sondern hätte Simon und Alan in dem neuen Jeep begleitet. Daheim empfing ihn seine Großmutter mit der Frage: „Hast du heute schon Zeitung gelesen?"

Sofort erklärte Carl auch seiner Großmutter, daß fast kein Wort in dem Bericht stimmte.

„Wo Rauch ist, ist auch Feuer", wußte sie dazu zu sagen. Und dann: „Wo du schon da bist, kannst du die Dachrinne freiräumen. Ich hole die Leiter."

Carl mußte sich eingestehen, daß dies wohl nicht sein Tag war. Er wünschte, die Schule hätte schon wieder begonnen, damit er weiter für seine Zukunft als Tierarzt büffeln könnte; denn das war sein einziges und höchstes Ziel. Seine Gedanken waren so mit der Zukunft beschäftigt, daß er mit seiner Arbeit nicht fertig wurde. Halb so schlimm: In ein paar Wochen würde seine Gran ihn ohnehin wieder aufs Dach schik-ken und sagen: „Ich möchte nur wissen, wo diese ganzen vermaledeiten Blätter immer wieder herkom-men!"

Anschließend trank er mit ihr einen Becher Kaffee, leerte den Mülleimer, der unter der Küchenspüle stand, klopfte die Flurmatte aus und putzte das Fenster im Wohnzimmer. Dann sollte er noch die Zeitungsinserate nach einem günstigen Angebot für einen Toaster durchsehen und unten im Handarbeitsladen ein Knäuel braunes Garn holen. Es war immer das gleiche Lied mit Gran: Wenn sie ihn zu fassen bekam, beschäftigte sie ihn rund um die Uhr für sich. Am besten sollte er immer für sie da sein.

„Ich muß jetzt weg", sagte er schließlich. „Ich werde noch bei den Carrs gebraucht."

„Du suchst nur einen Grund, von mir wegzukommen", beschwerte sie sich sofort.

Er schüttelte den Kopf. „Du weißt doch, daß ich Tierarzt werden will, nicht wahr?" fragte er.

„Sie bezahlen dich ja nicht mal dafür!" rief sie empört und brachte ihre grauen Haare in Ordnung.

„Aber ich lerne dabei!" rief er ihr noch im Hinauslaufen nach.

Tina malte sich auf ihrem Spaziergang am Kanal aus, wie dort früher die Pferde entlanggelaufen waren und Männer und Frauen in den damaligen Kleidern herumspazierten. Becky rannte übermütig vor Tina her, und alles schien wieder in Ordnung zu sein.

Aber es dauerte nicht lange, da kam Tina ihre Schulkameradin Sandra entgegen. Sie fing sofort von dem Zeitungsbericht an. „Ich konnte es einfach nicht glauben", meinte sie. „Es paßt so gar nicht zu Kate."

„Das sind auch alles nur ganz gemeine Zeitungslügen! Kein Wort davon ist wahr!" regte Tina sich gleich wieder auf.

Aber Sandra schien überzeugt zu sein, daß zumindest ein Körnchen Wahrheit dran war, und faselte weiter davon.

„Reden wir von was anderem", bat Tina sie nach einer Weile und sah sich dabei nach Becky um. Aber Becky war nirgends zu sehen. Erst einmal war Tina darüber nicht beunruhigt. Sie blieb stehen und rief mehrmals: „Becky! Becky!"

Als sie Atem holen mußte, meinte Sandra: „Keine Sorge, die wird schon irgendwo sein. Ich muß jetzt weiter, weil ich heute abend ausgehe und noch meine Haare waschen muß."

Tina war froh, sie los zu sein. Sie ging weiter und rief in regelmäßigen Abständen Beckys Namen, wie sie es immer machte, nur daß Becky diesmal nicht mit wehenden Ohren und glänzenden Augen angerannt kam. Sie war wie vom Erdboden verschluckt. Noch nie war Tina der Weg am Kanal entlang ungemütlicher vorgekommen. Sie machte sich Sorgen, und vor Angst war ihr ganz flau im Magen. O Gott, was soll ich nur machen? Hier warten oder nach Hause laufen? fragte sie sich verzweifelt. Wenn nur jetzt irgend jemand käme, den ich um Hilfe bitten könnte! Wenn es nur nicht so einsam hier wäre! Wie sie jetzt auf einmal den ausgetretenen Pfad am Kanal haßte! Am allermeisten haßte sie aber die Stille, die sie sonst so liebte.

Schließlich gab sie die Suche nach Becky doch auf und hetzte wie wild bis zur Landstraße. Auch dort war nirgends Becky.

Völlig niedergeschlagen starrte Tina die Landstraße entlang und murmelte vor sich hin: „Lieber Gott, bring Becky zurück! Bitte, lieber Gott, bring Becky zurück!" Endlich entschloß sie sich, nach Hause zu gehen, den Verlust zu melden und einen Suchtrupp zu organisieren. Sie rannte so schnell, daß ihr das Herz bis zum Hals klopfte; zwischendurch blieb sie immer wieder stehen, um Beckys Namen zu rufen – ohne Erfolg.

Am Ortseingang legte sie noch Tempo zu und scherte sich nicht darum, daß sie Fußgänger rempelte. Das einzige, was jetzt zählte, war Becky! In ihrer Phantasie liefen bereits die schrecklichsten Bilder ab: Becky ertrunken am Grund des dreckiggrauen Kanals – Becky mit ihren niedlichen braunen Pfoten in der Falle eines Wilderers. Und obwohl sie sich sagen mußte, daß Becky schwimmen konnte und daß es am Kanal keine Wilderer gab, wurde sie diese furchtbaren Bilder nicht los.

Daheim angekommen, raste Tina so wild in die häusliche Toreinfahrt, daß sie mit einer dicken Frau zusammenprallte, die zwei kleine Hunde an der Leine führte. Die Frau kam ins Stolpern, schwankte und fiel mit einem Aufschrei in den Schnee. Nun mußte Tina doch stehenbleiben, ihre Hand hinstrecken und „Es tut mir ja so schrecklich leid!" sagen.

Und dann kam auch schon ihre Mutter aus dem Haus und rief: „Tina, was hast du angerichtet, du Tolpatsch!"

Mit vereinten Kräften brachten sie die gewichtige Person wieder auf die Beine und klopften ihr unter tausend Entschuldigungen den Schnee ab. Als nächstes mußten sie die beiden kleinen Hunde wieder einfangen, die Mopsy und Flopsy durch den ganzen Hof jagten. Und sie mußten sich geduldig anhören, was die Dicke, die Mrs. Montgomery hieß, ihnen von ihrer Hüfte vorjammerte, die gerade erst operiert worden war und nun womöglich einen lebenslangen Schaden abgekriegt hatte. Und bei allem verstrichen die kostbaren Minuten, die Tina für die Suche nach Becky gebraucht hätte.

Als Mrs. Montgomery endlich gegangen war, nahm Ann Carr sich ihre Tochter noch einmal vor: „Tina, wie konntest du nur! Sie ist eine unserer besten und regelmäßigsten Klientinnen. Wenn sie nun noch einmal an ihrer Hüfte operiert werden muß, gäbe es schon wieder jemand, der uns zur Rechenschaft zieht."

Tina antwortete darauf nur: „Mum, Becky ist weg!", als gäbe es nichts Wichtigeres auf der Welt.

„Aber wieso?"

Tina gab keine Antwort. Statt dessen rannte sie ins Haus und rief: „Alle mal herhören. Es ist etwas Schreckliches passiert! Becky ist weg! Auf dem Pfad am Kanal ist sie plötzlich verschwunden – einfach so!"

Tante Cloe behauptete fest und steif, Becky hätte einen attraktiven Verehrer gefunden und käme dann schon von selber zurück. „Bambi war auch mal weg. Kaninchen hat er gejagt, aber dann kam er doch wieder angekrochen – voller Reue, wie ein kleines Kind, das etwas angestellt hat", berichtete sie.

„Am Kanal gibt es keine Kaninchen", widersprach Tina entnervt.

Als Carl die schlechte Neuigkeit hörte, erschrak er: Er wußte, wie sehr Tina an Becky hing. Und er wußte auch, daß Tiere, ja manchmal sogar Menschen, plötzlich spurlos verschwanden. Ein so scheues Tier wie Becky könnte sich nicht richtig wehren. Und allein nach Hause zurückfinden würde sie auch nicht so ohne weiteres, dazu war sie einfach noch nicht selbständig genug. Carl hielt es für möglich, daß jemand Becky für Tierversuche eingefangen hatte. Es gab Menschen, die für Geld zu allem fähig waren.

Aber das alles behielt Carl für sich, um Tina nicht noch mehr aufzuregen. Als er ihr tränenüberströmtes Gesicht sah, versprach er sofort, mitzusuchen.

Kate überlegte, ob Becky vielleicht auf ein Boot gesprungen war. Aber Tina hatte kein Boot gesehen, außer Sandra, die sie am liebsten nie wiedersehen wollte, hatte sie nichts und niemanden bemerkt.

Mum stand plötzlich im Mantel und Handschuhen da, sie mußte wieder weg. „Liebes, ich kann's nicht ändern. In der Boston Avenue ist ein Hund überfahren worden. Sieh mich nicht so an, Tina, es ist ein Labrador!" Sie warf die Tür hinter sich zu, und eine Minute später hörte man sie mit aufheulendem Motor zur Unfallstelle rasen.

Carl hätte sie gern begleitet, aber statt dessen bot er Tina an, die Felder jenseits des Kanals nach Becky abzusuchen. Da es mittlerweile angefangen hatte zu tauen, wollte er sein Fahrrad nehmen. „Aber erst rufe ich noch die Polizei an", sagte er und ging in die Praxis.

Den diensthabenden Polizisten schien der Fall nicht besonders zu berühren, aber das gehörte wohl zu seinem Job. Er seufzte nur und meinte, der Hunger würde den Hund schon wieder nach Hause treiben. Aber die Meldung nahm er trotzdem auf. „Wir werden die Augen offenhalten", versprach er. „Aber vermißte Hunde werden uns soft gemeldet, und wir haben nicht genügend Leute, jedem Fall einzeln nachzugehen."

Carl bedankte sich und legte den Hörer auf. Er wünschte, Alan wäre jetzt da, um die Gemüter zu beruhigen und alles ins rechte Licht zu rücken. Dann schwang er sich aufs Rad und fuhr noch kurz zu seiner Gran, um ihr zu sagen, daß es, falls überhaupt, mit dem Essen spät werden könnte. „Wir haben schon wieder einen Notfall", erklärte er ihr.

„Schon wieder? Deine Arbeit bei den Carrs ist wohl ein Dauernotfall", bemerkte sie trocken. Carl war der einzige Mensch, den sie hatte, und er hatte so wenig Zeit für sie.

Sie tat Carl auch ein bißchen leid, aber andererseits war er kein kleiner Junge mehr, und er hatte auch keine Lust, vor dem Fernseher zu sitzen. „Tut mir leid, Gran", sagte er. „Wirklich!"

„Hört sich aber gar nicht so an", bemängelte sie.

Carl tat so, als hätte er den leisen Vorwurf nicht gehört, rief: „Bis bald" und fuhr winkend auf seinem Fahrrad über das matschige Pflaster davon. Jeder außer seiner Großmutter selbst sah ein, daß er öfter heraus mußte aus dieser Enge.

3

„Willst du nochmal am Kanal suchen, und ich nehme die Häuser?" fragte Kate.

Tina war einverstanden. Ihr Gesicht war tränenverschmiert.

So nahm sich Kate die Grundstücke am Kanal vor. Die meisten hatten Drahtzäune um ihre Gärten, in denen Becky sich leicht verfangen haben konnte. Sie fing am Ende der Chapel Street an und klingelte oder klopfte an jeder Tür. Kinder öffneten ihr, einsame alte Männer, hübsche Frauen, ärmliche Frauen, Frauen mit Lockenwicklern im Haar. Ein paar reagierten sehr freundlich. „Oh, das tut mir leid!" Oder: „Das arme Geschöpf!" Oder: „Ja, ich habe deine Schwester schon mit dem Hund gesehen!" Oder: „Ein hübsches Tier!"

Es gab aber auch unfreundliche Kommentare. „In der Stadt sollten überhaupt keine Hunde gehalten werden!" Und: „Was hat sie überhaupt allein am Kanal zu suchen?" Und: „Wer nicht auf seinen Hund aufpassen kann, sollte sich keinen anschaffen!"

Als Kate an eine noch ziemlich neu aussehende Haustür klopfte, stand ihr plötzlich eine Lehrerin, Mrs. Panel, gegenüber.

„Hallo, Kate! Komm rein! Worum geht's denn diesmal?" fragte sie, als ob Kate tagtäglich bei ihr vorbeischaute. „Komm, bleib nicht zwischen Tür und Angel stehen, ich beiße nicht", fügte sie hinzu, als Kate zögerte. Sie machte Kaffee und holte Kekse und überredete Kate, sich zu setzen. „Du wirkst ganz schön erschöpft. Was ist passiert, Kate?"

„Nichts", sagte Kate.

„In der Zeitung stand aber was ganz anderes." Mrs. Panel war um die Vierzig und eine der besten Pädagoginnen der Schule. Kate hatte sie in Geschichte gehabt, aber nachdem sie die Klasse wiederholen mußte, war Mr. Searle ihr Geschichtslehrer.

„Mir tut das alles so leid! Du bist wirklich ein sehr kluges Mädchen, Kate", fuhr Mrs. Panel fort. „Du könntest eine Menge leisten, wenn du nur ein bißchen mehr Spaß daran fändest."

Daß sie klug sei, hatte noch nie jemand zu Kate gesagt.

„Du hast dich verändert, und wir wissen alle, daß etwas geschehen ist. Was ist es?" fragte Mrs. Panel.

„Nichts", wiederholte Kate und reichte ihr die leere Tasse. „Ich muß weiter nach Becky suchen. Tina dreht sonst durch. Sie hört überhaupt nicht mehr auf zu weinen. Vielen Dank für den Kaffee. Tut mir leid, daß ich nicht länger bleiben kann."

„Komm wieder, wann immer du Lust hast", sagte Mrs. Panel und machte die Haustür auf. „Und viel Glück bei deiner Suchaktion. Falls ich Becky sehen sollte, rufe ich sofort bei euch an."

Als sie draußen über die Chapel Street schlidderte, war Kate einen Moment so wirr im Kopf, daß sie ausrutschte und sich an einem Laternenpfahl festhalten mußte. Ich bin ein sehr kluges Mädchen, ging es ihr immerzu durch den Kopf.

Es taute jetzt. Das Schmelzwasser rann aus den Dachrinnen und tropfte von den Bäumen. Kate beschloß umzukehren. Sie wollte mit den Welpen spielen. Und sie wollte jemandem erzählen, was Mrs. Panel gesagt hatte. Ihre Worte taten Kate so gut – endlich gab es einen Menschen, der ihr Mut machte. Ich bin klug, sehr sehr klug! dachte sie. Wenn ich will, kann ich besser sein als Tina. Ich muß nur genügend arbeiten.

Kate fing an zu rennen. Wenn Becky nicht wiederkommt, kann Tina einen von den Welpen haben, fiel ihr dabei ein. Dann bräuchten sie auch einen weniger woanders unterzubringen.

Ein paar Jungen weiter unten am Kanal fingen an, Tinas Rufe nachzuäffen. „Becky! Beckchen! Becky!" Als Tina näher kam, fragte einer: „Hast wohl dein süßes kleines Hundeschätzchen verloren?"

„Stimmt. Habt ihr sie gesehen!" fragte Tina so gelassen wie möglich.

„Dein kleines Hundeschätzchen?"

„Sicher doch! War das nicht der Hund, den wir vor fünf Minuten auf einem Floß Richtung Meer davonsegeln sahen?" ulkte der Längste, der seine fettigen Haare spitz nach oben gekämmt hatte.

„Ach ja, richtig!" Alle hatten Räder dabei und trugen Jeans und schmuddelige schwarze Lederjacken.

Tina fand sie gräßlich. „Danke für eure tolle Hilfe", sagte sie und kehrte um.

„Was für 'ne Hilfe?" Sie blickten ihr hinterher und stießen sich lachend gegenseitig in die Rippen. Dann rief ihr einer nach: „Gib uns deine Adresse, sonst wissen wir ja nicht, wo wir dein Kötilein abgeben können!"

Aber Tina traute sich nicht, sie ihnen zu sagen. Sie malte sich aus, was passieren würde, wenn sie bei ihr zu Hause auftauchten. Wenn Dad ihre unverschämten Bemerkungen zu hören bekäme, die spaßig sein sollten, es aber nicht waren...

Deshalb rannte sie ohne eine Antwort weiter. Sie glaubte bereits nicht mehr daran, daß sie Becky wiederfinden würde. Sie suchte jetzt die Straßen nur noch mit den Augen nach Becky ab, nicht mehr mit dem Herzen, weil sie die Hoffnung aufgegeben hatte.

Sie erinnerte sich daran, daß eine Zeitlang viele Katzen in der Stadt als vermißt gemeldet waren. Einige Leute behaupteten, sie seien in die Hände von Tierfängern geraten, die ihre Felle verkauften oder sie als Versuchstiere anboten. Was auch dahinterstecken mochte – niemand tat etwas dagegen, daß so etwas nicht mehr geschehen konnte! Jetzt waren offenbar Hunde die Opfer von Tierfängern. Und Tina konnte nicht einmal mehr darüber weinen. Sie fühlte sich völlig leer. Warum habe ich nur soviel Pech? fragte sie sich. Warum kann das Leben nicht einfach schön sein? Warum geschieht soviel Unglück? Ach, wäre das herrlich, wenn ich jetzt nach Hause käme und Becky wartete auf mich! Alles auf der Welt gäbe ich dafür!

Carl fuhr mit seinem Rad den ganzen Stadtrand ab. Er kam vorbei an Gärten, wo bereits wieder das Gras unter der geschmolzenen Schneedecke hervorschaute. Er kurvte um schicke Autos herum, die vor großen modernen Häusern parkten. Diese Gegend war Carl fremd. Ab und zu hielt er, um über eine hohe Mauer zu schielen oder durch Zaunlatten zu spähen. Und immer wieder stieg er ab und rief: „Becky! Becky, komm her!"

Sie ist weg! sagte er sich. Irgendein Hundefänger hat die Gelegenheit genutzt, als Tina mit Sandra sprach und einen Augenblick lang nicht auf Becky aufpaßte. Aus und vorbei! Carl wendete sein Rad und fuhr am Kanal entlang zurück. Es war still, nur das Tropfen des Schmelzwassers war zu hören. Einmal stieg er ab, um in ein verlassenes Lagerhaus zu schauen. Keine Menschenseele war zu sehen, alle schienen in Urlaub zu sein. Und von Becky natürlich keine Spur.

Carl fühlte sich auf einmal ganz elend. Er suchte für alles eine Antwort, aber für das, was mit Becky passiert war, gab es keine sichere. Er hatte da nur so eine düstere Vorahnung, und das machte ihm Sorgen. Vielleicht sahen sie Becky nie wieder, und das wäre schrecklich.

Zu Hause nahm Kate drei der Welpen mit nach oben: Airy, Libby und Scorpy. Sie hatten alle die Namen behalten, die Ann Carr ihnen in der Nacht nach ihrer Rettung gegeben hatte.

„Paß aber auf, Kate!" warnte sie Tante Cloe im Vorbeigehen. „Wir wollen keine Pfützen im Haus!"

Um ein Haar hätte Kate gesagt: „Es ist nicht dein Haus!" Aber sie beherrschte sich, weil sie Tante Cloe trotz ihres Alkoholkonsums und ihrer ewigen Jammerei mochte.

Zuerst spielte Kate auf ihrem Bett mit den Welpen. Dann jagte sie mit ihnen durchs Zimmer, als ob auch sie ein Hündchen sei. Sie stellte ihnen eine Untertasse mit Milch hin und versuchte, ihnen Pfötchengeben beizubringen. Sie waren zum Knuddeln süß! Kate durfte gar nicht daran denken, was mit ihnen geschehen wäre, wenn Mum sie nicht rechtzeitig gefunden hätte.

Später holte sie aus ihrer Schultasche einen Zettel und schrieb darauf mit großen Buchstaben: KATE CARR IST WIRKLICH EIN SEHR KLUGES MÄDCHEN.

Den Zettel machte sie mit Klebeband über ihrem Bett fest. Danach fühlte sie sich viel besser, so als hätte sie tief in einem Morast gesteckt und fühlte nun endlich wieder sicheren Boden unter ihren Füßen.

Als Tina zu Hause eintraf, riß sie sofort die Küchentür auf und rief: „Gibt's was Neues? Irgendwelche Anrufe? Ist Kate wieder da?"

Tante Cloe kochte gerade. „Nichts, Tina. Kate hat sich die Welpen mit raufgenommen. Es tur mir so leid für dich, aber ich glaube, du kriegst deinen Hund bestimmt wieder. Vielleicht solltest du eine Anzeige in die Zeitung setzen: *Schwarzweißbraune Hündin entlaufen!* und eine Belohnung aussetzen, Tina."

„Das hätte kaum Erfolg, wo wir doch offensichtlich so schlecht angeschrieben sind bei der Zeitung", antwortete Tina. „Nein, Becky kommt nicht wieder. Wahrscheinlich ist sie schon in so einem schrecklichen Labor, wo sie ihr Schminke in die Augen schmieren, um zu testen, ob sie für Menschen verträglich ist. Wenn ich nur dran denke: Becky mutterseelenallein in einen Käfig gesperrt, nur weil Geschäftsleute mit Kosmetika Geld scheffeln wollen, das gedankenlose, affige Kundinnen dafür bezahlen. Was hat Kate erzählt, als sie heimkam, Tante Cloe?"

„Nichts."

„Und wo ist Mum?"

„Sie ist noch mal weggerufen worden, wird aber bald zurück sein", antwortete Tante Cloe. „Das Essen ist fertig. Willst du nicht einen Happen zu dir nehmen? Ich habe heute mal einen neuen Pudding ausprobiert, etwas ganz Besonderes, Queen Anne-Pudding heißt er."

Aber Tina war nicht nach Essen zumute. Sie wollte zu ihrem Dad, aber der war auch nicht da.

Kurz darauf lief Airy in die Küche, die Reste einer Rolle Klopapier und die zwei anderen Welpen im Schlepptau.

„O nein!" schrie Tante Cloe. „Wo ist Kate? Ich habe ihr doch eingeschärft, auf die Hunde aufzupassen!"

Airy zog das Kreppband so stolz hinter sich her wie eine Siegesfahne. Tina fand es eigentlich zum Lachen, aber statt dessen kamen ihr die Tränen, weil sie wieder an Becky dachte. Sie rannte nach oben, während Tante Cloe das Klopapier einsammelte, das Airy überall verteilt hatte.

Tina klopfte an Kates Tür. Als keine Antwort kam, ging sie hinein. Kate lag im Bett. „Ich habe Becky immer noch nicht gefunden, und die Welpen haben ein Chaos angerichtet!" giftete Tina sie an.

Kate schien zu schlafen. Tina entdeckte den Zettel über ihrem Bett und fand, daß ihre Schwester nun völlig durchgedreht war.

Kate seufzte und rieb sich die Augen. „Ich habe in sämtlichen Häusern nach Becky gefragt! Wo sind die Welpen?"

„Unten! Sie balgen sich um eine Rolle Klopapier und hinterlassen überall Pfützen. Vielleicht solltest du dich mal um sie kümmern!" sagte Tina vorwurfsvoll.

„Du hast Becky also auch nicht gefunden?"

„Keine Spur von ihr. Ich glaube nicht mehr dran, daß wir sie wiedersehen", antwortete Tina verbittert.

„Aber sie ist doch erst seit ein paar Stunden weg. Ich weiß, daß es uns vorkommt, als wäre sie schon jahrelang fort, aber das stimmt nicht." Kate setzte sich auf. „Du darfst nicht die Hoffnung aufgeben. Hast du noch mal bei der Polizei nachgefragt?"

Aber Tina gab keine Antwort. Statt dessen fragte sie: „Was soll denn der alberne Zettel über deinem Bett?"

„Nichts weiter. Nur so ein Scherz." Kate wurde auf einmal verlegen.

„Ein ziemlich merkwürdiger", kommentierte Tina kopfschüttelnd, bevor sie wieder nach unten ging.

Als Carl zurückkam, lief Alan ungeduldig im Hof auf und ab. „Endlich kommst du! Wo steckst du denn? Ich brauche sofort deine Hilfe!" erklärte er ihm. „Alle sind weg und ich bin zu drei ganz dringenden Fällen gerufen worden."

„Aber du kannst doch noch nicht Auto fahren, Alan..."

„Das muß jetzt sein! Du kannst mir ja dabei ein bißchen helfen, Carl." Sie sprangen in den Landrover.

„Becky ist verschwunden", berichtete Carl unterwegs.

Alan war der Meinung, daß sie schon wiederkäme. In seinen Augen waren eine kalbende Kuh und ein Pferd mit Lungenentzündung wichtiger. Da er sich in den Tagen zuvor zuviel zugemutet hatte, konnte er sich nur unter Schmerzen bewegen. Carl gab sich Mühe, so oft wie möglich die Gänge für ihn einzulegen. Über ein holpriges Stück Feldweg erreichten sie schließlich ein Gehöft, wo eine aufgeregte Frau in Strickjacke, Schürze und Gummistiefeln auf sie wartete.

„Jack ist bis gegen Abend unterwegs – das erste Mal seit Jahren! Und ausgerechnet jetzt muß das losgehen, obwohl sie sicher noch zwei Wochen Zeit gehabt hätte. Und sie ist Jacks Lieblingskuh, die beste, die wir besitzen."

„Machen Sie sich keine Sorgen, Mrs. Smith, das kriegen wir schon in den Griff", sagte Alan Carr mit seinem tröstlichen Lächeln, das Menschen und Tiere gleichermaßen zu beruhigen schien. Er holte seine Tasche aus dem Jeep.

„Ich hatte nicht den Mut, es allein anzupacken. Wenn sie einginge, würde Jack mir das nie verzeihen", fuhr Mrs. Smith fort. „Wenn er eine von den Kühen zum Markt bringen muß, weint er jedesmal, so weich ist sein Herz, Mr. Carr."

„Kochen Sie uns schon mal eine schöne Tasse Tee", bat Alan sie. „Und zuvor bringen Sie mir bitte noch einen großen Eimer warmes Wasser, ein Stück Seife und ein Handtuch."

Die Entbindung dauerte nicht lange. Später, als die Nabelschnur durchtrennt war und das Kalb schon anfing zu saugen, tranken Carl und Alan Tee aus Blümchentassen. Carl hing gebannt an Alans Lippen, um jedes Wort mitzukriegen, das er zu Mrs. Smith sagte.

Dann machten sie sich auf den Weg zu dem kranken Pferd. „Du solltest öfter dabeisein, Carl", meinte Alan. „Du hast dich sehr geschickt angestellt."

Carl sagte nur bescheiden: „Danke!" Aber insgeheim machte er vor Freude einen Luftsprung und war stolz auf sich. Als sie bei ihrem nächsten Patienten eintrafen, hatte er Becky völlig vergessen.

Das kranke Pferd war ausgebrochen und ließ sich nicht einfangen. Drei Männer hatten vergeblich versucht, es in seinen Stall zurückzutreiben. Für seinen Zustand war das alles andere als gut. Wegen seiner verspielten Art hatte man das Tier „Harlekin" getauft.

Alan bewaffnete sich mit einem Eimer Hafer und einem Führstrick, den er hinter dem Rücken verbarg. Carl stellte wieder einmal fest, daß Alan der geduldigste Mensch war, den er kannte. Er redete ruhig auf Harlekin ein, als ob er sonst nichts zu tun hätte und sich nur die Zeit vertreiben wollte. In solchen Augenblicken war Carl unglaublich stolz, daß er Alan Carr kannte.

Nach fünf Minuten reagierte Harlekin endlich. Er kam vertrauensvoll näher und ließ sich einfangen. Den Hafer beachtete er gar nicht, weil er zu krank war, um fressen zu wollen.

„Ich frage mich, wie das der Doktor macht", meinte einer der Männer bewundernd.

Beruhigend auf das Tier einredend führte Alan es behutsam zu seinem Stall, flüsterte ihm Kosenamen ins Ohr und klopfte seinen schweißnassen Hals.

Dann übernahm Carl den Führstrick und redete dem Pferd zu, wie er es Alan abgeschaut hatte. Er konnte es kaum abwarten, selbst Tierarzt zu sein. Harlekin schien Alan völlig zu vertrauen. Carl beobachtete staunend, wie gehorsam ein Pferd sein konnte, wenn man es nur richtig behandelte, sich Zeit nahm und ihm nie hastig etwas aufdrängte.

Zweifellos war Harlekin sehr krank. Der Husten, der schon längst hätte behandelt werden müssen, hatte sich zu einer bösen Lungenentzündung ausgewirkt. Kein Pferd in diesem Stall war gegen Husten geimpft worden, und nun war es zu spät dafür.

Harlekin wurde von oben bis unten trockengerubbelt, seine Fesseln bekamen wärmende Flanellbandagen. Nachdem Alan ihm mit Carls Hilfe Medizin eingeflößt und eine Spritze gegeben hatte, gingen sie zum Händewaschen ins Haus. Den Kaffee, der ihnen angeboten wurde, lehnte Alan ab; sie hatten keine Zeit und mußten zu einem kranken Pony, um dessen Herz sich der Besitzer Sorgen machte. Alan horchte das Herz des Ponys ab und meinte, es könnte noch ein paar Jahre leben, wenn man seine Nahrung und seine Streu umstellte.

Auf der Fahrt nach Hause, wo sie eine volle Praxis und vielleicht noch weitere Hausbesuche erwarteten, schrieb Carl die Notizen für Alans Tagesbericht auf.

Alan warf einen Blick auf ihn und lobte: „Du bist mir eine großartige Hilfe, Carl. Du mußt mich begleiten, sooft du kannst. Nächstes Mal gehen wir unterwegs irgendwo essen. Du hilfst mir schon fast mehr als Simon, der immer in Eile ist und alles besser weiß."

Solche Worte waren für Carl wertvoller als eine Einladung zum Essen oder alles Geld der Welt.

Beim Mittagessen schien ausnahmsweise einmal keiner zu fehlen. Trotzdem war die Stimmung trübe. Mum war über den beschmutzten Teppich verärgert. Dad war in Eile: Rachel war gerade gekommen, und in einer Viertelstunde begann die Sprechstunde – die ersten Patienten warteten vermutlich schon. Tinas Gedanken kamen nicht von Becky los. Kate schmollte über Tinas Bemerkungen. Carl war nach Hause gehetzt und mußte die Blätter zusammenfegen, weil seine Großmutter sie für eine lebensbedrohliche Rutschbahn auf dem kurzen Stück Weg hielt. Während der Mahlzeit redete also wieder mal nur Tante Cloe, die allen die Zutaten ihres außergewöhnlichen Puddings aufzählte und dann unbekümmert davon schwärmte, wie niedlich Airy mit den Klopapierfetzen ausgesehen hätte. „Das hätte man als Fernsehreklame fotografieren sollen!"

„Heute ist Neujahrsabend. Habt ihr euch alle schon etwas für das kommende Jahr vorgenommen?" fragte Dad, als sie beim Pudding angelangt waren, den keiner mochte, das wagte aber keiner zu sagen.

„Ja, Becky zu finden", schluchzte Tina auf.

Kates Entschluß stand bereits fest: Sie wollte härter

arbeiten und Tina einholen. Aber sie hatte keine Lust, dies der gesamten Tischrunde zu erklären. Deshalb murmelte sie: „Mein Plan ist ein Geheimnis."

Tante Cloe wollte abnehmen. Mum wollte sich nicht mehr alles so sehr zu Herzen nehmen. Dad wollte möglichst so viel Geld verdienen, daß sie den Bankkredit, den sie aufnehmen mußten, möglichst schnell zurückzahlen konnten. „Die Leute sollen endlich auch ihre Schulden bei uns bezahlen, wir können nicht mehr soviel Rücksicht auf sie nehmen", sagte er.

Keinen wunderte es, daß Mum und Dad sehr bald die komplette Runde wieder auflösten, weil die Sprechstunde anfing.

Tina und Kate machten den Abwasch. Dabei fiel Tina ein, daß sie zu einer Neujahrsparty eingeladen worden war. „Wahrscheinlich gehe ich aber nicht hin, denn es könnte doch jemand wegen Becky anrufen", sagte sie zu ihrer Schwester.

Als das Wort Party fiel, mußte Kate daran denken, wie ihre abtrünnigen Freunde diesmal ohne sie feiern würden. Ganz so schlimm fand sie es aber nicht mehr, weil Mrs. Panels Bemerkung ihr Leben irgendwie verändert hatte. Sie hatte jetzt ein neues, lebenswertes Ziel.

Dann kam Tante Cloe in die Küche und rief: „Tina, da ist ein Brief für dich. Er muß gekommen sein, als wir beim Essen saßen."

„Wahrscheinlich wegen der Party heute abend, eine Mitfahrgelegenheit oder so. Aber ich mag nicht feiern, solange ich nichts von Becky weiß", wiederholte Tina.

Tante Cloe hielt ihr den Umschlag hin. „Keine

Briefmarke. Er muß gerade erst eingeworfen worden sein."

Tina konnte sich nicht erklären, warum sie plötzlich anfing zu frieren.

„Steh doch nicht so da, mach ihn auf! Vielleicht hat jemand Becky gefunden", fuhr Kate sie an. „Los, gib her, ich mach ihn auf!"

Tina stieß Kate weg, riß den Umschlag auf und entfaltete ein liniertes Blatt. Auf dem stand in Großbuchstaben: WIR HABEN BECKY! SAG DEINER MUTTER, SIE SOLL SICH AM 3. JANUAR SCHULDIG BEKENNEN, SONST SIEHST DU BECKY NIE WIEDER!
Unterschrieben war der Brief mit: GESELLSCHAFT ZUR RETTUNG DER REITSCHULE.
Am Fußende stand ein Nachsatz: WENN DU ZUR POLIZEI GEHST, IST ES FÜR BECKY DAS ENDE.

„Ich wette, das war Joseph", sagte Kate, die Tina über die Schulter gesehen hatte.

„Das heißt, du hast es die ganze Zeit gewußt? Du hast ihnen vielleicht sogar den Tip gegeben, wann ich mit Becky am Kanal bin? Ist das so?" schrie Tina.

„Mach dich doch nicht lächerlich", schrie Kate entsetzt zurück.

„Jetzt wird mir alles klar. Jetzt weiß ich auch, warum du die Suchaktion früher abgebrochen und dich ins Bett gelegt hast. Und wieso du schlafen konntest!"
Aus Tinas Mund hörte sich das Wort schlafen an wie ein Schimpfwort.

„Ich habe nichts davon gewußt. Ich bin einfach nur

erleichtert, daß Becky lebt. Hand aufs Herz, ich schwöre dir, daß ich nichts davon gewußt habe!"

„Kate sagt sicher die Wahrheit, Tina", bekräftigte Tante Cloe. „Jetzt haben wir Becky bald wieder. Begreifst du nicht, daß dies eigentlich eine gute Nachricht ist?"

„Ich laufe zur Reitschule, solange es noch hell ist", rief Tina und holte ihren Mantel. „Ich wette, daß sie dort ist. Dich möchte ich nicht dabeihaben, Kate. Ich gehe allein, und ich tue bestimmt nichts Unrechtes, Tante Cloe. Ich will einfach nur wissen, ob Becky dort ist."

„Sie werden Becky nicht herausrücken, nicht vor dem dritten Januar", sagte Kate.

„Woher willst du das wissen?" fragte Tina und schlug den Mantelkragen hoch. „Woher weißt du eigentlich auf einmal alles?"

„Ich weiß jetzt nur, nach welcher Methode sie vorgehen", sagte Kate.

„Klugschwätzer", murmelte Tina und warf die Tür hinter sich zu.

4

„Reg dich nicht auf, Kate. Tina weiß nicht, was sie redet. Wir wissen alle, daß du nichts damit zu tun hast", tröstete Tante Cloe. „Komm, iß ein Stück Kuchen, es ist ja bald Teezeit."

„Aber wir sind doch gerade erst mit dem Mittagessen fertig", maulte Kate und nahm sich trotzdem ein Stück.

„Ich weiß, aber dieses kalte Wetter macht hungrig."

„Es taut so stark, daß der Schnee bald weg ist", widersprach Kate.

„Dann ist es eben die feuchte Kälte, die vom Boden aufsteigt. Aber weißt du, ich freue mich wirklich über diesen Brief, denn eigentlich ist es doch eine gute Nachricht, nicht wahr? Ich meine, die würden es doch nicht fertigbringen, Becky zu töten? Schließlich sind das doch alles noch Kinder", wechselte Tante Cloe das Thema.

„Joseph nicht. Joseph ist gemein. Der tritt Spinnen tot und fängt Wespen ein. Und sein größtes Vergnügen ist, Mädchen mit toten Mäusen zu erschrecken. Er hat einen schlechten Charakter, Tante Cloe, und ich könnte mir vorstellen, daß er Becky zu Tode prügelt, ehrlich! Ich weiß, das hört sich unwahrscheinlich an, aber der könnte das wirklich", sagte Kate.

„Aber die Pferde scheint er doch zu lieben", wandte Tante Cloe ein.

„Nur solange sie tun, was er will. Seine Eltern prügeln ihn. Vor allem sein Vater."

„Die sollte man anzeigen", rief Tante Cloe erschrokken.

„Dafür ist es nicht schlimm genug", sagte Kate. „Äußerlich sieht man nichts davon."

„Woher weißt du es dann?"

„Das ist allgemein bekannt", antwortete Kate.

„Um so mehr ein Grund, etwas dagegen zu unternehmen", schimpfte Tante Cloe.

Auf der Straße begegnete Tina Carl. „Ich bin gerade auf dem Weg zu euch", sagte er.

„Ich muß zur Reitschule. Sie haben Becky. Ich habe eine Nachricht bekommen", berichtete Tina schniefend und zeigte Carl den Brief.

„Das hätten wir uns fast denken können. Und dafür nun die ganze Sucherei!" Carl schüttelte den Kopf. „Damit sollten wir aber doch zur Polizei gehen", sagte er und sah Tina abwartend an.

„Damit sie in der Zeitung wieder eine Geschichte abdrucken können, so richtig schön mit Schlagzeile, um Leser zu ködern? Nein danke!" Tina hatte es eilig, weiterzukommen.

„Aber was willst du in der Reitschule machen?"

„Improvisieren", sagte Tina. Sie wußte nicht genau, was das bedeutete, aber es war einer der Standardausdrücke ihres Vaters, wenn nichts vorhersehbar war.

„Bleib hier! Du weißt, wie es Kate ergangen ist", bat Carl und paßte sich ihrem Tempo an. „Damit erreichst du gar nichts."

„Doch! Ich bin nämlich nicht Kate, und du bist nicht Sarah!" gab Tina patzig zurück.

Carl konnte ihr vom Gesicht ablesen, daß sie nicht mehr aufzuhalten war. Er mußte in ihrer Nähe bleiben, auch wenn er selbst mit der ganzen Aktion nicht einverstanden war.

Tina rannte jetzt, das Gesicht entschlossen, die Fäuste geballt. „Du brauchst nicht mitzukommen, Carl! Ich habe dich nicht darum gebeten, und ich habe keine Angst allein", rief sie über die Schulter.

„Sei doch nicht so stur!" rief er zurück.

An der Einfahrt zur Reitschule klopfte Tina das Herz bis zum Hals. In ihrer Phantasie lief ein Film ab, in dem sie Becky mit nach Hause nahm, in dem die Reitschule aufgelöst wurde, die ausgehungerten Pferde in gute Pflege kamen und neue Ställe und Gebäude auf dem Gelände entstanden. In diesem Film lächelte Mum wieder wie früher, bevor Dad den Unfall hatte und die ganze schreckliche Episode anfing.

Tinas Stiefel machten ein schmatzendes Geräusch im schmelzenden Schnee. Plötzlich mußten sie und Carl abrupt anhalten, weil sich vor ihnen ein neues, hohes Gittertor aufbaute, an dem zwei riesige Schäferhunde hochsprangen und sie wie wild anbellten.

Als Tina sich von ihrem ersten Schrecken erholt hatte, wunderte sie sich: „Ich dachte, die Wards sind völlig verarmt!"

„Das Tor ist verrammelt. Aber wir könnten die Klingel da benutzen!" stellte Carl fest.

„Wenn wir das tun, hetzen sie womöglich die Hunde auf uns und behaupten dann, es wäre ein Unfall gewesen", meinte Tina schaudernd. „Diese Hunde müssen doch ein Vermögen gekostet haben, Carl! Und das neue Gittertor auch!"

„Daß sie die Hunde auf uns hetzen, traue ich ihnen nun doch nicht zu", meinte Carl.

„Wieso nicht?" Tina verging fast vor Sehnsucht nach Becky. Trotzdem schlug sie nach einer Weile resigniert vor: „Kehren wir besser um, wir vergeuden nur unsere Zeit." Der Mut hatte sie ziemlich verlassen.

Carl widersprach nicht, denn im Augenblick konnten sie tatsächlich nichts tun. Die Wards haben wieder mal gesiegt, dachte er bei sich. Aber am dritten Januar werden sie nicht siegen. Obwohl nicht einmal das mehr so sicher war, denn wie jeder wußte, hatten sich die Wards den besten Anwalt genommen, und dem mußte die arme Ann nun vor Gericht Rede und Antwort stehen, wie Carl das oft genug im Fernsehen miterlebt hatte.

Tina schlich jetzt mit sorgenvollem Gesicht dahin und bohrte ihre Stiefelspitzen in den Matsch.

„Wir lassen uns schon etwas einfallen, wie wir Becky wiederkriegen", versprach Carl.

Aber was? Und wann? fragte sich Tina. Und was wäre, wenn Mum nun am dritten Januar gewann?

Und dann sagte Tina etwas sehr Ungerechtes. „Alles ist Kates Schuld! Wenn sie sich nicht so mit denen von der Reitschule angefreundet hätte, wäre das vielleicht nie passiert."

„Du weißt selbst, daß das nicht stimmt. Die Kinder haben nur ihre Reitschule im Kopf. Dafür kannst du Kate wirklich nicht verantwortlich machen", widersprach Carl. „Kate würde niemals mithelfen, einen Hund zu entführen. Sarah schon, aber nicht Kate."

Tina gab keine Antwort. Sie sehnte jetzt nur noch den dritten Januar herbei. Vor diesem Termin dürfen wir Mum mit nichts mehr belasten! überlegte sie. Aber Dad, fiel ihr dann ein, Dad konnte sie es erzählen, dem würde eine Lösung einfallen. Vielleicht sollten sie doch zur Polizei gehen.

In der Ferne tobten Kinder auf einem Hügel herum, auf dem noch Schnee lag. Es dämmerte inzwischen und in den Straßen gingen die Laternen an. Es würde wieder kalt, das Schmelzwasser würde über Nacht zu Eis gefrieren.

Wo würde Becky bei dieser Kälte sein? In einem Korb? In einem Container, in einer Gartenhütte, wo sie erfrieren würde? Bei dieser Kälte würde sie im Freien nicht überleben, denn nachts pflegte sie in Tinas Zimmer zu schlafen, und am Tag blieb sie meistens in der Nähe des Küchenofens. Sie war nicht abgehärtet und hatte nur ein dünnes Fell; es war nicht drahthaarig wie das Fell der Terrier und nicht so dicht wie das der Collies.

„Ich rede mit Dad", erklärte Tina noch einmal laut, als sie sich ihrem Haus näherten.

„Was ist mit der Party, Tina? Du weißt doch, daß Nick Parson heute abend eine Neujahrsparty schmeißt?" fragte Carl. „Wenn wir zu Hause bleiben, können wir Becky damit auch nicht helfen."

Aber Tina konnte sich immer noch nicht entschließen und versprach, Carl später anzurufen.

Carl fragte sich, warum sie für jede Entscheidung so

viel Zeit brauchte. Er bat sie, ihre Antwort nicht zu lange hinauszuschieben.

Sie versprach, bis sechs Uhr anzurufen. Aber ob sie es tun würde, bezweifelte sie selbst, als sie mit müden Schritten das letzte Stück zum Haus zurücklegte.

Kate war zu Helen gegangen. Es war ein plötzlicher Entschluß. Und sie hatte niemand etwas gesagt. Das Postamt, über dem Helen wohnte, war geöffnet. Kate kaufte bei Helens Vater eine Briefmarke und fragte dann: „Könnte ich wohl bitte Helen sprechen?"

„Ich weiß nicht, ob sie da ist. Moment, ich rufe mal nach hinten", sagte er. Aber genau in diesem Moment stürzte eine ganze Schar von Leuten herein, und jeder hatte ein anderes zeitraubendes Anliegen. Kate setzte sich auf einen Stuhl und wartete. Draußen wurde es dunkel, aber sie wartete weiter, verkrampft und mit dem quälenden Refrain im Kopf: „Tina gibt dir die Schuld an allem! Tina gibt dir die Schuld an allem!" Und seltsamerweise fand sie diese Behauptung auch noch in Ordnung.

Schließlich sagte Helens Vater, der eine Adlernase und große sehnige Hände hatte, noch einmal: „Ich ruf Helen eben mal."

Aber eigentlich rief er nicht wirklich. Er ging durch eine Tür, hinter der Kate ihn mit jemandem flüstern hörte, und Kate mußte wehmütig an die Zeiten denken, wo sie einfach durch diese Tür rennen und rufen durfte: „Helen, ich bin's, Kate!" Vielleicht hätte sie es heute auch einfach wieder so machen sollen, aber dazu fehlte ihr der Mut.

Helens Vater kam zurück, gefolgt von seiner Frau, die blond war und die gleiche durchsichtige Haut hatte wie Helen, ein Gesicht wie kostbares chinesisches Porzellan. Auch die gleichen sanften blauen Augen hatte sie. „Es tut mir so leid, Kate, aber sie will dich nicht sehen", sagte sie. „Ich weiß nicht, warum. Aber so ist es nun mal."

Und Kate zog sich verletzt zurück, ohne etwas zu sagen. Dafür quälte sie sich den ganzen Heimweg lang mit Vorwürfen und stellte sich vor, wie sie sich hätte verhalten sollen und was sie Helens Eltern gern an den Kopf geworfen hätte: „Ich werde ihr sagen, daß sie eine Diebin und eine Lügnerin ist! Falls sie Tinas Hund hier bei sich versteckt hat, soll sie ihn auf der Stelle zurückbringen!"

Kate war völlig niedergeschmettert, daß sie ihren Mund nicht aufgekriegt hatte. Hätte sie doch Carl mitgenommen! Der hätte vielleicht sogar durch diese Tür gebrüllt: „Ich komme Becky holen!" oder so ähnlich. Aber je länger sie darüber nachdachte, desto sicherer war sie, daß Carl auch nicht so energisch geworden wäre. Jetzt blieb ihr immer noch, mit ihrem Vater darüber zu sprechen, falls seine Gedanken nicht gerade bei einem mißhandelten Pferd waren oder in einem Schweinestall, wo eine unbekannte Seuche ausgebrochen war.

Noch bevor sie zu Hause anlangte, war Kate ziemlich sicher, von Dad keinen Rat zu bekommen. Tatsächlich war Alan Carr noch unterwegs.

Tante Cloe drängte ihr schon wieder ein Stück Kuchen auf. „Iß, dann wird dir gleich wohler", sagte sie.

Tina war unter der Dusche. „Sie will mit Carl auf eine Party", erzählte Tante Cloe.

Sofort überfiel Kate der quälende Gedanke: Tina war eingeladen und durfte auf eine Neujahrsparty gehen, während sie zu Hause bleiben mußte!

„Komm, Kate, wir beide machen es uns hier schön, ich bleibe auch da", sagte Tante Cloe, als sie Kates enttäuschtes Gesicht sah.

„Und was ist mit Mum und Dad?"

„Die sind auch eingeladen", sagte Tante Cloe.

Simon hielt die Abendsprechstunde ab. Gerade erschienen zwei Kinder mit einem Karton, in dem ein junges Kaninchen saß. Ein alter Mann schleppte seinen alten Hund an. Jemand anderes hatte eine dicke braune Henne unterm Arm. Es wäre ein Abend wie jeder andere gewesen, wenn Becky nicht entführt worden wäre und wenn Mum sich nicht in drei Tagen vor Gericht hätte dafür verantworten müssen, daß in der Reitschule ein Pferd namens Beacon eingegangen war.

„Ich habe ein paar Ballons, die können wir gleich aufblasen", sagte Tante Cloe. „Und ich habe eine Siruptorte für dich gemacht, eine richtig schön klebrige."

„Letztes Jahr war ich auch aus, auf einer Party bei Diane. Ihre Eltern waren dabei, sie waren ganz toll! Wir haben Glühwein getrunken und Olde Lang Syne gesungen, und jeder hat jeden unterm Mistelzweig geküßt. Ich habe noch nie eine richtige Party gefeiert, bei der Mum und Dad dabei waren."

„Doch, bestimmt, Liebes, das hast du sicher nur vergessen. Wir zwei machen jedenfalls unsere eigene kleine Party. Und wenn du willst, singen wir auch

225

Olde Lang Syne", zwitscherte Tante Cloe. „Im Fernsehen gibt es bestimmt auch ein tolles Programm. Und wenn du willst, kannst du die Welpen reinholen. Wir können auch Fotos machen. Ich habe schon meine Kamera bereitgelegt."

„Aber ändern tut sich dadurch nichts", stellte Kate verzweifelt fest. „Es bringt uns Becky nicht zurück und schafft uns auch die Gerichtsverhandlung nicht vom Hals. Und es macht auch meine Feinde nicht wieder zu Freunden. Wenn wir morgen aufwachen, ist alles beim alten, ist dir das klar? Wir sind immer noch dieselben Menschen in derselben Situation."

„Aber wir könnten es wenigstens für eine kleine Weile vergessen", antwortete Tante Cloe nach einer Pause.

In der Sprechstunde war immer noch ein Kommen und Gehen. Katzen in Körben wurden gebracht und Hamster und Hunde aller Rassen. Tante Cloe fragte verwundert: „Warum müssen sie alle am Neujahrsabend kommen? Gestern waren nur zwei da. Warum sind es heute so viele?"

„Vielleicht, weil sie das neue Jahr mit einem ruhigen Gewissen beginnen wollen", mutmaßte Kate.

Plötzlich kam Mum ganz aufgelöst herein. „Nein, nein, vielen Dank, Cloe, keinen Kuchen! Ich kann nicht bleiben. Ich brauche nur meine warmen Handschuhe und meinen dicken Mantel. Dann muß ich noch ein paar Sachen aus der Praxis holen und gleich los."

„Was ist denn passiert?" fragte Tante Cloe.

„Wieder ein Pferd mit Darmverschluß. Das passiert jetzt alle Augenblicke, schrecklich!" antwortete Mum.

„Bist du zu eurer Party zurück?" fragte Kate.

„Ich weiß es nicht. Sagt Dad, er soll nicht warten", sagte sie, während sie sich in ein Paar Fellstiefel zwängte.

„Soll ich ihn an deiner Stelle zu der Party begleiten?" fragte Kate.

„Auf keinen Fall. Dafür bist du noch viel zu jung, Kate. Auf dieser Party trinken sich die Leute unter den Tisch. Wir natürlich nicht. Bestimmt würdest du dich kein bißchen amüsieren, Kate. Die meisten Leute sind sterbenslangweilig. Dad und ich gehen auch nur hin, weil es gute Kunden von uns sind."

„Becky ist entführt worden", sagte Kate als nächstes, aber ihre Mutter hörte nicht mehr richtig zu; ihre Gedanken waren schon wieder bei dem Pferd mit der Darmverschlingung. Darum meinte sie nur kurzangebunden: „Das tut mir aber leid!"

Dann erschien Tina in einem Kleid, das Kate noch nie an ihr gesehen hatte. Sie hatte sich die Haare aufgesteckt und sogar die Fingernägel lackiert.

„Liebling, du siehst wundervoll aus! Wie ein Mannequin aus der Zeitschrift!" Tante Cloe war begeistert.

„Nur schade, daß ich nichts von der Party habe, weil ich die ganze Zeit an Becky denken muß", meinte Tina traurig.

„Aber du wirst sie doch Carl nicht verderben wollen?" fragte Tante Cloe besorgt.

„Er wird bestimmt auch an Becky denken. Und damit ihr nicht auf falsche Gedanken kommt: Carl ist für mich wie ein Bruder. Wir gehen nicht miteinander, klar?" gab Tina impulsiv zurück.

„Das geht mich nichts an. Aber kommt nicht zu spät wieder. Kate und ich feiern unsere eigene kleine Party, nicht wahr, Kate?" sagte Tante Cloe.

Kate gab keine Antwort. Sie sehnte sich danach, mit Carl auf die Party gehen zu dürfen, anstatt mit Tante Cloe zu Hause bleiben zu müssen.

Früher als erwartet war Mum wieder da. „Ich mußte das Pferd einschläfern. Wir konnten ihn nicht retten, es ist immer das gleiche. Ich brauche unbedingt ein heißes Bad. Aber wahrscheinlich ist das ganze warme Wasser aufgebraucht!" stöhnte sie.

„Ich stelle den Boiler noch mal an", bot Tante Cloe an.

„Um Himmels willen, bei dem Ölpreis! Alan kommt auch direkt von der Arbeit zur Party, dann stinken wir halt beide", meinte Mum lachend.

Simon steckte den Kopf herein. „Ich gehe jetzt. Ich habe alles aufgeschrieben. Gutes neues Jahr! Denken Sie dran, daß ich morgen und übermorgen frei habe?" fügte er hinzu. „Aber am dritten bin ich auf alle Fälle hier, solange Sie bei der Verhandlung sind."

„Das ist schön, danke, Simon", sagte Mum. Dann wandte sie sich an Kate: „Arme Kate, und du gehst nirgends hin?"

„Stimmt. Aber Mum, hörst du mir jetzt mal zu? Becky ist entführt worden", versuchte es Kate noch einmal.

„O nein, doch nicht richtig, doch nicht von deinen ehemaligen Freunden? O mein Gott! Morgen früh werde ich ihnen auf die Pelle rücken, das verspreche ich dir. Sie werden Becky bestimmt nichts tun. Vermutlich ist das alles nur ein Spiel für sie. Sie imitieren dumme Erpressungsmanöver von Erwachsenen, die sie aus Fernsehfilmen kennen", schloß Mum das Thema ab, bevor sie nach oben verschwand und auf der Treppe um ein Haar mit Tina zusammenprallte.

Tina kam in die Küche. „Mum hat mich nicht mal richtig angesehen. Was hat sie wegen Becky gesagt?"

„Daß sie sich morgen früh darum kümmern will", sagte Kate.

„Morgen früh hat sie dazu bestimmt keine Lust", vermutete Tina.

Dann kam Carl, um sie abzuholen. Auch er hatte sich toll herausgeputzt. Seine dunklen Haare waren glatt nach hinten gebürstet, und an seinen Manschetten glänzten die goldenen Manschettenknöpfe, die er von seinem Vater geerbt hatte. „Nächstes Jahr mußt du aber auch ausgehen, Kate", sagte er freundlich.

„Keine Sorge, wir haben auch was vor", sagte Tante Cloe. „Ich mache gerade die Bowle."

Tina sah in ihrem roten Kleid und den hochhackigen Schuhen sehr hübsch aus. Für den Weg hatte sie sich Tante Cloes dunklen Mantel ausgeliehen. Carl und Tina warfen sich verwunderte Blicke über diese Verwandlung zu.

„Hoffentlich bin ich nicht zu schick", meinte Tina schließlich. „Was ist, wenn die anderen alle in Jeans kommen?"

„Das spielt keine Rolle. Du siehst fabelhaft aus", erwiderte Carl mit einer kleinen Verbeugung.

Kate beobachtete dies mit neidischen Blicken. Wäre sie nur älter gewesen!

Kurz darauf kamen ein paar Freunde und holten Tina und Carl in einem roten Auto ab. Automatisch sah Tina sich nach Becky um, um sich wie gewohnt von ihr zu verabschieden.

„Tut nichts, was ihr später bereuen müßtet", gab Tante Cloe ihnen lachend mit auf den Weg.

Eine Minute später klingelte das Telefon. Kate nahm den Hörer ab, und eine Stimme sagte: „Ist da Kate? Ich bin's, Helen. Ich wollte dir nur sagen, daß ich versuche, Becky zu retten. Es geht ihr so dreckig, und ich habe Angst, daß Joseph sie wirklich umbringt, wenn die Reitschule am dritten nicht gewinnt." Helens Stimme hörte sich angstvoll an.

„Aber wie willst du das schaffen?" rief Kate in den Hörer.

„Das weiß ich noch nicht. Vielleicht bitte ich die Polizei um Hilfe oder Dad. Ich bin noch unsicher. Die anderen denken, daß ich immer noch auf ihrer Seite bin, aber das hat sich geändert. Ich muß jetzt weg. Ruf um keinen Preis hier an, versprochen?"

„Ja, natürlich." Kates Herz hämmerte jetzt wie wild. „Paß auf dich auf, Helen", sagte sie, aber Helen hatte schon aufgelegt.

Kate rannte nach draußen und rief: „Halt! Wartet! Tina, Carl! Helen hat eben angerufen, sie will Becky retten!" Aber der rote Wagen war schon weg.

Wenn ich jetzt nur nicht allein wäre! dachte Kate, während sie ins Haus zurückkehrte. Allein mit Tante Cloe, der anscheinend Essen und Trinken am wichtigsten war. Sie ist überhaupt nicht richtig erwachsen! mußte sie denken und wollte sich einen Stuhl nehmen,

aber zwei waren von den Katzen belegt und der dritte
von Bambi. Und auf dem, der übrigblieb, lag Tante
Cloes Strickzeug. So holte Kate sich einen aus dem
Wohnzimmer, und trotz ihres Mittagsschlafs wurde sie
schrecklich müde und hatte das Gefühl, daß der Tag
sich dehnte wie Gummi. Als sie gerade beschlossen
hatte, doch schon vor Mitternacht schlafen zu gehen,
klingelte erneut das Telefon.

Als sie abnahm, rechnete sie mit Helen, aber eine
fremde Stimme fragte: „Ist das die Privatnummer von
Carr? Ich muß unbedingt Mr. Carr erreichen, es ist
dringend. Über Funk konnte ich ihn nicht erreichen,
sein Gerät ist scheinbar defekt. Kannst du mir helfen?
Ich brauche Alan Carr, nur ihn! Es gibt keinen anderen
Tierarzt, der so viel von Schafen versteht, und mein
bestes Mutterschaf ist von einem Auto angefahren
worden."

„Sie haben die richtige Nummer", sagte Kate um
Zeit zu gewinnen. Und dann: „Ich werde alles versuchen, Dad zu finden. Können Sie mir bitte Ihre Nummer geben? Und Ihren Namen?" Sie angelte sich einen
Stift und schrieb alles auf und versprach dem Mann, in
fünf Minuten zurückzurufen.

„War es etwas Wichtiges, Liebes?" fragte Tante
Cloe, die ein Glas Wein in der Hand hatte. „Kann ich
helfen? Brauchst du irgendwas?" Sie meinte es gut,
aber Kate fand sie abstoßend: Schon jetzt, kurz vor
zehn, hatte Tante Cloe soviel Alkohol getrunken, daß
sie nur lallen konnte.

„Bleib du ruhig vor dem Fernseher. Ich muß nur
eben mal kurz rüber in die Praxis", sagte Kate und

holte sich den Schlüssel, der im Flur hinter einem Bild versteckt lag; Dad hatte immer Angst vor Einbrechern, die an den Giftschrank wollten, um sich Drogen zu beschaffen.

Wenn jetzt nur Rachel oder Simon da wären! dachte Kate und knipste das Licht an. Was sie als nächstes unternehmen sollte, war ihr noch nicht klar, nur, daß sie um jeden Preis Dad finden und so schnell wie möglich zu dem armen verwundeten Schaf dirigieren mußte.

„Ich mach dir schon mal ein schönes Gläschen Bowle zurecht", rief Tante Cloe ihr nach, aber für Kate war Tante Cloe ein abschreckendes Beispiel dafür, daß sie auf Alkohol für alle Zeiten verzichten wollte.

In der Praxis fand Kate den stets griffbereiten Terminkalender. Unter den 31. Dezember hatte jemand gekritzelt: *Party. Badger's Farm, ab 22 Uhr.* Kein Name, nur *Badger's Farm.* Kate wäre froh gewesen, den Computer bedienen zu können. Statt dessen versuchte sie, mit Hilfe der Karteikarten weiterzukommen. Tatsächlich fand sie unter B den Namen der Farm, den Familiennamen Painter und, was das beste war, eine Telefonnummer, die sie sofort wählte. Es dauerte eine halbe Ewigkeit, bis jemand abnahm.

Kate wollte schon auflegen, als eine Männerstimme sich meldete: „Badger's Farm!"

Im Hintergrund hörte Kate Stimmen und Gelächter und Gläserklirren. Ihr Herz setzte einen Schlag lang aus, aber dann wich ihre Angst, als sie sagte: „Ich muß Alan Carr sprechen. Es ist dringend."

„Aber der ist noch nicht hier. Beide Carrs noch

nicht. Er wurde noch mal weggerufen, aber der Held hat seinen Piepser hier liegenlassen!"

Jetzt wußte Kate, warum der Mann mit dem verletzten Schaf ihren Vater nicht erreichen konnte. Alles paßte zusammen wie die Teile eines Puzzlespiels. Wenn Dad das Gerät dabeigehabt hätte, wäre der Notruf über ihre Funkanlage direkt auf sein Autotelefon gegangen, beziehungsweise auf den Piepser, der ihn zu seinem stets nur wenige Meter entfernt geparkten Auto gerufen hätte.

Jetzt war Dad überhaupt nicht mehr zu erreichen. Aber was war mit Mum? Nun, die hatte ihre eigenen Funkkontakte vermutlich alle abgestellt, weil sie ja mit Dad zusammen feiern wollte. Und während der ganzen Zeit verblutete womöglich dieses kranke Schaf!

Der Mann am anderen Ende hatte eine Idee: „Ich gebe dir eine Nummer, wo du Alan vielleicht erreichen kannst, Kate", sagte er. „Ich nehme an, du bist seine Tochter. Die gleiche Stimme, nur ein bißchen höher!" Er diktierte ihr eine Telefonnummer. „Viel Glück. Und ein gutes neues Jahr!" schloß er.

Jetzt konnte Kate nur noch die Nummer des Schafbesitzers wählen und beten, daß es nicht schon zu spät war. Der Mann nahm sofort ab. Kate vermutete, daß er sich die ganze Zeit nicht einen Schritt von seinem Telefon entfernt hatte.

„Ich habe hier eine Nummer, bei der Sie es versuchen können", ratterte sie herunter. „Da könnte mein Vater sein, und meine Mutter auch. Lassen Sie es lange läuten, und versuchen Sie es immer wieder!"

Kate legte auf und schloß die Praxis wieder ab. Der

Nachthimmel war schwarz und voller Sterne. Abraham bollerte gegen seine Stalltür. Kate holte sich eine Taschenlampe. Sie war immer noch sehr müde, aber anders müde als vorher. Sie hatte etwas Sinnvolles tun können! Daß sie auf keine Party gehen konnte, war auf einmal viel weniger wichtig geworden.

Abraham hatte sich mit einem Huf im Heu verfangen. Kate redete beruhigend auf ihn ein, sagte ihm, daß alles in bester Ordnung sei und sie ihn alle gern hätten. Dann befreite sie seinen kleinen Huf. Abraham seufzte tief und stupste Kate dankbar mit seiner Nase. Sie tätschelte seinen kräftigen Hals und befühlte seine Ohren. Daß sie warm waren, bewies, daß es ihm gutging. Wenn sie kalt gewesen wären, hätte sie ihm eine Decke übergeworfen und sie an seiner Kehle zusammengesteckt mit der Sicherheitsnadel, die dafür meist schon an der Decke hing.

Sie konnte jetzt Tante Cloe rufen hören: „Wo bleibst du denn so lange? Es ist zwei Minuten vor Mitternacht, und dein Silvesterschluck wartet!"

Aber Kate hatte keine Lust hineinzugehen. Die kühle Nacht tat ihr gut und die Stille war wie ein Geschenk. Ihre Enttäuschung, ihre Traurigkeit war verflogen. Selbst auf Tina und Carl war sie nicht mehr eifersüchtig.

Wie treue, unerschütterliche Wächter hoben sich die alten Pappelbäume gegen den Nachthimmel ab. Die Gänse schnatterten leise miteinander. Abraham lugte aus seiner oberen Türöffnung und spitzte die langen Ohren. Die Welpen räkelten sich schlaftrunken in ihrer Spreu.

234

Schließlich mußte Kate aber doch wieder ins Haus. Der Fernseher lief immer noch. Tante Cloe war auf ihrem Stuhl eingeschlafen, Bambi zu ihren Füßen. Ein neues Jahr hatte begonnen, und Kate war zu beschäftigt gewesen, seine Ankunft überhaupt zu bemerken, aber zu ihrer eigenen Überraschung machte ihr das nichts aus.

Wenn jetzt nur auch noch Becky wieder da wäre! dachte sie, während sie den Fernseher abstellte. Aber immerhin gab es ja einen Hoffnungsschimmer. Und in drei Tagen wüßten sie auch, wie das Gerichtsverfahren ausgegangen war.

5

Später meinte Kate sich zu erinnern, daß sie alle gleichzeitig wieder dagewesen seien. In Wirklichkeit waren es zuerst nur Tina und Carl, die in die Küche gerannt kamen und Kate wachrüttelten, die genau wie Tante Cloe auf einem Stuhl eingeschlafen war.

„Hallo! Irgendwas Neues?" rief Tina. „Die Party war toll, aber ich habe trotzdem immerzu an Becky denken müssen."

Auf Carls linker Wange war eine Lippenstiftspur. Wie sie da so elegant gekleidet vor Kate standen, kamen sie ihr vor wie Fremde. Schließlich antwortete sie: „Helen will Becky retten. Sie ist abtrünnig geworden."

„Wirklich? Ich kann's nicht glauben! Ich kann's einfach nicht glauben!" jubelte Tina.

„Phantastisch!" schrie auch Carl.

Die beiden waren voll in Fahrt. Ihre Augen glänzten, und sie konnten keinen Augenblick stillhalten, setzten den Kessel auf, konnten kaum abwarten, bis das Wasser kochte, brühten sich Kaffee und tranken ihn dann doch nicht. Am liebsten hätte Kate sie angebrüllt: „Kommt mal wieder auf die Erde! Noch ist Becky nicht wieder da, und das Gerichtsurteil steht auch noch aus!" Aber inzwischen hatte Tina den Fernseher eingeschaltet und aß mit Carl Neujahrskuchen.

Tante Cloe wachte auf und fragte: „Wo bin ich? Ist denn schon ein neues Jahr?"

„Ja, und es ist schon wieder zwei Stunden alt", schrie Tina nach einem Blick auf ihre Uhr. „Und wenn alles gutgeht, wird es unser Glücksjahr!"

„Das kannst du laut sagen", stimmte Carl mit einer Stimme zu, die Kate noch nie bei ihm gehört hatte.

„Du hast zuviel getrunken. Alle hier!" bemerkte Kate bissig.

„Stimmt gar nicht. Es gab nur Punsch, und da war am Schluß bloß noch Limonade drin", berichtigte Carl, während Tina murmelte: „Ist das mit Becky nicht wundervoll? Ich kann's kaum abwarten, sie wiederzusehen!"

Als ob Helen sie schon gerettet hätte! dachte Kate. Ausgerechnet Helen, die kleinste von allen, wollte das ganz allein schaffen!

Da platzte Mum herein. „In ein paar Minuten kommt hier ein verwundetes Schaf an! Dad mußte noch woanders hin. Kann mir jemand helfen?" fragte sie, bevor ihr Blick erstaunt an Tina und Carl hängenblieb.

„Ich", bot Kate an.

„Kannst du das denn? Ich dachte, du kannst kein Blut sehen?" rief Mum erstaunt.

„Das ist vorbei."

Carl zog bereits seinen Mantel aus. „Ich bin völlig nüchtern, und über meine Sachen ziehe ich einen weißen Kittel", erklärte er unbeirrt.

Als sie hinausgingen, um die Praxis aufzuschließen, war keiner mehr eine Spur müde.

„Kate, du warst einfach fabelhaft", sagte Mum. „Ohne dich hätten wir einen unserer besten Kunden verloren, und ein prächtiges Schaf vermutlich auch noch. Ich nehme doch an, daß du es warst, die uns aufgestöbert hat, und nicht Tante Cloe?" fragte sie und zog sich einen weißen Kittel an.

Während sie auf das Schaf warteten, schilderte Kate die Ereignisse des Vorabends. Als sie gerade fertig war, traf das bereits betäubte Schaf in einem Landrover ein, der von seinem bärtigen, stämmigen Besitzer Bill Adams gefahren wurde.

Mr. Adams entschuldigte sich als erstes für den verdorbenen Neujahrsabend. Sein verlegenes Lächeln und seine scheue Art bewirkten, daß Carl ihn auf Anhieb mochte.

Das Mutterschaf hatte ein dunkles Gesicht und kleine Hörner. Als Carl es mit Bill Adams in den Behandlungsraum schleppte, meinte der: „Wahrscheinlich bin ich bekloppt, sie nicht notgeschlachtet und ihr Fleisch verkauft zu haben, aber ich habe Martha jetzt schon so viele Jahre, daß sie wie ein Kind für mich ist."

„Sie ist ein schönes Tier", sagte Kate.

„Ich will sie nicht verlieren", sagte Bill Adams und wischte sich die Augen. „Sie müssen sie retten, Ann, und es ist mir egal, was es kostet. So einfach ist das!"

„Sie werden sie nicht verlieren, Bill. Wir nähen jetzt ihre Wunde und legen ihr Bein in Gips, und wenn sie zu sich gekommen ist, können Sie sie wieder mit nach Hause nehmen", antwortete Ann.

Bill und Carl hoben das Tier auf den Operationstisch. Eines der Beine war geschient, und durch den Notverband sickerte Blut. Nachdem das Schaf noch etwas tiefer betäubt worden war, hielt Carl es fest, während Kate ihrer Mutter die Instrumente reichte. Sie arbeiteten schweigend, und Bill Adam sah ihnen von der Tür mit sorgenvollem Gesicht zu. Man sah ihm an, wie sehr er an diesem Schaf hing.

Als die Wunde genäht und die Blutung gestillt war, machten sie von Marthas verletztem Bein eine Röntgenaufnahme. Dann richtete Ann den gebrochenen Knochen ein und legte einen Gipsverband an. Erst als das alles geschehen war, wagte Bill Adam, mit einem scheuen Lächeln näherzukommen. „Ich nehme an, Sie halten mich für einen sentimentalen alten Kauz", fing er an und schneuzte sich geräuschvoll.

„So etwas denken wir grundsätzlich nicht. Ganz im Gegenteil: Die meisten Tiere sind liebenswerter als Menschen", antwortete Ann mit einem erschöpften Lächeln.

„Und Menschen stecken Hühner in Legebatterien und fesseln Säue, damit sie nicht zu ihren Ferkeln können! Das ist so gemein, daß ich am liebsten Vegetarier werden möchte!" rief Kate dazwischen.

„Recht so, ich bin schon einer!" erwiderte Bill Adams und schüttelte ihr die Hand.

Danach gingen sie ins Haus und tranken Tee und Kaffee. Mum sah immer wieder auf die Uhr, und bald wechselten sie wieder in die Praxis über, um zur Stelle zu sein, wenn Martha aus ihrer Narkose erwachte. Bald konnte das Tier wieder in den Landrover verfrachtet werden.

Als der Landrover mit Bill Adams geliebtem Schaf gerade abgefahren war, kam Alan Carr zurück und erklärte, daß er seine Schmerztabletten brauchte und daß es so nicht weiterginge.

„Das ist uns allen klar", sagte Mum und stützte ihn, während Kate die Praxis abschloß und Abraham aus seinem Stall ein erwartungsvolles Wiehern hören ließ.

Ihr Bett schien Kate wie der Himmel auf Erden. Noch nie im Leben war sie so müde gewesen.

Als Carl zu Hause eintraf, wartete seine Großmutter noch auf ihn. „Es war keine Absicht, ich bin im Sessel eingeschlafen", entschuldigte sie sich, als sie ihm die Tür öffnete, bevor er seinen Schlüssel benutzen konnte.

Aus Gewohnheit bekam Carl trotzdem ein schlechtes Gewissen. Sie bestand darauf, daß er einen Becher Kakao trank, und wollte wissen, wie die Party gewesen war, während Carl sich die ganze Zeit nur nach einem sehnte: nach Schlaf. Um so merkwürdiger war, daß er dann im Bett zunächst nicht einschlafen konnte. Und als er nach ein paar Stunden aus seinem Fenster sah, stellte er fest, daß in Carrs Praxis schon Licht brannte.

Er zog sich so hastig an, daß er seinen Pullover falsch herum überstreifte, und rannte den ganzen Weg.

Ann Carr wartete bereits im Hof auf ihn. „Ich möchte Alan nicht wecken. So eine dämliche Kuh mußte ausgerechnet in eine Senkgrube rutschen! Kannst du mir vielleicht helfen? Wir brauchen jemand mit Kraft und Verstand, und ich denke, du hast beides."

Carl winkte bescheiden ab und machte sich sofort an die Arbeit. Er suchte sich ein Seil und eine Ausziehleiter zusammen und packte sie in den Transporter. Ann war froh, ihn dabeizuhaben, aber gleichzeitig war es ihr auch unangenehm, ihn schon wieder heranziehen zu müssen. Im stillen nahm sie sich vor, ihn angemessen dafür zu entlohnen, sobald ihre Finanzen geregelt wären.

Das Städtchen, durch das sie fuhren, war zu dieser Stunde wie ausgestorben. Das Pflaster war übersät mit leeren Bierdosen, Plastikverpackungen und Papierschlangen. In solchen Augenblicken schämte sich Carl für seine Altersgenossen. Es passierte ihm ziemlich oft, daß er sich in seiner eigenen Generation gar nicht recht am Platze fühlte. War er etwa altmodisch? Wie konnte einer heutzutage keine Diskos und keine verräucherten Kneipen und keine Fußballspiele mögen!

Die Senkgrube war finster und tief und stinkend. Wengistens war es schon fast hell, als sie dort eintrafen. Ein Bagger stand bereit. Ann meinte, sie könne die Kuh nicht betäuben, weil das arme Geschöpf dann am Ende zusammenbrechen und in dem Dreck ersticken könnte. Um die Grube standen eine Menge Leute mit Taschenlampen. Carl fragte sich, ob sie von Ann ein Wunder erwarteten. Ann fragte sich, warum sie nicht die Feuerwehr gerufen hatten. Die wäre viel besser ausgerüstet gewesen für solche Fälle.

„Wo steckt denn Alan?" fragte ein behäbiger Mann, den Carl für den Bauern hielt. „Wir hatten eigentlich ihn erwartet."

„Er ist zu erschöpft. An seiner Stelle hilft mir Carl", antwortete Ann und fühlte sich selbst völlig ausgelaugt. Diese Aufgabe war einfach eine Nummer zu groß für sie.

Carl holte die Leiter und das Seil aus dem Wagen. Er stellte die Leiter bis zur Hälfte in die Senkgrube und stieg abwärts. Dabei redete er immerzu besänftigend auf die Kuh ein und erfand die ulkigsten Kosenamen für sie. Als er nahe genug bei ihr war, legte er ganz langsam das Seil um ihren Hals und machte einen Knoten, der sie auch bei noch so starkem Gegenzug nicht strangulieren konnte. Die Kuh ließ ihn mit ihrem geduldigen, wäßrigen Blick nicht aus den Augen, während er mit dem Seilende wieder nach oben kletterte. Oben angelangt, hielt er die Kuh weiter am Seil fest und redete auf sie ein, gab aber dabei dem Baggerfahrer Zeichen, wie er sich längsseits der Grube plazieren mußte. Schließlich wurde die Kuh mit einem gewaltigen kurzen Ruck aus der Grube gezogen, so daß ihr keine Zeit blieb, sich zu wehren. Noch ein weiterer Ruck, und sie hatte sicheren Boden unter den Füßen. Da brach allgemeiner Jubel aus. Ann umarmte Carl, und der Bauer meinte: „Das verlangt nach einem Schluck!" Aber Ann lehnte mit der Begründung ab, daß dies erst der Beginn eines Tages wäre, der noch sehr lang werden könnte.

„Alan hätte das nicht besser hinkriegen können als du, Junge", sagte der Bauer.

Obwohl Beckys Rückkehr immer noch nicht gesichert war, kreisten Tinas Gedanken am Morgen noch immer um die Party. Carl hatte sie geküßt. Sie war sich vorgekommen wie eine Prinzessin. Wenn Becky schon wieder lebendig zu Hause gewesen wäre, wäre ihr Glück an diesem Abend perfekt gewesen.

Sie holte Kate Orangensaft und setzte sich zu ihr ans Bett. „Kannst du sagen, ob Helen sich hoffnungsvoll angehört hat?" fragte sie.

Kate sah in das Gesicht ihrer Schwester, das auch an diesem Morgen verändert aussah, weil unter den Augen schwarze Tuschespuren waren.

„Ich hab dir doch schon erzählt, was sie gesagt hat. Sie hat sich ziemlich verängstigt angehört. Aber ich weiß, daß Helen ihr Bestes tun wird. Sie hat gesagt, sie könnte es jetzt nicht mehr ertragen oder so ähnlich", zitierte Kate und versuchte, sich an die genauen Worte zu erinnern.

„Tut mir leid, daß ich immer wieder davon anfange. Es ist nur, weil ich Angst um Becky habe und weil die Wards jetzt auch noch diese dicken Eisengitter und die Schäferhunde haben. Wie will Helen das denn schaffen? Kannst du dir das vorstellen?"

„Das können wir alle nicht, oder? Wir können nur hoffen", antwortete Kate nach einer Weile.

„Das ist ja das Gräßliche: warten, hoffen, nicht sicher sein", zählte Tina auf und erhob sich von Kates Bettrand. Sie ging nach unten, irrte in der Küche umher und spürte, wie das Hochgefühl des gestrigen Abends sich verflüchtigte wie Nebel in der Morgenluft.

„Bist du in Ordnung, Kind?" fragte Tante Cloe.

„Ja und nein. Ich will nur Becky wiederhaben."

„Mach dir keine Sorgen, es wird schon alles gut werden", sagte Tante Cloe. Aber das sagte Tante Cloe immer, und darum glaubte Tina ihr nicht mehr.

❋

Carl lief nach seiner Rückkehr schnurstracks nach Hause und stellte sich unter die Dusche. Zum Glück war Gran ausgegangen, so daß er schon kurz darauf wieder bei den Carrs erscheinen und die Welpen herauslassen konnte. Natürlich veranstalteten sie auf der Stelle ein Riesenspektakel. Jedes achtlos weggeworfene Papier wurde in Fetzen gerissen, leere Eimer umgeworfen, die Gänse in die Flucht geschlagen und Bambi total durcheinandergebracht. Einer schnappte nach Abrahams Hufen, ein anderer raste ins Wartezimmer und jagte eine Katze, deren Besitzer wutentbrannt hinter ihr herlief, was wiederum die anderen Leute in Aufruhr brachte.

Als sie endlich eingefangen waren, befand Tina sich immer noch auf ihrem Platz neben dem Telefon, um Helens nächsten Anruf nicht zu versäumen. Für sie bestand das Leben jetzt wieder ausschließlich aus dem Problem mit Becky, und sie brachte für Carl nur ein wenig überzeugendes Lächeln zustande. Die Party schien in einer anderen Welt stattgefunden zu haben. Jetzt, in der Gegenwart, zählte nur, daß Becky wieder heil nach Hause kam.

Carl dachte, er hätte Tina irgendwie gekränkt und ging in Gedanken die Party rückwärts und vorwärts durch, um herauszufinden, was er falsch gemacht haben könnte.

Ann schluckte nun wieder Vitaminpillen und hockte zitternd vor Kälte in der Küche, was Carl ziemlich beunruhigte. Wenn sie jetzt krank würde und nicht selbst vor Gericht erscheinen könnte, stünde es schlecht um ihre Sache.

Tina half Tante Cloe, das Essen vorzubereiten, und dachte bei sich: Das neue Jahr scheint nicht besser, sondern noch schlechter zu werden als das alte. Gewiß, Weihnachten war ganz in Ordnung, aber das war vor hundert Jahren oder so. Und jetzt lief die Zeit davon, und in zwei Tagen war die Gerichtsverhandlung. Daß Mum keinen Grund hatte, sich schuldig zu bekennen, wußten alle, die sie als ehrliche Frau kannten. Falls sie den Prozeß aber gewänne, wäre Beckys Leben in höchster Gefahr, denn Joseph war imstande, sie wirklich zu töten.

Auf welche Weise Mum gewinnen würde, konnte Tina sich auch denken. Mum brauchte nur die ganzen Zeugen aufmarschieren zu lassen, die sich schon die ganze Zeit danach drängten, über ihre Verläßlichkeit als Tierärztin auszusagen. Erst gestern hatte sie voller Staunen festgestellt: „Ich habe nie geahnt, wie viele Freunde ich besitze!"

Und jetzt klammerte Tina sich an die Vorstellung, daß Helen gleich kommen müßte und Becky unversehrt von ihrem Arm springen würde. Inzwischen fühlte sie sich ganz krank vor Sorge und brachte nichts von dem Essen herunter, sondern saß nur blaß an ihrem Platz und kaute auf ihren Nägeln herum.

Der nächste Anruf kam von Alan, der Bescheid sagte, daß er nicht zum Mittagessen kommen könnte. Danach teilte Rachel ihnen telefonisch mit, daß sie nicht zur Abendsprechstunde kommen könnte, weil sie einen Migräneanfall hätte. Mum rief Ivor an. „Ich bin am Ende meiner Kräfte", sagte sie zu ihm. „Ich muß mich hinlegen."

Als Kate sich beim Mittagessen dann auch noch weigerte, Truthahn zu essen, weil sie jetzt Vegetarierin sei, war die Stimmung endgültig verdorben.

Dann endlich rief Helen an. Ihre Stimme klang ziemlich trostlos. „Ich hab's noch nicht geschafft, an Becky heranzukommen, aber ich versuche es weiter", sagte sie.

Da Tina das Gespräch angenommen hatte, sagte sie: „Versuchen genügt nicht! Ich werde wohl zur Polizei gehen."

„Dann bringt Joseph sie um. Er hat schon alles vorbereitet", antwortete Helen entsetzt.

„Nicht wenn die Polizei zuerst da ist. Die sind ja keine Anfänger", widersprach Tina, „sondern wissen, wie man so was macht."

„Er wird sie töten. Sobald er ein Polizeiauto sieht, wird er handeln, da bin ich sicher", sagte Helen und fing an zu weinen. „Er setzt uns alle unter Druck. Aber ich werde sie retten", versprach sie. „Verlaß dich drauf."

„Aber wie denn, mit den bissigen Hunden und den verrammelten Eisentoren?" Carl hatte Tina den Hörer aus der Hand gerissen.

„Die Tore sind nicht immer abgeschlossen, und die Hunde kennen mich", antwortete Helen. „Wenn ich es nicht schaffe, könnt ihr ja am dritten zur Polizei gehen. Mein Geld geht zu Ende. Tschüs!"

Unglücklich sah Tina Carl zu, wie er den Hörer auf die Gabel legte. In Gedanken malte sie sich aus, wie Joseph Becky tötete. Wie, um Himmels willen, wollte er es machen?

246

Tina wußte nicht, ob sie sich wünschen sollte, daß die Zeit bis morgen schneller verginge. Sie ging Kate suchen, fand sie oben in ihrem Zimmer und erzählte ihr von dem Anruf. Dabei fiel ihr jetzt erst auf, wie merkwürdig es war, daß Helen von einer Telefonzelle aus angerufen hatte.

„Ich denke, daß Helen es irgendwie schafft", sagte Kate, aber sie hörte sich nicht gerade überzeugt an. „Wahrscheinlich hat sie nicht von zu Hause angerufen, damit ihre Eltern nicht mithören", fügte sie hinzu.

Carl war dafür, die Polizei auf der Stelle einzuschalten. „Ich weiß wirklich nicht, worauf ihr noch wartet", sagte er ungehalten. „Das sind Kinder, die ein bißchen Erpresser spielen wollen!"

Tina machte ihm aber klar, daß Joseph Becky genau in dem Augenblick töten, vielleicht strangulieren könnte, wenn die Wards für die Polizei das Tor aufriegelten.

„Dann hätte Helen überhaupt keine Chance", meinte auch Kate.

„Nun, sie ist dein Hund", meinte Carl und sah Tina an. „Ich verstehe nur nicht, warum du nicht schon längst deine Eltern eingeschaltet hast."

„Weil die beiden bis zum Hals in ihrer Arbeit stecken, oder hast du das vielleicht nicht gemerkt? Die sind doch total fertig!" antwortete Tina. „Mum schluckt wieder ihre Vitaminpillen, Dad humpelt wieder an seinem Stock herum, und Tante Cloe – na ja, die ist für uns alle eine Plage. Nichts als ihren Piepmatz und ihr Hundchen und Essen und Trinken hat sie im Kopf, und seit Wochen könnten wir schon wieder gut ohne sie auskommen. Ich habe das Gefühl, die will sich für immer bei uns einnisten", beschwerte sich Tina.

„Tina, Becky ist *dein* Hund, *du* mußt die Entscheidungen treffen", gab Carl nach und wartete darauf, daß Tina ihn endlich wieder anlächeln oder ihm wenigstens erklären würde, was gestern abend schiefgelaufen war.

Aber alles, was sie sagte, war: „Ich werde hier erst noch eine Weile warten. Du weißt, wie ungern ich Entscheidungen treffe."

Es war schon fast wieder dunkel draußen, als das Telefon endlich läutete. „Ich habe sie rausgelassen. Ihr gesagt, sie soll nach Hause laufen. Mehr konnte ich nicht machen, es tut mir leid. Jetzt muß ich mich daheim verstecken", schluchzte Helen.

„Wann war das?" fragte Tina, die wie Espenlaub zitterte.

„Ungefähr vor zehn Minuten."

„Ich gehe ihr entgegen! Danke, Helen, tausend Dank!" heulte jetzt auch Tina und legte den Hörer auf. Dann rief sie: „Becky ist auf dem Weg zu uns, hörst du, Kate, Becky ist draußen! Ich laufe ihr jetzt entgegen. Ist das nicht eine wundervolle Nachricht?"

„Meinst du, sie findet allein zurück?" fragte Kate.

„Hoffentlich! Aber ich bin den Weg ja so oft mit ihr gegangen."

Und schon suchte Tina ihre Handschuhe und Beckys Leine, und war immer noch ganz zittrig vor Erleichterung.

Und Kate hoffte, daß sie und Helen nun endlich wieder Freundinnen sein könnten.

6

Carl begleitete Tina. Als sie auf die Straße kamen, sahen sie dort eine kleine Menschenmenge versammelt, ein Auto stand mit den Vorderrädern auf dem Gehsteig. Eine schlanke blonde Frau weinte: „Ich konnte wirklich nichts dafür! Sie ist mir direkt vor den Wagen gelaufen!"

Becky lag reglos vor dem Auto. Tina rannte, wie sie noch nie im Leben gerannt war, aber Carl war noch schneller.

„Das ist mein Hund!" kreischte Tina auf.

„Wieso streunt sie dann mutterseelenallein hier auf der Straße herum?" rief ein wettergebräunter Mann, der einen Schaffellmantel trug.

„Armes kleines Ding!" jammerte eine dicke Frau, unter deren Kopftuch graue Haarsträhnen hervorschauten.

„Dabei sind doch deine Eltern beide Tierärzte!" bemerkte altklug ein Mann.

Carl sah wütend in die Runde. „Klugschwätzer!" murmelte er vor sich hin.

Tina hob Becky ganz behutsam auf. Wie abgemagert sie ist! fiel ihr sofort auf. Sie konnte Beckys Rippen sogar durch ihren dicken Pullover hindurch spüren.

„Es tut mir so leid", versicherte die blonde Frau. „Wohnst du weit weg von hier? Soll ich dich nach Hause fahren?"

„Nein danke, das schaffen wir schon so. Und wir sind sicher, daß es nicht Ihre Schuld war", gab Carl zur Antwort. „Der Hund ist entführt worden", erklärte er, aber er konnte es den Leuten um ihn herum an den Gesichtern ablesen, daß ihm keiner glaubte.

Nun kam auch Kate angerannt und rief: „Ist sie in Ordnung?", während die dicke Frau mit dem Kopftuch höhnte: „Das wird ja immer schöner! Entführt! Hat schon mal jemand gehört, daß ein Hund entführt worden ist?"

„Das gibt's doch gar nicht", stimmte ihr auch der Mann im Schaffellmantel zu.

„Das Gerede der Leute ist ja unerträglich!" sagte Tina zu Kate.

„Mach dir nichts draus. Auf die mußt du nicht hören!" beruhigte Kate ihre Schwester.

In diesem Augenblick schlug Becky die Augen auf und fing an, mit dem Schwanz zu wedeln, und Tina mußte später noch oft daran denken, daß dies der schönste Augenblick ihres Lebens war. Vorsichtig trug sie die Hündin ins Haus und die Treppe hinauf und legte sie in ihren Korb.

„Was habe ich dir gesagt? Ich wußte, daß Becky irgendwann wieder auftaucht", rief Tante Cloe. „Die ganze Aufregung war umsonst."

„Verstört, überfahren und halbtot", konnte Carl sich nicht verkneifen.

„Und alles andere als putzmunter!" setzte Kate hinzu und benutzte dabei einen der Lieblingsausdrücke ihrer Tante.

„Ihr braucht gar nicht so gemein zu mir zu sein, ich

reise ohnehin morgen ab. Meine Sachen sind schon gepackt", teilte Tante Cloe ihnen zum hundertstenmal mit.

„Sie macht mich wahnsinnig!" sagte Tina und knallte die Tür zu ihrem Zimmer hinter sich zu.

„Ich werde aber Tante Cloes Kuchen vermissen. Wenn sie weg ist, gibt es wieder nur Tiefkühlkost und Essen aus der Mikrowelle", meinte Kate.

Carl untersuchte Becky gründlich, und Tina ging Milch für sie holen. Aber Becky wollte weder trinken noch fressen. „Sie steht unter Schock", vermutete Carl und zog die Gardinen zu. „Was sie braucht, ist Ruhe und Frieden. Wahrscheinlich hat sie eine Gehirnerschütterung."

„Nicht auch das noch! Sie ist doch ohnehin schon so dünn", klagte Tina und wickelte den Hund in eine Decke. Dann schlossen sie leise die Tür und gingen nach unten.

„Becky ist wieder da?" Ann Carr saß am Ofen und trank Tee.

Tina und Carl erzählten ihr die ganze schreckliche Geschichte. Als sie geendet hatten, bemerkte ihre Mutter erstaunt: „Aber warum um alles in der Welt habt ihr uns nichts davon erzählt? Ich hatte keine Ahnung! Am besten bringst du sie gleich in die Praxis rüber."

Sofort holte Tina Becky aus ihrem Zimmer und trug sie in die Praxis.

„Ich habe so ein schlechtes Gewissen! Natürlich hätte ich mir längst zusammenreimen können, daß etwas nicht stimmte, aber ich Dummkopf habe einfach nicht rechtzeitig geschaltet", klagte Mum sich an.

Sie legten Becky auf den Behandlungstisch, und Ann untersuchte jeden Zentimeter an ihr. Becky lag beängstigend still; nur wenn Tina sie ansprach, bewegte sich ihr Schwanz.

„Sie ist krank", erklärte Ann, als sie sich endlich wieder aufrichtete.

Carl erzählte ihr, daß Becky weder fressen noch trinken wollte, und Ann sagte: „Sie ist total ausgetrocknet. Wißt ihr, was ich glaube? Ich fürchte, sie hat sich mit einem schlimmen Darmvirus infiziert. Ist sie bei uns schon gegen Staupe geimpft worden?"

Carl und Tina dachten an den Tag zurück, als die Polizei Becky abgeliefert und Ivor mit Tinas Hilfe ihre Wunden versorgt hatte.

„Bei uns nicht. Aber was ist mit ihrer früheren Besitzerin? Vielleicht hat sie Becky impfen lassen?" fragte Tina unsicher.

„Einmal impfen genügt ohnehin nicht. Kommt, wir machen ihr eine Infusion."

„An Staupe sterben Hunde doch, oder?" Diese taktlose Frage kam von Kate, die plötzlich neben ihnen stand.

„Ja. Aber wir sind ja nicht sicher, ob sie diesen Virus hat. Ich kann es nur nicht ausschließen. Und Becky sterben lassen wollen wir auf keinen Fall", erklärte Ann mit Bestimmtheit. „Aber das ist auch wieder typisch – unsere Klienten erinnern wir immerzu daran, daß sie ihre Tiere impfen lassen müssen, und an unsere eigenen denken wir nicht. Das hat Alan gemeint, als er sagte, wir hätten keine Zeit, uns um eigene Haustiere zu kümmern. Da hatte er wohl recht, was?" fragte sie.

„Es ist allein *meine* Schuld", widersprach Tina heftig. „*Ich* hätte dran denken müssen."

Als Becky versorgt war, erkundigte Carl sich, ob Bambi den nötigen Impfschutz hatte, dann trug er Becky mitsamt Infusionsgerät nach oben. Tina betrachtete sie besorgt und hoffte, daß Becky wieder gesund werden würde.

Kate fand, daß es für sie nun wirklich an der Zeit wäre, Helen aufzusuchen und ihr dafür zu danken, daß sie diese gefährliche Rettungsaktion auf sich genommen hatte. Sie erzählte ihrer Schwester von ihrem Vorhaben.

„Ich würde ihr gern etwas schenken, ihr einen sehnlichen Wunsch erfüllen", meinte Tina. „Versuch mal herauszufinden, worüber sie sich freuen würde. Ich bin ihr so unendlich dankbar."

„Sie war immer die netteste von allen meinen Freundinnen", sagte Kate und schlang sich schwungvoll einen Schal um den Hals. Ab übermorgen, sagte sie sich hoffnungsfroh, ab übermorgen wird alles wieder gut! Dann wird Mum wieder singen und Dads Gelächter wieder durchs Haus tönen.

Aber als Kate beim Postamt eintraf, erfuhr sie von Helens Mutter, daß Helen nicht da sei. „Ich verstehe nicht, was los ist! Die halbe Nacht hat sie wachgelegen und sich die Augen ausgeweint. Ich weiß mir nicht mehr zu helfen. Weißt du den Grund, Kate?"

„Es ist wegen der Reitschulbande. Sie setzt uns alle unter Druck", antwortete Kate und fing an, sich ernstlich um Helen Sorgen zu machen.

„Früher wart ihr so gute Freundinnen, das war wirklich zu schön, aber jetzt?" Kate sah Helens Mutter an und merkte, daß sie den Tränen nahe war.

„Ich versuche, mit ihr zu sprechen, aber in die Reitschule kann ich nicht gehen, weil sie mich nicht hineinlassen", versuchte Kate sie zu trösten.

„Mir sind diese Wards zuwider, wirklich. Ich verstehe nicht, was die Kinder an ihnen finden", sagte Helens Mutter.

„Es sind ihre Pferde. Aber bald werde ich mein eigenes haben, und das kann Helen dann reiten, wann immer sie Lust hat", versprach Kate.

Aber Helens Mutter hatte sich schon umgedreht, um einen Kunden zu bedienen, und hörte es nicht mehr.

In dieser Nacht tat Tina kaum ein Auge zu. Aber am nächsten Morgen wedelte Becky mit dem Schwanz und schnüffelte hoffnungsvoll nach etwas Freßbarem. Da wußte Tina, daß die größte Gefahr vermutlich überstanden war.

Draußen gönnte Carl wieder einmal den Welpen Auslauf. Es war ihm gelungen, seine Großmutter zu überreden, daß er einen der kleinen Hunde haben durfte, und nun konnte er sich nicht entscheiden. Er fing an, sich Gedanken über das Schicksal der Welpenmutter zu machen. War sie schon tot, als Ann die Welpen gerettet hatte? Es war ihm nie in den Sinn gekommen, danach zu fragen, aber jetzt hatte er tagtäglich so viel mit den jungen Hunden zu tun, daß er sich von ihrem Schicksal, von ihrem Woher und Wohin persönlich betroffen fühlte.

Wie sie sich jetzt so gegenseitig im Kreis herumjagten, keine flauschigen Wollknäuel mehr, sondern jeder ein unverwechselbares selbständiges Geschöpf, wurde Carl klar, daß er sich in seiner Ausbildungszeit nicht nur mit Tiermedizin befassen wollte, sondern auch mit Tierverhalten. Wenn er Methoden finden würde, die vielen Mißverständnisse über Tiere abzubauen, wäre dies auch ein weiterer Schritt, Massentierhaltung und -aufzucht zu bekämpfen.

Abraham malmte noch an seinem Frühstück. Die Gänse watschelten unbeholfen auf dem zugefrorenen Teich herum.

Die ganze Zeit über spukte Carl immer noch die Neujahrsparty im Kopf herum. An jenem Abend waren Tina und er sich so nahe gekommen, aber schon am Tag darauf hatte sie sich zurückgezogen, als ob sie vor etwas Angst hätte, und er wußte nicht, wovor.

Nachdem Kate Tina von ihrem Besuch im Postamt erzählt hatte, setzte Tina sich hin und schrieb einen Brief an Helen. Sie dankte ihr von ganzem Herzen für ihren mutigen Einsatz und beschrieb ihr Beckys Zustand, den sie mit Sicherheit keinen weiteren Tag lebend überstanden hätte. Nach diesem Brief war ihr wohler. Jetzt drohte ihnen nur noch der morgige Gerichtstermin.

Etwas später rief Dad Kate zu sich in die Küche. Er erzählte ihr, daß er ein Pony für sie gefunden hätte. Offenbar war die Tochter des Besitzers zu groß für das Tier geworden, und da der Farmer die Tierarztrechnungen nicht mehr bezahlen konnte, hatte er Alan statt Geld das Pony angeboten.

„Es ist ein Schecke und hat ein bißchen was von einem Zigeunerpferd, aber es ist absolut sicher im Straßenverkehr. Da sein Besitzer es vernachlässigt hat, braucht es erst mal eine Wurmkur und eine Huf- und Fellpflege", zählte Alan auf, während er sich einen Becher Tee eingoß.

Kate stellte sich vor, daß ein Schecke braun-weiß war. Ein graues Pony wäre ihr lieber gewesen.

„Es heißt Shepherd, kurz Shep", sagte Alan.

„Und was ist mit dem Mädchen?" fragte Kate.

„Die hat nichts mehr mit Pferden im Sinn", sagte Dad. „Sie hat den armen alten Shep mutterseelenallein im Stall rumstehen lassen. Vielleicht freundet er sich mit Abraham an. Pferde wollen nicht immer allein sein", fuhr er fort und spülte dabei seinen inzwischen ausgetrunkenen Becher unterm Kaltwasserhahn aus. Seine Gedanken waren schon wieder woanders.

Bevor er ging, sagte er Kate aber noch, daß Shep in mittlerem Alter sei und schon bald gebracht würde. „Auf dem bist du absolut sicher, und das ist im Moment das Wichtigste", meinte er und verschwand nach draußen.

Kate lief vom selben Moment an durchs ganze Haus und rief, sie hätte jetzt ein eigenes Pony, das Shep hieße. Anschließend hastete sie hinter ihrem Vater her, um ihn wegen des Zaumzeugs für Shep zu fragen. Auch das war geregelt: alles, was Shep brauchte, käme mit.

Zum Mittagessen gab es nur Brote, weil Tante Cloe wieder einmal packte. Mum und Dad fanden nicht mal fünf Minuten Zeit, um sich hinzusetzen. Als Tante Cloe von dem Pony erfuhr, freute sie sich. Sie meinte, Kate bräuchte wirklich etwas, was sie ganz allein versorgen und hätscheln konnte. Dann nahm sie den Vogelkäfig und Bambi hoch und erklärte, auch für sie hätte das Leben ohne Bambi und Yorki keinerlei Sinn.

Draußen machte Carl ihren Wagen wieder flott, weil Tante Cloe diesmal allen Ernstes vorhatte, nach dem Gerichtstermin abzureisen. Er prüfte den Reifendruck, füllte Öl nach und tat Frostschutzmittel in den Wassertank. Für Autos interessierte er sich nämlich auch, aber längst nicht so wie für Tiere.

Dann erkundigte sich Carl, wo die jungen Hunde hin sollten, wenn Kates Pony die Box brauchte, in der sie jetzt hausten. Darüber hatten natürlich weder Kate noch ihr Vater bisher nachgedacht. Sie beschlossen, daß die Hunde vorerst im Holzschuppen untergebracht werden sollten. Sie brauchten eine Ewigkeit, um das ganze Holz auszuräumen, das in dem Verschlag lagerte, und nicht viel weniger aufwendig war es, die leckenden, zappelnden, jappenden, jaulenden, rangelnden Bündel dorthin zu verfrachten.

Als die Hunde endlich alle sicher untergebracht waren, fegten Carl und Kate die nun leere Box aus, machten ein Strohlager, füllten ein Netz mit Heu und stellten einen Eimer Wasser auf. Dann blieben sie davor stehen und betrachteten ihr Werk. Die Box mit den strohgesäumten Wänden und der alten Futterkrippe in der Ecke sah wirklich einladend aus! Carl erinnerte sie an ein altes Gemälde.

Kate zappelte vor Ungeduld: Sie konnte es kaum

257

noch erwarten, bis Shep darin stehen würde, ihr eigenes Pony. Endlich!

Carl nutzte die Gelegenheit, um Kate zu fragen, warum Tina so komisch war. Kate schob es auf Tinas Angst um Becky und meinte, am vierten Januar, also einen Tag nach dem Gerichtstermin, sähe alles wieder besser aus. Da die Welpen in ihrem neuen Zuhause herumjaulten, machten sie mit ihnen einen Dauerlauf, und als sie zurückkamen, wurde es schon langsam wieder dunkel. Im Wartezimmer saßen Patienten der unterschiedlichsten Arten und Größen, und Ivor stritt sich gerade mit einem kleinen schnurrbärtigen Herrn. Wieder einmal wünschte sich Carl inständig, er wäre endlich Tierarzt und könnte fachmännisch zupacken.

Und dann fuhr auf einmal der Viehtransporter auf den Hof, und ein Mann mit zerfurchtem Gesicht und Stoffkappe machte sich durch lautes Hupen bemerkbar. Wie der Blitz war Kate bei ihm.

„Ich bin gekommen, meine Schulden zu bezahlen", rief er und sprang vom Fahrersitz herunter. „Hier bringe ich dir dein Pony, Fräuleinchen! Da hast du keinen schlechten Fang gemacht."

Durch die Gitterstäbe des Transporters konnte Kate jetzt eine fast weiße Nase und kastanienbraune Ohren und einen sehr dichten Schweif erkennen. Und was sie sah, eroberte auf der Stelle ihr Herz.

Der Mann, der Mr. George hieß, machte das Pony los und führte es über eine Viehrampe aus dem Wagen.

Inzwischen hatten sich auch Tina, Carl und Tante Cloe eingefunden und gaben anerkennende Kommentare von sich. Dann drückte Mr. George Kate, der man den Stolz als zukünftige Ponybesitzerin von der Nasenspitze ablesen konnte, die Halteleine in die Hand, und Kate führte Shepherd zu seiner liebevoll vorbereiteten Box. Sie war von ihrer Freude ganz ausgefüllt. Obwohl sie sich eigentlich einen Grauen gewünscht hatte, akzeptierte sie Shepherd augenblicklich und ohne jede Einschränkung. Seine ziemlich großen Ohren gefielen ihr ebenso wie seine recht kleinen Augen und seine Mähne, die stachelig von seinem kurzen, kräftigen Hals abstand. Ganz besonders schön fand sie seinen mehrfarbigen Schweif, der so dicht und kräftig war, daß man ihn als Besen hätte benutzen können. Und die kurzen Beine und der dickliche Rumpf paßten zu diesem Ponytyp.

In der Box band Kate das Pony los, verriegelte die Tür und beobachtete, wie Shep sich dem Heunetz zuwandte. Mein Pony! dachte sie wie im Traum. Meins, ganz allein meins!

Falls Tina neidisch war, ließ sie es sich nicht anmerken.

„Na, da ist der gute alte Shep ja mitten im Paradies gelandet", stellte Mr. George glücklich fest. „Daß er es bei dir gut haben wird, sehe ich jetzt schon."

Tina bot Mr. George Tee an oder einen Drink, aber er wollte gleich zurückfahren. Nur ein Stück von Tante Cloes Obstkuchen nahm er an.

Als Mr. George Kate zum Abschied noch Sheps Zaumzeug überreichte, wurde sie ganz verlegen vor Dankbarkeit und strahlte wie seit Monaten nicht mehr.

Die Sonne stand schon tief am Horizont, der Tag ging zu Ende. Die Tierpatienten verließen nach und nach mit ihren Besitzern die Praxis und Ivor machte sich auf den Heimweg.

Kate dachte glücklich an ihr Pony und wußte, daß sie diesen Tag nie vergessen würde.

Die Welpen in ihrem neuen Schuppen gaben keine Ruhe, und Carl sagte sich, daß es höchste Zeit war, für jeden ein richtiges Zuhause zu finden.

Tina trug Becky in eine Decke gewickelt herum. Währenddessen beobachtete sie Carl und mußte an den Neujahrsabend denken, der ihr inzwischen wie ein weit zurückliegendes Ereignis vorkam.

Besonders ruhig schlief keiner von ihnen in dieser Nacht. Kate mußte immerzu an Shep denken. Tina machte sich immer noch Sorgen um Becky, der es noch gar nicht gutging. Ann hatte Alpträume wegen der Gerichtsverhandlung am nächsten Tag. Alan kamen auf einmal Bedenken wegen einer Diagnose, die er gestellt hatte. Tante Cloe packte im Traum ihre Siebensachen fortwährend ein und aus und fand anstatt ihres vertrauten Bungalows zu Hause nur noch einen Trümmerhaufen vor.

Um sechs Uhr früh waren die meisten von ihnen schon wieder auf. Kate lief sofort zum Stall, um Shep, den sie Sheppie nannte, zu sehen, Tina stellte für Becky ein nahrhaftes Frühstück zusammen, Tante Cloe fütterte die Katzen, die eine Mahlzeit zu so ungewohnter Stunde freudig begrüßten; endlich waren sie ungestört von Bambi, die noch oben schlummerte.

Sheppie lugte neugierig aus seiner Boxhalbtür. Als er Kate sah, wieherte er vor Freude, und Abraham stieß einen überraschten Schrei aus. Kate bekam ein ganz seltsames Gefühl im Bauch.

Auch Carl hatte eine kurze, unruhige Nacht verbracht und kam schon zu dieser frühen Stunde zu den Carrs. Er kümmerte sich zuerst um die Welpen.

Kate genoß es, so früh auf zu sein. In der Ferne hörte man das Scheppern der Milchkannen, die ausgefahren wurden.

Dann fing auch schon bald das Telefon an zu bimmeln, weil tausend Leute Ann Carr für diesen schwierigen Tag Glück wünschen wollten.

Ann freute sich über jeden einzelnen Anruf, der ihr den Rücken stärkte. Alan machte sich immer noch Gedanken über seine fragliche Diagnose, und seine Antworten auf irgendwelche Fragen bestanden nur aus einem Grummeln.

Ein wichtiger Tag war angebrochen. Ein Tag, der schon seit Wochen einen dunklen Schatten auf alles warf, was die Tierarztfamilie betraf.

Wenn alles gutgeht, fängt ab morgen ein neues Leben an! dachte Carl, als er zum Frühstück nach Hause ging. Gran wartete dort schon eine halbe Stunde auf ihn.

7

Die Morgensprechstunde übernahm Ann. Es fiel ihr schwer, sich vor dem Gerichtstermin auf ihre Arbeit zu konzentrieren. Außerdem war es ihr grundsätzlich unangenehm, öffentlich aufzutreten. Carl half ihr nach Kräften und machte dabei die erstaunliche Beobachtung, daß die unbemittelten Leute die wertvollsten Stammbaum-Hunde besaßen und die wohlhabenden eher abenteuerliche, meist irgendwo aufgelesene Mischlinge.

Dad riet Kate, vorerst noch auf einen Ritt mit Sheppie zu verzichten. Das Pony sollte sich wenigstens einen Tag lang an sein neues Zuhause gewöhnt haben und neu beschlagen werden.

So führte Kate Sheppie und Abraham auf die Weide und beobachtete, wie sie Freundschaft schlossen. Die Zeit schien stillzustehen. Alles schien nur den Abend herbeizusehnen.

Irgendwann erschien auf einmal Helen und gestand Kate, daß sie vor Angst die ganze Nacht nicht geschlafen hätte. Essen wollte sie auch nichts, weil ihr übel war. Aber Sheppie gefiel ihr sofort, und sie beglückwünschte Kate immer wieder zu ihrem Pony. Dann reinigten Helen und Kate in der Küche zusammen den Sattel und das Zaumzeug. Dabei geriet zu Tante Cloes Ärger die Sattelseife in den neuen Pudding, den sie gerade komponierte. Als Tante Cloe deswegen fast an die Decke ging, kicherten die beiden Mädchen mit Verschwörermiene.

Dann mußten Dad und Mum sich auf den Weg ins Gericht machen. Alan trug, dem offiziellen Auftritt bei Gericht angemessen, seinen besten Anzug und holte den Spazierstock hervor, auf den er immer weniger angewiesen war. Dann rief er Simon, der ihn und Ann im Wagen fahren sollte. Auch Ann hatte sich für ihren „Auftritt" herausgeputzt. Sie wirkte seltsam fremd in einem Kostüm, das sie seit Jahren nicht getragen hatte, ihrem unmodernen Hut und einem Aktenordner unterm Arm.

Kaum waren sie weg, tauchte Ivor auf. Einsam wie immer, bat er in der Küche um Kaffee und zündete seine Pfeife an, obwohl er wissen mußte, daß sie Tante Cloe zur Verzweiflung brachte.

Carl gesellte sich dazu und übernahm schon bald die Unterhaltung. Er fragte den altgedienten Tierarzt über seine Erfahrungen aus, zu denen Ivor jede Menge Anekdoten wußte.

Tina blieb mit Becky in ihrem Zimmer. Sie las und wünschte, die Zeit würde schneller vergehen.

Vor dem Gerichtsgebäude in der Stadt hatte sich eine kleine Menschenmenge versammelt. Die Carrs waren wieder einmal spät dran, so daß das Ehepaar Ward mit seinem Anwalt zuerst Einzug hielt. Mit frisch gewaschenen Haaren und sauberen Nägeln sahen sie ganz verändert aus. Ihre Kleidung roch nach Mottenpulver. Ein paar Getreue riefen ihnen „Viel Glück!" hinterher, und Joseph brüllte: „Nieder mit den Carrs!"

Carl, der sich von Ivor losgeeist hatte, steuerte per Fahrrad den Marktplatz an, auf dem das stattliche, säulenverzierte Gerichtsgebäude stand. Der Tag war schon lang und angefüllt genug gewesen, aber sein schwierigster Teil stand vermutlich noch bevor, darüber war er sich klar. Er wäre gern mit hineingegangen, wollte Ann schnell noch Glück wünschen, aber die Saaltüren waren bereits geschlossen.

Als Joseph Carl bemerkte, schrie er aufs neue „nieder mit den Carrs!" Aber als Carl sich auf ihn stürzen wollte, floh er und wand sich so geschickt durch die Menge, daß Carl angewidert an eine aufgescheuchte Ratte denken mußte.

Mit der Zeit gingen die Menschen vor dem Gerichtsgebäude auseinander. Carl hörte noch, wie jemand sagte: „Hoffentlich kriegt sie ihr Recht!"

Kaum waren die Schaulustigen weg, erschienen die Fotoreporter. Aber auch für sie blieben die Saaltüren geschlossen. Nach einer halben Stunde machte sich Carl auf den Rückweg.

Die Zeit verstrich, und Ann und Alan waren immer noch nicht zurück. Carl hatte Magenbeschwerden vor Nervosität. Er malte sich aus, wie Ann als Angeklagte vor Gericht stand und versuchte, sich zu verteidigen, wie der Anwalt der Gegenpartei für alles nur ein spöttisches Lächeln übrig hatte, wie er jedes ihrer Worte so lange drehte und verdrehte, bis das Gegenteil von dem herauskam, was sie sagen wollte. Und die ganze Zeit sagte ihm eine andere Stimme, daß so etwas unmöglich passieren konnte, weil sie unschuldig war.

264

Carl kaute an seinen Nägeln und jagte die Welpen im Hof herum, bis sie müde waren, ließ aber nie den Hauseingang aus den Augen, damit er Ann sofort entgegenlaufen konnte.

Simon, der wieder zurückgekommen war, nachdem er Ann und Alan vor dem Gericht abgesetzt hatte, schien auch nervös zu sein. Er kam immer wieder zu Carl und fragte: „Was Neues?" Als Carl zum dritten Mal verneinen mußte, murmelte er vor sich hin: „Keine Neuigkeiten sind besser als schlechte! Fragt sich nur, warum das so lange dauert."

„Ich dachte, der Fall wäre schon vorher entschieden gewesen?" fragte Carl beunruhigt.

„Das ist ein Fall nie", antwortete Simon.

In seiner Vorstellung sah Carl schon das Schlimmste auf Ann zukommen: das Verbot, weiterhin ihren Beruf als Tierarzt auszuüben.

Schließlich kam auch Tina herunter und fragte: „Warum ist sie noch nicht zurück?"

„Ich weiß es nicht. Ich weiß auch nicht, wie lange solche Verhandlungen dauern können und dürfen. Ich war noch nie bei Gericht." Carl zuckte hilflos mit den Schultern.

„Ich hätte nie gedacht, daß dir das Ganze so wichtig ist", stellte Tina fest.

„Wieso nicht? Diese Praxis ist mein Leben!" schrie Carl sie an und verlor dabei die Beherrschung.

Gegen drei Uhr hatte Tante Cloe angefangen zu trinken, um ihre Nerven zu beruhigen, wie sie sagte. Und Helen war noch einmal völlig erledigt und blaß gekommen, um sich nach Becky zu erkundigen. Seit dem Frühstück hatte keiner von ihnen mehr etwas gegessen.

Als Ann dann endlich kam, ließen sie alle ihren Kaffee und Tee in der Küche stehen, stürzten sich auf sie und überschütteten sie mit Fragen: „Hast du gewonnen?" und: „Was war los?" und: „Warum hat es so lange gedauert?" und: „Wo ist Dad?"

„Ich habe auf dem Rückweg noch bei Martha vorbeigeschaut und konnte mich nicht losreißen", antwortete Ann. „Aber es ist alles in Ordnung. Ich bin unschuldig, und die Wards werden die Kosten tragen müssen."

Helen wurde noch blasser, als sie ohnehin schon war, weil sie wußte, daß die Wards niemand irgend etwas zahlen konnten. Alle anderen aber brachen in Jubelgeschrei aus.

Tante Cloe gab Ann einen Kuß und schrie: „Das muß begossen werden!" Sie machte die Flasche Champagner auf, die Alan für Mums Geburtstag aufgehoben hatte.

Dann kam auch Dad hereingehinkt. Er war nach der Gerichtsverhandlung gleich zu einem Patienten gerufen worden und kam fast um vor Hunger. Alle erhoben ihre Gläser und tranken auf Ann.

Alle außer Helen, die in einer Ecke saß und wußte, daß es eigentlich keinen Grund zu feiern gab: Nun würde der Krieg mit der Reitschule erst richtig anfangen! Die haben ja keine Ahnung! dachte sie, bevor sie sich unbemerkt davonstahl und nach Hause lief. Dort empfing ihre Mutter sie mit der Nachricht, Diane habe angerufen und müßte sie dringend sprechen. Helen äußerte sich nicht dazu. Sie ging ins Wohnzimmer und stellte den Fernsehapparat an, aber auf dem Bildschirm sah sie nicht das laufende Programm; sie sah Joseph und seinen älteren Bruder, wie sie auf einem Motorrad bei ihr auftauchten und ihr mitteilten: „Wir wissen, warum du Becky freigelassen hast!" Und es wäre nutzlos, ihnen zu erklären, daß Becky todkrank war; das war ihnen doch egal. Helen wußte, warum sie sich jetzt so vor ihnen fürchtete.

Bei den Carrs brachte Carl später die Welpen ins Haus. Ann hatte erzählt, sie hätte zwei weitere Abnehmer für sie gefunden, die sie bald haben wollten. Dad war auf seinem Stuhl eingeschlafen. Tina und Carl machten sich im Wohnzimmer ein bißchen Musik und tanzten, was die Welpen veranlaßte, unter schrillem Gebell die Treppenstufen rauf und runter zu jagen. Alle außer Dad gingen nach einer Weile nach draußen, um die Tiere für die Nacht zu versorgen.

Ein milder Westwind hatte die Kaltluft vertrieben. Ann nahm sich seit Monaten einmal wieder die Zeit, zu helfen. Sie hielt sich sogar damit auf, ein fachärztliches Auge auf Sheppie zu werfen und mit ihm zu reden und die Gänse in ihr Nachtlager zu treiben. „Ich fühle mich so befreit!" erklärte sie lachend.

Tina sagte ihr, daß es ihnen allen so ging. „Wir haben uns solche Sorgen um dich gemacht", gestand sie.

„Werden die Wards viel zu zahlen haben?" fragte Kate, als sie wieder ins Haus gingen.

„Ziemlich viel", sagte Mum, „aber das ist ihr Problem."

Carl fragte, ob sie irgendwelche Mittel hätten, und alle waren sich einig, daß es da nichts gab.

Simon, der die Abendsprechstunde abhielt, rief Ann anerkennend zu: „Gut gemacht, Ann! Ich bin ganz weg! War's arg schlimm?"

„Nicht so sehr. Die Warterei war das schlimmste, der Rest lief fast von allein", antwortete Ann.

Carl betrachtete sich die Lampen, die den Praxis-trakt erhellten und die verwitterten Holzschindeln auf dem Stalldach und das heimelige alte Haus und dachte, daß er nichts auf der Welt jemals mehr lieben könnte als dies alles hier. Er hatte gar keine Lust, nach Hause zu gehen, obwohl er Gran gute Nachrichten zu bringen hatte und wußte, daß der Tisch für ihn gedeckt sein würde.

Als Ann ihn zum Abendbrot einlud, lief er dann doch schnell zu Gran und sagte: „Ich esse bei den Carrs zu Abend, in Ordnung?" Und wie gewohnt, beklagte sich seine Großmutter, daß sie von Tag zu Tag weniger von ihm zu sehen bekäme. Er erzählte, wie Anns Gerichts-verhandlung ausgegangen war, wusch sich, zog sich um und ging zu den Carrs zurück, wo durch Anns Frei-spruch auf einmal alles heller erschien. Selbst der Him-mel schien sich langsamer zu verdunkeln, die Straßenla-ternen malten goldene Kringel aufs Pflaster, und der warme Wind ließ Frühling ahnen.

Als er hereinkam, war das Haus voller Menschen. Ann Carrs Freispruch war in den Lokalnachrichten gemeldet worden, und alle wollten mit Ann feiern. Als endlich der letzte gegangen war und Dad von einer erfrischenden Schlafpause aufstand, setzten sie sich zu einem Festschmaus zusammen, der sich lange hinzog. Kate schwärmte von Sheppie, Tina redete von Becky. Carl fragte, wann er Airy haben könnte, den größten der Welpen, der ihm schon lange versprochen worden war. Ann verschob ihre Antwort auf den nächsten Tag. Dann erzählte sie ihnen, daß die alte Frau, der die Welpen und alle anderen Tiere in dem heruntergekommenen Haus gehört hatten, im Krankenhaus verstorben sei und daß bereits die Verwandtschaft aufgetaucht war, um das Haus abreißen zu lassen und den Baugrund zu verkaufen.

Wenn Tina an das verwahrloste Haus und die schrecklich vernachlässigten Tiere darin dachte, tat es ihr nicht leid um die alte Frau. Sie fragte sich aber auch, warum die Verwandtschaft sich um nichts gekümmert hatte, als die alte Dame noch lebte.

In der Reitschule war niemand nach Feiern zumute. Irene Ward rauchte noch mehr als sonst und stritt sich mit ihrem Mann. Jim Ward schrie die Pferde an und behandelte die Helfer schlecht. Der Heuvorrat ging zur Neige, und das Haferfaß war leer. Für die Streu blieb kein Stroh übrig, bestenfalls eine Kiste Hobelspäne für drei Boxen. Smoky, ein kleines graues Pony, hätte einen Tierarzt gebraucht, aber nun würde keiner mehr zu ihnen kommen, und so blieb die Wunde an seiner Fessel so gut wie unbehandelt. Die Schäferhunde knurrten bissig, und die Katzen fauchten sich gegenseitig an.

Die Helfer rotteten sich zusammen, um Rachepläne zu schmieden. Wie üblich war der rothaarige Joseph der Anführer. Er wollte Helen in seine teuflischen Pläne einbeziehen. Wild gestikulierend lief er im Heuschober hin und her.

„Das Gesetz dürfen wir nicht brechen", warnte Diane.

„Laß Helen aus dem Spiel", bat Sally. „Tinas Hund war wirklich sterbenskrank, sie hat ihm das Leben gerettet. Und mit einem toten Hund hätten wir niemand erpressen können!"

Das Telefon der Wards schwieg. Es rief fast niemand mehr an. Diane mußte mit ansehen, wie ein Pony nach dem anderen verkauft wurde, und weinte innerlich. Sally beobachtete mit Bitterkeit, wie Helen und Kate wieder Freundinnen wurden.

In Josephs fiebriger Phantasie ging das ganze Anwesen der Carrs in Flammen auf, und die Sirenen der Feuerwehrautos schrillten unheilvoll. Aber in seinen ruhigeren Phasen mußte er sich sagen, daß die Reitschule auf diese Weise auch nicht zu retten war. Dann wieder malte er sich aus, wie die großen Ferien ohne die Reitschule aussehen würden. Er hätte nichts zu tun und nichts, wo er hingehen könnte. Er würde sterben vor Langeweile. Beacons Tod kam ihm ins Gedächtnis und Irene Wards Tränen, die Preise, die er bei den Turnieren der Reitschule gewonnen hatte.

Er verspürte den brennenden Wunsch nach Rache. „Von jetzt an ist nur noch der offene Kampf angesagt!" tönte er. „Keine Briefe mehr, keine Bettelei, nur noch Kampf!" Er kam sich vor wie ein kommandierender General.

„Was würde das nützen?" fragte Diane. „An dem

Gerichtsurteil kannst du nicht rütteln. Anstatt gegen die Tierärzte loszuziehen, sollten wir lieber Geld für die Reitschule sammeln, siehst du das nicht ein, Joseph? Was die Wards jetzt brauchen, ist eine Geldspritze." Der Ausdruck stammte nicht von ihr, sondern von ihrem Vater.

„Hört euch das an!" rief Sally.

„Sie haben Beacon auf dem Gewissen, und kein Haar ist ihnen dafür gekrümmt worden", argumentierte Joseph, aber da kam Jim Ward und wies sie an, die Wassertroge und die Heunetze aufzufüllen, aber nicht zu großzügig. Seine Nase glich auf einmal noch mehr einem Geierschnabel, und sein Blick war so stechend, daß Diane plötzlich ganz ängstlich zumute wurde.

Einzig für Joseph war er noch immer der Held, der sich gegen das geldgierige Pack von Tierärzten und Großbauern auflehnte. Die Rachsucht ergriff immer mehr von ihm Besitz, während Diane und Sally die letzten Heuvorräte gleichmäßig unter den Pferden aufzuteilen versuchten, deren magere Hälse sich immer weiter aus den Halbtüren reckten und deren Augen weit aufgerissen waren.

Draußen auf dem Feld gab es Streit unter den Ponys: Jedes kämpfte darum, als erster am Gatter zu sein, um eine Portion Heu zu ergattern. Diane fand, daß sie sich noch nie so gierig aufgeführt hatten.

„Wie hoch sind denn die Gerichtskosten?" fragte sie, während sie Heu auf eine Schubkarre lud. Niemand schien das zu wissen. „Wir könnten doch einen Flohmarkt zugunsten der Reitschule veranstalten", fiel ihr als nächstes ein, aber auch daran schien keiner interessiert zu sein. „Ich finde, wir sollten niemand Schaden zufügen", äußerte Diane sich schließlich deutlich und schob die Karre Richtung Feld.

„Und warum nicht? Was ist mit dem Schaden, den sie uns zugefügt haben? Das angezündete Heu? Und Beacon?" schrie Joseph ihr hinterher. Und mit Joseph legte man sich besser nicht an, weil er dann Tobsuchtsanfälle bekam und mit harten Gegenständen warf und Eimer durch den Hof kickte.

Diane sah ein, daß von diesem Tag nichts mehr zu erwarten war, und mühte sich ab, die Heukarre durch das enge Gatter zu zwängen. Daß Smoky humpelte, schnitt ihr ins Herz. Aber noch mehr schmerzte es sie, daß sie nichts tun konnte, weder gegen den Geldmangel der Wards noch gegen den schrecklichen Zustand der Reitschule noch gegen Smokys Lahmen.

„Nun können wir endlich das Geld eintreiben, das die Reitschule uns schuldet", sagte Alan Carr, der endlich einmal in Ruhe im Wohnzimmer saß. „Und die Wards sollen nur keinen Nachlaß von mir erwarten!"

„Hat das einen Sinn, wo sie doch kein Geld haben?" fragte Ann.

„Ja, hat es", erwiderte Alan.

„Dann werden sie Bankrott anmelden müssen und sich neue Gemeinheiten ausdenken."

„Na und? Sie schulden uns Geld, das wir dringend brauchen, oder nicht?"

„Was ist mit den Kindern, die dort reiten?" Mum schien ernstlich besorgt um sie zu sein.

„Sie können auch woanders reiten", sagte Dad.

„Aber was wird aus den Pferden?"

„Das ist nicht unser Problem", wehrte Dad ab. „Das müssen sie selbst wissen."

Am nächsten Morgen wollte Tante Cloe sie tatsächlich verlassen. Und Kate fing schon jetzt an, sich vor dem neuen Schuljahr zu ängstigen, das trotz ihrer guten Vorsätze wie ein einziger langer Alptraum vor ihr lag. Was Carl betraf, so wußte er nicht recht, ob er sich über die Entwicklung der Dinge freuen sollte oder nicht. Mochte seine Großmutter es „Schicksal" oder „Gottes Wille" nennen, in seinen Augen entschied jeder Mensch selbst über sein Leben.

8

Kate durfte immer noch nicht reiten, weil der Hufschmied Sheppie noch nicht neu beschlagen hatte. Carl nahm Airy mit nach Hause, wo der Hund sofort anfing, durchs ganze Haus zu fegen und die Läufer zu verwursteln. Er probierte seine Zähne an Grans Flauschpantoffeln aus, ribbelte ihr Strickzeug auf und klaute ihr die Margarine. Die recht groß geratene, vorwiegend helle Kreuzung war eines dieser Energiebündel, die nicht länger als ein paar Sekunden stillhalten konnten. Airy trieb Gran aus dem Haus und Carl gelegentlich zur Verzweiflung.

Um Helen aufzumuntern, hatten ihre Eltern schließlich erlaubt, daß sie Libby bekam, die Kleinste aus diesem Wurf. Helen selbst argumentierte allerdings damit, daß aus Libby einmal ein großer Wachhund würde, der das Postamt bewachen könnte. Auch Carl hatte seiner Großmutter eingeredet, wie sinnvoll ein solcher Beschützer sich eines Tages gerade für sie erweisen könnte. Vorläufig war jedoch noch keiner der beiden Welpen fähig, irgendwen vor irgend etwas zu bewahren.

„Nimm Airy doch mit zum Einkaufen, Gran!" ermunterte Carl seine Großmutter. Aber mit Hund und Einkaufen auf einmal wurde Gran nicht fertig, und außerdem war in den meisten Läden Hundeverbot. Und draußen vor den Supermärkten gab es nicht mal die Möglichkeit, Airy anzubinden. Also zog Gran es vor, immer mehr Zeit bei ihrer Freundin Alice zu verbringen, die in der Nähe wohnte.

Libby schaffte es irgendwie, ins Postamt zu gelangen, wo sie auf ihre chaotische Weise über ein Paket herfiel. Für den Ärger, den es darüber gab, hielt sie sich später, als keiner aufpaßte, an einer Platte voll frischer Plätzchen schadlos, und anschließend buddelte sie die ersten Triebe im Garten aus.

Helen gab sich alle Mühe, soviel wie möglich auf Libby aufzupassen, und entschuldigte jeden neuen Zwischenfall damit, daß es doch noch ein sehr kleiner Hund sei, der sich ganz bestimmt bald bessern würde.

Als Scorpy zu seinem neuen Besitzer und dessen fünf Kindern kommen sollte, nahm Carl Airy mit. Ann meinte, daß er in ideale Verhältnisse käme. „Da gibt es freien Auslauf, wohin man sieht, und Mrs. Paget versteht wirklich etwas von Hunden", sagte sie.

Kate kam auch mit. Es war ein altmodischer Hof mit schmutziger Einfahrt und lautem Rindergebrüll im Hintergrund. Auf einem Torpfosten saß ein Hahn, der in regelmäßigen Abständen krähte, während ein anderer am Boden die Hennen jagte.

Bis hierher ist der Wohlstand auch noch nicht vorgedrungen! mußte Carl denken. Zwar gab es auf dem Acker ein paar Schweine und einen Schuppen mit Schafen, und überall liefen Hühner herum, aber er fragte sich, wie die Pagets damit genügend Geld zum Leben verdienen konnten. „Ich dachte, so was geht nur mit Zusammenschlüssen, also wenn die Tiere mehreren Haltern gemeinsam gehören", sagte Carl.

„Ich glaube, um Geld machen sich die Pagets wenig Gedanken", antwortete Ann.

Ein alter Mann schaufelte gerade Mist auf einen Dungwagen, und über eine der Stalltüren lugte ein altes Arbeitspferd. Auch von den Pagets hatten die Carrs noch eine Menge Geld zu bekommen, was ihnen in Form von frischen Eiern abgezahlt wurde. Vier Dutzend hatten sie schon bereitgestellt. „Nächste Woche kriegen Sie noch mehr", erklärte Mrs. Paget und gab Ann eine Tragetüte.

Drei der Kinder liefen kreischend vor Freude mit Scorpy davon. Die Sonne kam heraus und ließ den ungepflegten Hof gleich freundlicher erscheinen.

„Es ist so ein friedlicher Flecken", meinte Kate gerade, als für Ann über Autofunk eine Nachricht kam, daß sie an einem Ort namens Long Acres gebraucht würde. „Eine Mrs. Bateman hat angerufen und sich total aufgelöst angehört", sagte Rachel.

Während sie nach Long Acres fuhren, überlegten sie, wie sie vier Dutzend Eier in einer Woche verbrauchen sollten. Tante Cloe war ja nun weg. „Sie hat so viele Eier verbraucht, daß ich dachte, wir müßten uns eigene Hühner anschaffen", sagte Mum lachend. Kate vermißte Tante Cloe und ihre Kuchen. Aber viel schlimmer wäre es für sie, wenn es keinen Sheppie gäbe, der sie freudig begrüßte, wenn sie in seine Nähe kam.

Mum kannte Long Acres. „Paßt in die Landschaft wie die Faust aufs Auge", mokierte sie sich. „Überall Spiegelglas und Gartenzwerge und ein künstlicher Teich mit einem Fischer aus Plastik", zählte sie auf.

Kate sah auf ihre Uhr. „Es ist schon fast halb zehn,

276

und um elf bin ich mit Helen verabredet", sagte sie. „Können wir nicht erst zu Hause vorbeifahren?"

„Kommt überhaupt nicht in Frage!" erklärte Ann mit Bestimmtheit.

Kate schwieg gekränkt vor sich hin. Die Sonne zog sich hinter Wolken zurück. Airy knabberte an Carls Schnürsenkeln. Carl war traurig, daß er Scorpy nicht mehr hatte Lebewohl sagen können. Das war eine der Schattenseiten des tierärztlichen Berufes: nie blieb einem Zeit, zu verweilen und zu beobachten, einfach den Wolken nachzusehen, die über den Himmel fetzten, sich klarzumachen, wie viele hundert Jahre die hohen Bäume dort schon gediehen, ein Stück Weltgeschichte zu begreifen. Ob man wollte oder nicht – der nächste Fall mußte schleunigst behandelt werden!

Das Haus in Long Acres war aus rotem Backstein. Bäume gab es nirgends. Mit seinen gläsernen Dachplatten, die Sonnenenergie speichern sollten, stand es ziemlich verloren da. Sobald sie die beiden schmiedeeisernen Gartentore passiert hatten, erschien eine große, schlanke Frau an der Haustür.

„Gott sei Dank, daß Sie da sind!" rief sie.

„Wo sollen wir hin? Besteht Lebensgefahr?" fragte Ann, noch während sie aus dem Transporter sprang, gefolgt von Carl, der ihre Arzttasche trug.

„Alle sind krank! Übrigens, wir heißen Bateman, aber nennen Sie mich Jill", sagte Mrs. Bateman. „Ich weiß wirklich nicht, wo ich anfangen soll. Sehen Sie, ich habe mir dieses Buch aus der Bibliothek geholt und angefangen darin zu lesen. Und plötzlich wurde mir klar, daß Posy, mein Cockerspaniel, Flöhe hat und außerdem Geschwüre und eingewachsene Krallen. Und was noch schlimmer ist: die Ziege Gertie hat ein entzündetes Euter, und mein Pony Beechnut scheint zu koppen."

„Fangen wir mit dem Pony an", entschied Ann.

Der ziemlich dicke Beechnut lag auf einer kleinen gepflegten Weide. Mum klatschte in die Hände, und nach einem kurzen Moment erhob er sich langsam und streckte seine Hinterbeine und warf dabei wild den Kopf auf. Mrs. Bateman schrie: „Sehen Sie! Da haben Sie es! So geht es ihm jedesmal, wenn er aufstehen will! Das ist doch sicher der Anfang vom Ende, oder?" Wie sie da so stand und mit den Armen ruderte und der Wind ihre langen Haarsträhnen in alle Himmelsrichtungen blies, erinnerte sie an einen langhalsigen Vogel.

Carl fing an zu lachen. Er wußte, daß er das eigentlich nicht sollte, aber er konnte sich nicht beherrschen. Ann warf ihm einen vorwurfsvollen Blick zu, bevor sie sagte: „Das ist ganz in Ordnung so, Jill, das Tier will sich einfach nur strecken, weiter nichts. Aber ich fürchte, er frißt zuviel, also lassen Sie jetzt mal eine Weile die Leckerlis weg!" Ann sprach in der Stimmlage, mit der sie für gewöhnlich die Tiere besänftigte.

„Woher wissen Sie das mit den Leckerlis?"

„Da hier nirgends ein Fitzelchen Heu herumliegt, muß er sich wohl an etwas anderem satt fressen", antwortete Ann. „Und Sie sind der typische Abnehmer für solches Futter."

Kate hätte gern gefragt, woran ihre Mutter das merkte. Aber die war schon auf dem Weg zu Gertie, der Ziege. „Wo ist denn ihr Zicklein?" fragte Mum.

Jill Bateman erklärte, daß ihr Mann es zum Schlachter gebracht hätte. „Es war ein Bock", ergänzte sie betrübt und wischte sich die Augen.

„Sie braucht eine Medizin, die die Milchproduktion stoppt", sagte Mum. „Ich habe ein Pulver dabei."

Die Mutterziege blökte erbärmlich. Mrs. Bateman erzählte ihnen, daß sie so erregt sei, seit man ihr das Böckchen weggenommen hätte. Als nächstes verlangte sie nach einem Beruhigungsmittel und etwas zum Aufheitern. „Ich weiß, wie man unter so einer Trennung leiden kann!" erklärte sie.

Carl konnte sich nur mit Mühe das Lachen verkneifen. Ann erfüllte Mrs. Batemans Wünsche soweit wie möglich.

Kate dachte daran, daß Helen jetzt an der Straßenecke auf sie wartete. „Merkst du nicht, daß die spinnt? Beeil dich, Mum!" flüsterte sie ihr zu.

Posy war eine bissige kleine Hündin. Sie hatte tatsächlich ein kleines Geschwür im Ohr, das aber eher ein harmloser Pickel war. Flöhe konnte Mum nicht finden. Sie gab Mrs. Bateman Tropfen für Posys Ohren. Dann schnitt sie der Hündin noch die Krallen und riet, sie häufiger auf Pflaster laufen zu lassen, weil sich die Krallen dabei ganz von allein abfeilen würden.

Es war offensichtlich, daß Mrs. Bateman sie nicht fortlassen wollte. In Windeseile zauberte sie Kaffee herbei, der noch zu heiß zum Trinken war, und hörte nicht auf zu reden. Mum mußte sich anhören, daß ihr Mann sie verlassen hatte. „Jetzt habe ich nur noch die Tiere. Wahrscheinlich halten Sie mich für verrückt, daß ich mir so viele Sorgen um sie mache?" fragte sie.

„Besser zuviel als zuwenig, aber nächstes Mal brauchen Sie es nicht so dringend zu machen", erwiderte Ann lächelnd und pustete in ihren zu heißen Kaffee.

„Ich freue mich so, daß Sie den Prozeß gewonnen haben", sagte Jill Bateman als nächstes. „Die Bruchbude der Wards gehört endlich geschlossen!"

Ann war zu höflich, um ihren Kaffee stehenzulassen. Kate verbrannte sich die Lippen, weil sie ihren so hastig herunterstürzte.

„Ich werde Sie nur noch belästigen, wenn es sein muß", versprach Mrs. Bateman, während sie sie hinausbegleitete. „Aber um seine Tiere muß man sich eben ständig Sorgen machen, nicht wahr?"

„Nicht generell. Aber vielleicht sollten Sie lieber auf die Tips aus diesem Buch verzichten. Rufen Sie mich an, wenn Sie Fragen haben. Im Gegensatz zu Rechtsanwälten berechnen wir telefonische Auskünfte nicht", sagte Ann, während Kate an ihrem Arm zerrte, um sie von Long Acres und Jill Bateman wegzukriegen, und Carl schon den Wagen anließ. Noch am Auto mußte Ann sich von Jill anhören, wie wenig Geld sie hatte und daß sie ihren Mann auf eine Million Pfund zu verklagen gedächte. Fortwährend plappernd lehnte sie sich an den Transporter, bis Ann Carl vom Fahrersitz schubste und erklärte: „Ich muß weiter!" Als sie endlich wendete, war es schon fast Mittagszeit. „Ich werde Ihnen nie vergessen, daß Sie so freundlich waren", rief Mrs. Bateman ihnen hinterher.

Kate befürchtete, daß Helen inzwischen längst enttäuscht nach Hause gegangen war. Warum hatte Mum diese närrische Person nur soviel quasseln lassen?

„Warum bist du so lange geblieben, wo du doch wußtest, daß Helen wartet?" beschwerte sie sich, sobald sie durch das schmiedeeiserne Tor waren.

„Weil das zu meiner Arbeit gehört."

„Die Quasselei?"

„Ja, die auch. Man könnte es auch Interesse nennen", sagte Mum.

„Vielleicht solltest du das auch gelegentlich an mir haben!" schimpfte Kate.

„Das habe ich immer."

„Nun hör schon auf, Kate", mischte Carl sich ein. „Ann tut wirklich ihr Bestes."

„Mum, das glaubst du doch selbst nicht", fuhr Kate unbeirrt fort. Sie liebte ihre Mutter mehr als alle anderen, und darum litt sie am meisten darunter, daß für Mum immer zuerst die Arbeit kam und dann die Familie. „Ich sollte dir wichtiger sein als so eine Jill Bateman!" setzte sie wütend obendrauf.

Aber Mum bremste plötzlich scharf. „Seht mal da drüben! Ist das eine Henne?" fragte sie, stieg aus, hob vom Straßenrand eine benommene weiße Henne auf, die nach Kot stank und einen blassen Kehllappen und verkrampfte Beine hatte.

„Die ist doch tot", stieß Kate hastig hervor.

„Ist sie nicht. Scheint auf dem Weg zur Fabrik vom Laster gefallen zu sein, das arme Geschöpf. Typisches Batteriehuhn! Ich nehme es mit nach Hause!" erklärte Ann entschieden. Carl mußte schon wieder lachen; dieser Vormittag war doch zu närrisch!

„Dann fallen unsere Gänse über sie her", unkte Kate.

„Dieses arme Ding sperre ich doch nicht zu den Gänsen", antwortete Mum und fuhr wieder an. Sie spürte, daß ihre Einstellung von Tag zu Tag „grüner" wurde. Sie fing an, bei Bauern mit Legebatterien oder Massentierhaltung keine Besuche mehr zu machen. Wie Kate hatte sie sich abgewöhnt, Fleisch zu essen und war schon fast Vegetarierin. Alan und Simon fuhren zu den größeren Höfen, während sie sich auf Pferde und Kleintiere spezialisierte, aber auch da machte sie sich gelegentlich unbeliebt, weil sie den Haltern sagte, daß ihre Hunde mehr Bewegung brauchten oder den Reitern, daß ihre Pferde keine Springautomaten seien.

„Mrs. Batemans Tiere waren überhaupt nicht richtig krank, also hättest du mich ruhig erst noch heimbringen können", nörgelte Kate wieder. „Und was ist, wenn inzwischen auch der Hufschmied da war und ich nicht?"

„Das wäre Pech", antwortete Mum.

Als sie dann aber zu Hause ankamen, wartete dort Helen mit Libby. Sie erzählte, daß sie ihren Warteposten an der Kreuzung vor etwa einer Stunde aufgegeben hätte.

Mum trug die Henne in den Hinterhof und stellte ihr ein Schälchen Wasser und ein paar Körner hin. Aber die Henne wollte sich nur irgendwo im Dunkeln verstecken. „Wie ein Zombie!" alberte Carl.

Als die Katzen die Henne anfauchten, wurden sie verscheucht und ins Wohnzimmer gesperrt. Auch Bekkys neugierige Attacke wurde gleich abgeblockt. „Dieses Tier muß einen traurigen Namen bekommen", meinte Mum. Und dann: „Zu Mittag gibt es nur Käse-brötchen, fürchte ich."

Becky vermißte Bambi, Kate vermißte Tante Cloe. Nur Tante Cloes Wellensittich vermißte niemand. Helen rief bei ihren Eltern an, daß sie über Mittag bei Carrs bliebe. Dann erzählte sie Kate und Ann, daß die Reitschule bankrott wäre und aufgelöst würde. Und daß Diane ihr gesagt hätte, Joseph plane einen fürchterlichen Racheakt. Kate stand vor Entsetzen jedes einzelne Haar zu Berge, während ihre Mutter alles als kindische Panikmache abtat. Dann kam Dad nach Hause und mußte enttäuscht feststellen, daß es kein warmes Essen gab. „Und was tut dieses dumme Huhn in unserem Hof?" fragte er. „Eine gute Reklame ist das wirklich nicht für uns!"

„Die Henne gehört mir, ich habe sie Shadow getauft. Und ich will versuchen, ihre Beine wieder gerade zu kriegen und ein bißchen Farbe in die Lappen zu bringen", antwortete Mum.

„Sie ist unterentwickelt und krank!" stellte Dad fest.

„Ist sie nicht. Sie muß eine Batteriehenne sein, die vom Transporter gefallen ist. Du mußt doch wissen, daß Hühner aus Legebatterien morsche Knochen haben und nicht mit den Flügeln schlagen können und nie in ihrem Leben erfahren haben, was ein Sandbad ist. Ich will einfach sehen, ob es möglich ist, sie wieder in das umzuwandeln, was sie von Natur sein sollte: eine lebhafte Henne mit geraden Beinen, die brütet und ihre Brut auch versorgen darf!" Mum geriet ins Schwärmen.

„Wenn sie Küken haben soll, muß du zuerst einen

Hahn anschaffen", sagte Dad und fing an zu lachen. Seine schlechte Laune war verflogen.

Kate hörte sich das alles an und dachte: Keiner von ihnen will wahrhaben, daß wir auf einem Pulverfaß sitzen!

Als Helen später nach Hause ging, sträubte Libby sich gewaltig. Carl hatte es mit Airy leichter.

Kaum waren sie weg, rief Sarah an und erzählte, daß sie ziemlich häßliche Gerüchte gehört hätte. „Soll ich heute nacht bei dir bleiben, Kate?" erbot sie sich. „Ich tue es gern!"

„Nein danke, es geht schon so", wehrte Kate schnell ab. „Aber was denn für Gerüchte?"

„Es heißt, daß Joseph sich eine Bande zusammentrommeln will, deren einziges Ziel es sein soll, euch zu schaden", erzählte Sarah. „Ich glaube, er ist deshalb so total ausgerastet, weil die Reitschule nun bald verkauft werden soll. Ich meine wirklich, ihr solltet heute Nacht aufbleiben. Ich könnte herüberkommen und euch helfen. Wir könnten abwechselnd Wache halten."

„Das ist nett von dir, aber wir schaffen das schon allein. Ich werde Tina und Carl Bescheid sagen. Und vielen Dank für den Anruf!" sagte Kate.

Als Kate den Hörer auflegte, fror sie vor Angst. Aber als sie den anderen von Sarahs Anruf erzählte, nannte Mum es wieder nur Panikmache. Dad meinte, er müßte ohnehin die halbe Nacht über seiner Abrechnung sitzen, und sie sollte nicht vergessen, daß das alles noch Kinder seien. Keiner von beiden hörte sich wirklich besorgt an.

„Es ist die Wahrheit", beharrte Kate. „Wenn Joseph

so etwas plant, muß man es ernst nehmen. Und ich nehme es ernst, sehr ernst sogar. Begreift das doch!"

Aber in diesem Moment klingelte das Telefon, und fünf Minuten später waren beide Carrs unterwegs, um einen Hund zu retten, der von einer Meute angefallen worden war. „Keine Angst, wir sind bald zurück", rief Mum noch über die Schulter. „Sagt Carl, daß er herkommen soll", rief Dad.

Carl kam also zurück, einen schuldbewußten Airy auf den Fersen, der gerade ein Federbett zerrissen hatte. Sie tranken zusammen Tee. Leider nur Tee, denn seit Tante Cloe weg war, fehlten die selbstgebackenen Kuchen und die gehaltvollen Plätzchen.

Anschließend brachten sie die Tiere in ihr Nachtlager. Der Hufschmied für Sheppie hatte sich für den nächsten Morgen um acht angemeldet. Draußen war es immer noch mild – ein Frühlingstag mitten im Winter! In den Hecken an der Weide zwitscherten die Vögel bereits. Die Gänse schlugen vergnügt mit den Flügeln. Die verbliebenen drei Welpen hatten ihren Spaß, indem sie Sheppies Halteleine wegschleppten, die Gänse ärgerten und nach Abrahams Fesseln schnappten. Becky wurde nur für kurze Zeit dazugelassen, weil sie sich immer noch nicht ganz erholt hatte und wohl auch noch ein paar Wochen dafür brauchen würde.

Während Tina die Katzen fütterte, mußte sie an Joseph denken und die Qualen, die er Becky angetan hatte, und sie wünschte sich inständig, daß er für immer verschwinden oder sogar sterben würde. Daß man so etwas nicht denken durfte, wußte sie, aber es überkam sie einfach, weil Becky sich so verändert hatte. Die

Hündin war viel ängstlicher geworden, als sie vor der Entführung war, und sie spielte auch nicht mehr so vergnügt wie früher. Ständig schien sie darauf gefaßt zu sein, daß irgend etwas Schreckliches passieren könnte, und sosehr sie sich auch bemühte, konnte Tina nichts an diesem Verhalten ändern.

Sie waren fast die ganze Nacht aufgeblieben, aber es hatte sich nichts Ungewöhnliches ereignet. „Was habe ich euch gesagt?" meinte Mum am nächsten Morgen dazu.

Tina war schlechter Laune. Kate hatte Kopfschmerzen. Nur Carl, der auf dem Wohnzimmersofa geschlafen hatte, schien sich wohl zu fühlen. Die drei hatten abwechselnd Wache gehalten, während draußen der Mond mit den Wolken Versteck spielte.

Pünktlich um acht kam der Hufschmied und beschlug Sheppie. Bald darauf strömten die ersten Patienten mit ihren Besitzern in die Sprechstunde. Alle redeten über das frühlingshafte Wetter. Am späteren Vormittag rief Sarah an, um sich zu erkundigen, ob während der Nacht irgend etwas vorgefallen sei. Als Kate verneinte, meinte sie: „Keine Sorge, das kommt noch!"

In der Praxis war enorm viel zu tun, aber als Ann zwischendurch in der Küche einen Becher Kaffee herunterstürzte, meinte sie, alles liefe völlig normal.

„Hoffentlich bleibt das so", meinte Tina, deren Nerven zum Zerreißen gespannt waren.

Kate versuchte sich zu beruhigen, indem sie zuviel aß. Sie wußte, daß das ein Fehler war, aber sie konnte sich einfach nicht bremsen, es war immer dasselbe –

genau wie bei Tante Cloe: Je schlechter es ihr ging, desto mehr futterte sie in sich hinein.

Carl war nach draußen gegangen, um Airy und den übrigen Welpen Bewegung zu verschaffen. Kate quälte sich zur Abwechslung mit dem Gedanken, daß in wenigen Tagen die Schule wieder anfing – eine Vorstellung, bei der sich ihr Magen verkrampfte. Dann rief Helen an und sagte: „Heute nacht soll es stattfinden!"

„Was soll denn dieser Nervenkrieg!" empörte sich Tina, die Kate bei der Jagd nach dem Hörer besiegt hatte. Jetzt stand Kate mit ausgestreckter Hand neben ihr und stampfte vor Wut und Ungeduld.

„Der Hufschmied sagt, Sheppie darf erst morgen geritten werden, weil er sich an die neuen Hufeisen gewöhnen muß", erzählte Kate Helen, als sie ihrer Schwester den Hörer endlich entrissen hatte.

„Diane war hier und hat gesagt, heute nacht soll es passieren", wiederholte Helen, heiser vor Angst.

„Was?"

„Josephs Rache."

Kate gab sich Mühe, die Sache ins Scherzhafte zu ziehen: „Alles ist vorbereitet. Sogar die Bahren stehen schon bereit!" Gleichzeitig hämmerte ihr Herz, und ihre Kopfschmerzen wurden noch schlimmer.

„Ich komme lieber nicht. Diane meint, ich sollte mich besser nicht einmischen, in meinem eigenen Interesse und in dem meiner Eltern", schloß Helen.

Kate legte langsam den Hörer auf und dachte: Sie hat sich also auch einschüchtern lassen! Jetzt bin ich wieder ganz auf mich gestellt! Jetzt wird mir in der Schule wieder nur Sarah bleiben!

„Heute nacht soll es passieren!" berichtete Kate, aber es schien niemand zu interessieren. Als ihre Mutter es hörte, meinte sie nur vergnügt: „Hunde, die bellen, beißen nicht!" Nur Carl nahm es ernst. „Ich bleibe da", sagte er, als er Kates sehr blasses, verängstigtes Gesicht sah. „Keine Sorge!"

Die Lokalzeitung hatte ausführlich über das Gerichtsurteil berichtet. Daß die Reitschule zum Verkauf stand und in drei Wochen eine Auktion veranstaltete, weil sie bankrott war, wußten alle. Keinem außer Joseph und seinen Leuten tat das besonders leid, weil die Wards fast jedem Geld schuldeten. Daß die Pferde verkauft werden sollten, fand man sogar gut, denn wenn sie auf dem Reiterhof nicht mehr genügend zu fressen bekamen, konnte man ihnen nur neue Besitzer wünschen.

Je weiter der Tag fortschritt, desto mehr fühlte Kate sich von bedrohlichen Schatten verfolgt, die überall zu lauern schienen. Tina sagte überhaupt nichts mehr und schmollte vor sich hin; den Grund kannte keiner, nicht mal sie selbst. Wahrscheinlich wurde einfach alles zuviel für sie: die Sorge um Becky, die Angst vor der kommenden Nacht, das Gefühl, vor lauter Müdigkeit demnächst auch die Schule nicht mehr zu packen. Am meisten belastete es sie aber vermutlich, daß sie wegen Carl nicht mit sich ins reine kam. Liebte sie ihn nun, oder liebte sie ihn nicht?

Shadow war einmal kurz aus ihrem Versteck aufgetaucht, hatte sich kurz im Hof umgesehen und sich sogleich wieder in die dunkelste Ecke des Schuppens zurückgezogen. Sie verkörperte immer noch das jäm-

Alle lieferbaren SchneiderBücher auf einen Blick!

Dalmais/Bonhomme
o Der Reisereigen 4437
15,–/ÖS 119,–

Dalmais
o Fröhliche Reisezeit 4494
15,–/ÖS 119,–
o Willkommen bei
Familie Bär 4558
15,–/ÖS 149,–
o Hurra, wir fahren
aufs Land 4559
15,–/ÖS 149,–

Cartwright
o Wir fahren ans Meer 4318
o Wir besuchen den
Bauernhof 4319
o Wir gehen in den Zoo 4320
o Wir gehen
zum Zahnarzt 9622
o Hurra, wir feiern
ein Kinderfest 9623
o Wir gehen ins
Krankenhaus 9624
o Wir bekommen
ein Baby 9625
o Wir sind im
Kindergarten 9626
o Hurra, wir ziehen um 9627
o Wir fliegen
in die Ferien 9948
o Wir bekommen
einen Hund 9949
o Wir gehen zum Arzt 1082
e Band 8,95/ÖS 69,–

Auf dem Bauernhof
o Das freche Schaf 4432
o Das Ferkel in
der Klemme 4433
o Die Scheune brennt 4434
o Der Traktor haut ab 4458
o Das Ferkel ist weg 4639
o Die tüchtige
Vogelscheuche 4640
o Der hungrige Esel 4670
o Der Traktor steckt fest 4671
e Band 9,80/ÖS 79,–

Kirchheim
o Tolle Erlebnisse
Auf dem Bauernhof 4314
o Tolle Erlebnisse
Im Zoo 4315

Reiner
o Tolle Erlebnisse
Im Zirkus 4355
o Tolle Erlebnisse
auf dem Rummelplatz 4356
je Band 9,80/ÖS 79,–

Künzler-Behncke
o Jella Schnipp Schnapp 4781
o Jonas Anderswo 4783
je Band 9,80/ÖS 79,–

Scarry
o Mein erstes Wörter-
Bilderbuch 4569
14,80/ÖS 119,–
o Hoppla! Hier kommt
Herr Tolpatsch! 4630
19,80/ÖS 149,–

Sheringham/Stimson
o 5-Minuten-Geschichten
zum Vorlesen 4600
15,–/ÖS 119,–

Hanna Barbera
o Familie Feuerstein 4798
o Yogi Bär 4799
je Titel 16,80/ÖS 129,–

Kruse
o Die schönsten Geschichten
vom Kasper Lari 4332

Navé
o Der Kobold, der die
Angst wegmalte 4335
o Die Leckermaus 4333

Scheffler
o Die Wunschkiste 4334
je 19,80/ÖS 149,–

Inkiow
o Die Katze läßt
das Mausen nicht 4397
o Herkules, der stärkste
Mann der Welt 4321

Kruse
o Wie die Schuhe
fliegen lernten 4645

Scheffler
o Wie David den
Goliath besiegte 4646
je 24,80/ÖS 199,–

Großdruck
Axt
o Die Reise mit
dem Wunderauto 4235
9,80/ÖS 79,–
o Gute Besserung! 4549
9,80/ÖS 79,–

Briggs
o Ein Schneemann
zu Besuch 4350
9,80/ÖS 79,–

Höfle
o Lauter lustige
Lachgeschichten 8204
8,95/ÖS 69,–

Inkiow
o Peter und die
Menschenzähnefresser 9508
8,95/ÖS 69,–
o Das sprechende Auto 4518
9,80/ÖS 79,–
o Die Katze fährt
in Urlaub 4571
9,80/ÖS 79,–
o Der singende Kater 4572
9,80/ÖS 79,–

ɔ und ihr Schutzengel 4111
ɔ und der Schneemann 4112
ɔ und ihr Geheimnis 4228
ɔ und das liebe Geld 4229
e Band 8,95/ÖS 69,–

Inkiow
ɔ Die Karottennase 9155
8,95 /ÖS 69,–
ɔ Die Katze
fährt in Urlaub 9853
9,80 /ÖS 79,–
ɔ Kunterbunte Traum-
geschichten 7824
8,95/ÖS 69,–
ɔ Der singende Kater 4074
9,80/ÖS 79,–
ɔ Pipsi und Elvira 4227
9,80/ÖS 79,–
ɔ Ein Kater spielt Klavier 4441
9,80/ÖS 79,–

Isbel
ɔ Neue Tiergeschichten 8288
8,95/ÖS 69,–

Jörg
ɔ Der kleine Wald-
zauberer 8939
8,95/ÖS 69,–
ɔ Zwei Schweinchen
sehen fern 9586
8,95/ÖS 69,–

Kennel
ɔ Reise mit der
Pfeffermaus 7656
8,95/ÖS 69,–
ɔ Der Zirkusbär 4234
9,80/ÖS 79,–

Kruse
URMEL
ɔ Urmel kommt zur Welt 4031
ɔ Urmel auf dem Mond 4032
ɔ Urmel in der See 4230
ɔ Urmels toller Streich 4231
e Band 9,80/ÖS 79,–

Künzler-Behncke
ɔ Simon Siebenschläfer 8274
8,95/ÖS 69,–

Martin
ɔ Wer hat den
Mond gemopst? 4552
9,80/ÖS 79,–

Müller
ɔ Lieber kleiner Igel 4226
7,95/ÖS 65,–

Oberhuemer
o Lieber kleiner Hamster 7763
8,95/ÖS 69,–

Pabel
o Das Pony in
Omas Garten 4328
9,80/ÖS 79,–
o Weihnachten bei Oma 4519
9,80/ÖS 79,–

Pfeiffer
o Anita Dreckspatz 4809
9,80/ÖS 79,–

Reichenstetter-Schmidt
o Der Dickkopf 4696
9,80/ÖS 79,–

Scheffler
o Das Abc-Monster 9505
8,95/ÖS 69,–
o Das grüne Pferd 9355
8,95/ÖS 69,–
o Das Zahlenmonster 9719
8,95/ÖS 69,–
o Sascha, der kleine
Elefant 7889
8,95/ÖS 69,–

Uebe
o Ich wünsch mir
einen Vogel 9202
8,95/ÖS 69,–

Vrtal
o Das Geschenk 4327
8,95/ÖS 69,–
o Sag uns,
wo es schöner ist 4238
8,95/ÖS 69,–
o Der Fuchs hat immer
einen Wunsch 4439
9,80/ÖS 79,–
o Der Fuchs
baut eine Brücke 4520
8,95/ÖS 69,–
o Der Fuchs weiß
einen Rat 4706
9,80/ÖS 79,–

Weber
o Ich zähl die Schäfchen 8960
8,95/ÖS 69,–
o Liebes kleines Auto 8326
8,95/ÖS 69,–

**Vereinfachte
Schreibschrift**
Brehm/Kerler
o Die Ratzlkinder 9585
9,80/ÖS 79,–

Isbel
o Neue Tiergeschichten 4224
8,95/ÖS 69,–

Kennel
o Die Reise
mit der Pfeffermaus 4239
8,95/ÖS 69,–

Kruse
o Flori geht zur Schule 4225
8,95/ÖS 69,–

Müller
o Lieber, kleiner Igel 4226
7,95/ÖS 65,–

Oberhuemer
o Ein Baby für Frieder 9609
9,80/ÖS 79,–

Scheffler
o Das Abc-Monster 9506
8,95/ÖS 69,–
o Das Zahlenmonster 9821
8,95 /ÖS 69,–

BENJAMIN QUER

Hübner
o Meckerfritze 4343

Künzler-Behncke
o Die kleine grüne
Tomate 4442

Rilz
o Till Eulenspiegel 4540

Stanzl
o Kuntbert und
der Drache 4430
je Band 9,80/ÖS 79,–

BENJAMIN
BILDERBÜCHER

Garbe
o Im Kaufhaus
Kaufrausch 4544

Hübner
o Faxenmaxe 4545

Parigger
o Weihnacht bei
Familie Maus 4782
je Band 16,80/ÖS 129,–

TIERBUCH

Caspari
PIRI...
- Kleine Freundin Piri 8309
- stellt alles auf den Kopf 8588
- gewinnt alle Herzen 8961
- geht auf Reisen 9384
- und die alte Katze 9725
- und die
  kleinen Wilden 4201
je Band 8,95/ÖS 69,–

- Jenny und Felix 4477
  9,80/ÖS 79,–

Cockerill
- Rettet den Esel 4556
  12,80/ÖS 99,–

Franciskowsky
AUF DEN SPUREN
BEDROHTER TIERE
- Im Reich der Robben 4463
- Achtung, Eierdiebe! 4475
- Verbotene Jagd 4713
- Elefanten 4779
je Band 9,80/ÖS 79,–

Hart
EIN PARADIES FÜR TIERE
- Das gestohlene Pferd 4377
- Pumababys 4378
- Ein Hund für Patrick 4379
- Glorias Rennen 4380
je Band 9,80/ÖS 79,–

Huth
- Ben und der Habicht 4409
  8,95/ÖS 69,–

Isbel
BUTTERBLUMENTAL...
- Willkommen im
  Butterblumental 4204
- Besuch im
  Butterblumental 4205
- Ferien im
  Butterblumental 4288
- Komm, wir gehn
  ins Butterblumental 4289
- Wiedersehen
  im Butterblumental 4421
- Endlich daheim 4522
je Band 8,95/ÖS 69,–

Pabel
- Mira und der
  blaue Delphin 4485
  8,95/ÖS 69,–

Vail
TIERARZTPRAXIS
BIRKENALLEE 7
- Linda wird überall
  gebraucht 9703
- Hundeleben in
  Gefahr 9704
- So ein Affentheater 9705
- Die Tierliebe siegt 9875
- Rettet das Tierheim 9877
- Jedes Tier braucht
  ein Zuhause 9876
- Hundesalon
  Seidenglanz 4357
- Dem Tierfänger
  auf der Spur 4358
- Ein Hund zuviel 4392
- Wirbel um Rubin 4523
- Sternchen darf
  nicht sterben 4659
- Ende gut, alles gut 4714
je Band 9,80/ÖS 79,–

Wayne
- Max – Ein Hund
  kämpft ums Überleben 4524
  9,80/ÖS 79,–

MÄDCHEN

Brandenburg
- Biggi und Lisa 4346
  9,80/ÖS 79,–

Östman
- Freunde schweigen
  wie ein Grab 4213
  8,95/ÖS 69,–

Blobel
„GEFÜHLSSACHEN"
- Ach, Schwester 9535
- Plötzlich ist alles anders 9645
- Eine Tür fällt zu 9722
- Tanzen sehr gut... 9888
- Ohne dich kann ich
  nicht leben 4206
- Einen Lehrer liebt
  man nicht 4428
je 10,80/ÖS 85,– (ab 13)

DIE POWER-GIRLS
- Ein irres Gespann 4211
- Skandal in der
  Kleinstadt 4290
- Eine Fete für Boris 4422
- Sturm im
  Schmetterlingsland 4647
- Dresdner Spuren 4716
je Band DM 10,80/ÖS 85,–

Blyton
DOLLY...
- sucht eine Freundin 3647
- Wirbel in Klasse 2 3648
- Ein Pferd im Internat 3649
- Klassensprecherin 3650
- Dollys großer Tag 3651
- Abschied v.d. Burg 3652
- Heimweh n.d. Burg 7710
- Mitternachtsparty 7764
- Die Burg erlebt ihr
  größtes Fest 7803
- Wiedersehen
  auf der Burg 7970
- Hochzeit
  auf Möwenfels 8054
- Die jüngste Burgmöwe 8150
- Überraschung
  a.d. Burg 8570
- Klassentreffen
  a.d. Burg 8843
- Möwenfest
  im Möwennest 9137
- Dollys schönster Sieg 9399
- Eine Hauptrolle
  für die Burg 9646
- Sag ja, Dolly! 4273
je Band 9,80/ÖS 79,–

- Sammelband 1 1201
- Sammelband 2 1202
- Sammelband 3 7795
- Sammelband 4 8295
- Sammelband 5 4033
je Band 19,80/ÖS 149,–

Blyton
HANNI UND NANNI
- sind immer dagegen 3641
- schmieden neue Pläne 3642
- in neuen Abenteuern 3643
- Kein Spaß ohne
  Hanni und Nanni 3644
- geben nicht auf 3669
- im Geisterschloß 3668
- suchen Gespenster 3670
- in tausend Nöten 3672
- groß in Form 7525
- geben ein Fest 7561
- Lustige Streiche 3645
- und ihre Gäste 3671
- Fröhliche Tage für
  Hanni und Nanni 3646
- gründen einen Klub 3660
- im Landschulheim 3661
- bringen alle
  in Schwung 8583
- sind große Klasse 9067
- Die besten
  Freundinnen 9565
- retten die Pferde 9810
je Band 8,95/ÖS 69,–

o Sammelband 1   9810
o Sammelband 2   9811
o Sammelband 3   9812
o Sammelband 4   9813
o Sammelband 5   7585
o Sammelband 6   4210
je Band 19,80/ÖS 149,–

Blyton
TINA UND TINI ...
o suchen den Schatz   7581
o stehen vor
neuen Rätseln   7625
o überlisten den
Meisterdieb   7669
o Geheim. d. Hundes   7716
o Geheimnis der
Rumpelkammer   7773
o Geheimnis des
Gärtners   7806
o entlarven die
Tigerbande   7858
o Rätsel der
Marzipantorte   7904
o Geisterstimmen
im Park   8017
o und die spanischen
Zwillinge   8105
o und der unheimliche
Strandwächter   8200
o Spuren im Schnee   8301
o Die geheimnisvolle
Diebesbande   8584
o Geheimnis der
rotgelben Spinne   9123
je Band 7,95/ÖS 65,–

o Sammelband 3   8070
19,80/ÖS 149,–

Campbell
TRIXIE BELDEN...
o Sammelband 2   9928
o Sammelband 5   1423
o Sammelband 6   4525
je Band 19,80/ÖS 149,–

Caspari
TEENAGE-Serie
o Mit 12 fühlt man
ganz anders ..   9227
o Mit 13 tägl. Ärger   7607
o Mit 14...Freundschaft   7670
o Mit 15 wachsen Flügel   7709
o Mit 16 tanzt man
in das Leben   7906
o Mit 17 setzt man
auf die Liebe ..   9228
je Band 7,95/ÖS 65,–

von Cetto
o Manchmal kommt
alles ganz anders   4718
10,80/ÖS 85,–

Clements
o Riß in der Seele   4526
10,80/ÖS 85,–

Fischer
HAUSGESPENST
o Guten Tag, ich bin
das Hausgespenst   9777
o Hilf mir, liebes
Hausgespenst   9778
o Danke, liebes
Hausgespenst   9779
o Bravo, liebes
Hausgespenst   4121
o Bleib doch, liebes
Hausgespenst   4207
o Komm mit mir,
liebes Hausgespenst   4292
o Ahoi, liebes
Hausgespenst   4424
o Leb wohl, liebes
Hausgespenst   4515
je Band 7,95/ÖS 65,–

Fischer
o Mädchen im
Landschulheim   7703
o Es tut sich was im
Landschulheim   7814
o Verliebt im
Landschulheim   8024
je Band 8,95/ÖS 69,–

Kahn
DIE DANCING STARS
o Der große Auftritt   4039
o Achtung, Kamera läuft   4040
o Im Rampenlicht   4098
o Beginn einer Karriere   4099
je Band 8,95/ÖS 69,–

Kiefer
MARIE & CO
o Wo ist Hermann?   4208
o Ein Paradies mit
elf Buchstaben   4209
o Die Durchschnitts-
königin   4293
o Der Club der
besonderen Babys   4340
o Pfuschen ohne
Grenzen   4408
o Der Fragenberg   4466
je Band 9,80/ÖS 79,–

Kolnberger
o Die Mädchen
von Timonera   4581
9,80/ÖS 79,–

Krauß
o Katharina, 15 Jahre   4601
10,80/ÖS 85,–
o Bis unter die Haut   4780
14,80/ÖS 119,–

Kuhnke
o Bei uns in Sommerland   4648
9,80/ÖS 79,–

Kuntze
DAS TRIO MIT PFIFF
o Darling findet
ein Zuhause   4400
o Romeo und Julia   4425
o Drei Mädchen machen
Schlagzeilen   4464
o Strandkorbgeflüster   4527
o Im Zelt auf
dem Hubertushof   4543
o Alle suchen Thommy   4592
je Band 9,80/ÖS 79,–

Lindblom
o Mein Sommer mit Papa   4457
9,80/ÖS 79,–

Mai
o Du gehörst dazu,
Patricia   4426
8,95/ÖS 69,–

Pestum
o Lore und der
Flüstervogel   4391
8,95/ÖS 69,–

Saborowski
o Ferien mit Brüdern –
nein danke   4427
10,80/ÖS 85,–

Schröder
o Karibisches Abenteuer   4528
10,80/ÖS 85,–

Sundh
MIRANDA
o Das Geheimnis
der Perlenkette   4415
o Ein ganz besonderes
Geschenk   4412
o Das wundersame Bild   4413
je Band 12,80/ÖS 99,–

Welford
o Hunger nach Leben   4680
10,80/ÖS 85,–

Weber
o Eine Chance
für Christine   4717
9,80/ÖS 79,–

Wersba
o Ich bin einfach ich!   4650
  10,80/ÖS 85,–
o Ich finde mich echt gut 4667
  14,80/ÖS 119,–

Whitehead
KAMINHEXE
o Kaminhexe   9900
o Der Spuk geht weiter 9942
o So ein Weihnachts-
  zauber   4129
je Band 8,95/ÖS 69,–

PFERDEBÜCHER

Alm
KIKI ...
o erlebt Ponyferien   7653
o Pony-Gespensterparty 7707
je Band 8,95/ÖS 69,--

o Sammelband 1   9925
  19,80/ÖS 149,–

Ayres
o Bilder, die
  lebendig werden   4465
  12,80/ÖS 99,–

Backman
SOFIE ...
o und die Stute Sabrina 8101
o träumt von einem Pferd 8179
o Keine Angst vor
  Pferden, Sofie!   8213
o schönster Pferde-
  sommer   8585
o Sofies abenteuerlicher
  Ritt   4090
o Sofie und ihr
  Fuchs Jocke   4403
je Band 8,95/ÖS 69,–

Boëthius
o Mein Pony heißt
  Freitag   4086
  9,80/ÖS 79,–

Carey
o Evelyn und
  die beiden Ponys   4252
  9,80/ÖS 79,–

Caspari
BILLE UND ZOTTEL ...
o Pferdeliebe   7657
o Unzertrennliche
  Freunde   7729
o durch dick u. dünn   7781
o Applaus für B. u. Z.   7845

o Ferien hoch zu Roß   7846
o Gefahr auf der
  Pferdekoppel   7920
o Ein Cowboy für
  Bille und Zottel   7968
o Filmstar mit 4 Beinen   8012
o Im Sattel durch
  den Sommer   8056
o Im Hauptfach Reiten   8265
o Sensation in der
  Manege   8393
o Frühling, Freunde,
  freche Fohlen   8394
o Das Fest der Pferde   9138
o Pony auf großer
  Wanderung   9568
o Pferde im Schnee   9906
o Pusztaferien und
  Ponybriefe   4214
o Reitclub Wedenbruck   4399
je Band 8,95/ÖS 69,–

o Sammelband 1   7932
o Sammelband 2   8181
o Sammelband 3   9929
o Sammelband 4   4122
o Sammelband 5   4295
je Band DM 19,80/ÖS 149,–

Caspari
EIN SCHLOSS FÜR PFERDE
o Paradies mit Ponystall   9729
o Der Mondscheinritt   9730
o Ferien für Fernando   9855
o Spurensucher im Sattel 9856
o Hilfe für Gipsy   4071
o Wanderritt am
  langen Zügel   4072
o Spaß am Lagerfeuer   4662
je Band 8,95/ÖS 69,–

Dillenburger
o Wir reiten, Midi!   9944
  DM 9,80/ÖS 79,–

Douthwaite
o Susan und ihr
  Traumpferd   4530
  10,80/ÖS 79,–

Farley
BLITZ
o Blitz, der
  schwarze Hengst   4663
o Blitz kehrt heim   4664
o Blitz schickt
  seinen Sohn   4694
o Blitz und Vulkan   4695
je Band 12,80/ÖS 99,–

Fenner
o Der Sommer der Pferde 4529
  10,80/ÖS 85,–

Franciskowsky
WENDY
o Das Paradies der Reiter 4443
o Ein Fohlen für Rodna   4444
o Mit Pferden unterwegs 4531
o Der Ritt am Meer   4596
o Zuflucht auf Lindenhöhe 4620
o Pferdediebstahl
  auf der Weide   4720
je Band 10,80/ÖS 85,–

Hagström
o Das Jahr mit
  meinem Pony   4092
  9,80/ÖS 79,–

Hagström
PETRA ...
o Mein Pferd   7804
o Traumpferd für Petra   7861
o Überraschung
  auf dem Reiterhof   7943
o Rette die Reitschule   8021
o Die besten Reiter-
  freunde   9455
o und der Fohlenfrühling 9732
je Band 8,95/ÖS 69,–

o Sammelband 1   9930
  19,80/ÖS 149,–

Hall
o Das weiße Pony   9939
  7,95/ÖS 65,–
o Schimmelstute
  Jessie soll leben   9946
  9,80/ÖS 79,–

Huth
o Ein Mädchen, ein Pferd
  und ein Dingo   4345
  10,80/ÖS 85,–

Isbel
REITERHOF DREILILIEN
o Das Glück dieser Erde 8364
o Die Tage der Rosen   8366
o Der Frühling des
  Lebens   8367
o Der Sommer im Tal   8969
o Alte Lieder singt
  der Wind   9139
o Eine Welt für sich   9396
o Heimweh nach
  den Pferden   9616
o Wenn der Sommer
  geht   9863
o Unter dem
  Frühlingsmond   9864
je Band 10,80/ÖS 85,–

ABENTEUER

o Frühstückseier wachsen
  nicht auf Bäumen 4394
o Der Köder mit den
  sanften Pfoten 4507
o Im Höllbach ist
  die Hölle los 4652
o Wenn alle Pizzas
  strahlen 4778
je Band 9,80/ÖS 79,–

o Sammelband 1 4313
  19,80/ÖS 149,–
o Sammelband 2 4447
  19,80/ÖS 149,–

Ericson
o Indianerjunge
  Kleiner Wolf 4807
  8,95/ÖS 69,–

Franciskowsky
DER JUNGE VOM
LOTSENTURM
o Geheimnis um Dennis 4395
o Die Videofalle 4396
o Das Haus der
  Taschendiebe 4492
o Dennis und die
  Jugendbande 4493
o Verschwörung gegen
  Dennis 4562
o Dennis in der Falle 4578
je Band 9,80/ÖS 79,–

Grove
o Das Dschungelmobil 4446
  10,80/ÖS 79,–

Hassencamp
BURG SCHRECKENSTEIN
Die Schreckenstein-
Sammelbände:
o Sammelband 2 7622
o Sammelband 4 7931
o Sammelband 6 8298
o Sammelband 7 4047
o Sammelband 9 4503
je Band 19,80/ÖS 149,–

Howe/Blake
o Der mit dem Wolf tanzt 4813
  19,80/ÖS 149,–

Kollmar
o Auf den Spuren
  der Krabbenbande 4460
  9,80/ÖS 79,–

Kuhnke
DIE ACHT VOM
GROSSEN FLUSS
o Der abenteuerliche
  Fund 9116

o Die unheimliche
  Vogelinsel 9117
o Das geheimnisvolle
  Boot 9118
o Feuer in der Nacht 9240
o Rote Fässer über Bord 9381
o Die verschwundenen
  Goldmünzen 9382
o Der verdächtige Lkw 9620
o Alarm auf dem
  Zollschiff 9738
o Die geheimnisvolle
  Felsenhöhle 4046
o Regatta mit
  Hindernissen 4300
o Deich in Gefahr 4417
o Der Schatz unter
  dem Eis 4490
je Band 8,95/ÖS 69,–
o Sammelband 2 4299
  19,80/ÖS 149,–

Kuntze
DIE VERFLIXTE 7B
o Dicke Luft
  im Klassenzimmer 4597
o Die unheimliche
  Bio-Stunde 4598
o Der große Lacherfolg 4669
o Klassenfahrt ins
  Abenteuer 4702
je Band 9,80/ÖS 79,–

Reinhard
SCHERLOCK
SCHMIDT & CO.
o Scherlocks erster Fall 4316
o Wo ist Herr Kanini? 4317
o Hau drauf, Lukas 4418
o Aktion Prinz 4419
o Viel Lärm um Fritz 4504
o Willi mit Pech 4631
je Band 8,95/ÖS 69,–

Rogers
o Das tollste Fahrrad
  der Welt 4653
  8,95/ÖS 69,–

Scheffler
KOMMISSAR
KUGELBLITZ
o Die rote Socke 8233
o Die orangefarbene
  Maske 8234
o Der gelbe Koffer 8276
o Der grüne Papagei 8325
o Der lila Leierkasten 8793
o Das blaue Zimmer 9009
o Der schwarze Geist 9394
o Das rosa Nilpferd 9631
o Die schneeweiße
  Katze 9721

o Der goldene Drache 412
o Der Jade-Elefant 468
je Band 9,80/ÖS 79,–

o Sammelband 1 450
  19,80/ÖS 149,–

Weissflog
WOLLY COSMOPOLLY
o Wolly geht auf
  große Fahrt 446
o Wolly will frei sein 447
o Wolly braucht Geld 450
o Wolly bändigt
  den Löwen 450
o Wolly als Gespenst 470
je Band 9,80/ÖS 79,–

Wolf
DREI TOLLE NULLEN
o Geheimes Theater 417
o Das Monsterfahrrad 422
o Die Superangel 422
o Die Gespensterparty 430
o Das Zukunftsei 442
o Nußbaums Rache 450
o Der Teufelsflitzer 465
o Dunkler Verdacht 470
je Band 9,80/ÖS 79,–

FANTASY

Czernich
BIBI UND TINA
o Das Fohlen vom
  Martinshof 47
o Amadeus ist krank 47
je Band 10,80/ÖS 85,–

ROMANE

Böckl
o Der Rappe mit
  der Elchschaufel 44
  19,80/ÖS 149,–

Cetto
o Jeden Tag
  hundert Pferde 44
  19,80/ÖS 149,–

Dickens
o Die Botschaft des
  grauen Pferdes 43
  19,80/ÖS 149,–

Hesslind
o Und sie geben nicht auf 44
  19,80/ÖS 149,–

Kruse
Anna zu Pferde 4593
19,80/ÖS 149,-

Östman
Siegesschleifen –
Eine Kindheit
mit Ponys 4304
19,80/ÖS 149,-

Pestum
Fang niemals
einen Stern 4389
19,80/ÖS 149,-

Pinkwater
Die Wolkenpferde 4401
19,80/ÖS 149,-

Pinney
Der rosa Hengst 4270
19,80/ÖS 149,-

Robinson
Wo mein Glück
zu Hause ist 4083
19,80/ÖS 149,-

Rossiter
Moxie – Der lange
Weg der Hoffnung 4577
19,80/ÖS 149,-

Sütterlin
Hoka, der Hengst
aus der Südsee 4186
19,80/ÖS 149,-

von Schach
Der Sommer der
silbernen Stute 4073
19,80/ÖS 149,-

DAS KLEINE SCHNEIDER BUCH

SPIELEN, BASTELN,
FESTE FEIERN
Kinderreime 9440
Kinderlieder 9441
Festgedichte 9442
Poesieverse 9443
Kinderfeste 4276
Kindergeburtstag 9444
Ratespiele 4277
Weihnachtsgedichte 9445
Weihnachts-
geschichten 9446
Weihnachtslieder 9447
Weihnachtsbasteleien 9448
Wir singen zur
Weihnachtszeit 9450

o Kinder beten 9452
o Wenn ich einmal
krank bin 4076
o Neue Verse fürs
Poesiealbum 4462
o Kindergedichte und
Sachen zum Lachen 4481
o Neue Kinderlieder 4629
o Abzählreime 4628
o O du fröhliche 4814
je Band 3,95/ÖS 29,-

LIEDERBÜCHER

Buchner
o Evergreens 9758
o Lieder, Songs 1 7893
o Lieder, Songs 2 8220
o Lieder, Songs 3 8870
o Spaß- und
Quatschlieder 8138
o Songs aus Amerika 8043
o Supersongs 9757
o Frei wie der Wind 4253
o Kinderliederschatz 4723
je Titel 9,80/ÖS 79,-

Möhrer/Buchner
o So lernst du
Gitarre spielen 1 9136
o So lernst du
Gitarre spielen 2 9808
je Band 9,80/ÖS 79,-

KNAUTSCHBÜCHER

Bruns
o Pferde,
meine große Liebe 9902
9,80/ÖS 79,-

Buchner
o Komm, wir singen
Weihnachtslieder 4757
9,80/ÖS 79,-

Frickenhaus
o Kunterbunte
Kinderlieder 9809
9,80/ÖS 79,-

Schweiggert
o Vorsicht Lehrer! 4271
o Typisch Lehrer! 4568
je 9,80/ÖS 79,-

TAGEBÜCHER

Tagebuch für 1000 Tage
o Bäume 8776
o Jahreszeiten 8774
je 14,80/ÖS 119,-

Tagebücher mit Schloß
o Mein Geheimtagebuch 8051
9,80/ÖS 79,-

Vrtal
o Mein erstes Schuljahr 4105
9,80/ÖS 79,-

POESIEALBEN UND REINSCHREIBBÜCHER

o Festgedichte 8324
12,80/ÖS 99,-

Ball
o Poesiealbum 9904
9,80/ÖS 79,-

Greenaway
o Baby-Buch 4199
19,80/ÖS 149,-

Mann
o Mein Poesiealbum 4565

o Meine Schulklasse
(Einband blau) 8097
o Meine Schulklasse
(Einband rot) 8235
o Meine Schulklasse
(Einband grün) 8096
je Titel 9,80/ÖS 79,-

o Alle meine
Schulfreunde I (rot) 4136
o Alle meine
Schulfreunde II (blau) 4137
o Alle meine
Schulfreunde III (gelb) 4138
je Titel 9,80/ÖS 79,-

Reiner
o Meine Klasse und
meine Schule 4310
o Mein Zuhause und
meine Familie 4311
je 9,80/ÖS 79,-

MEIN KLEINES PONY
o Poesiealbum 4789
o Geheimes Tagebuch 4790
je 14,80/ÖS 119,-

GESCHENKBÜCHER

Tanner
MINI-GESCHENKBÜCHER
- o Insekten — 4579
- o Wetter — 4580
- o Fische — 4582
- o Samen — 4583
- o Vögel — 4584
- o Blumen — 4585
- o Blätter — 4586
- o Wohnungen — 4587
- o Tiere — 4588
- o Farben — 4589
- o Formen — 4590
- o Zahlen — 4591
je Band 4,80/ÖS 29,–

Willnat
- o Vorsicht vor dem bißchen Hund — 4478
- o Pinguine sind auch nur Menschen — 4479
je Band 9,80/ÖS 79,–

Hall
- o Denkspaß, Tricks und Rätselfragen — 4752
24,80/ÖS 199,–

GESCHENKPREIS-BÜCHER UND SONDERAUSGABEN

Almqvist/Gustavsson
- o Mein Pony gibt's nur einmal — 4681
10,–/ÖS 79,–

Bars/Kolnberger
- o Zum Verwechseln ähnlich — 4655
12,–/ÖS 99,–

Caspari/Kolnberger/Pabel
- o Pferde im Frühling — 4682
10,–/ÖS 79,–

Blyton
- o Im Strudel der Abenteuer — 4265
24,80/ÖS 199,–

Bratt
- o Umwege zum Glück — 4657
10,–/ÖS 79,–

Caspari
- o Internat Wespennest 1 — 4080

- o Internat Wespennest 2 — 4257
je Titel 12,–/ÖS 95,–

Dalmais
- o Im bunten Märchenland — 4241
15,–/ÖS 119,–

Dickenson/Makin
- o Geliebte Ponys — 4255
12,–/ÖS 95,–

Dietl
- o Die Witzrakete — 9404
- o Der Witzballon — 9759
- o Der Witzexpreß — 4624
je Titel 12,–/ÖS 95,–

Fischer
- o Freundinnen — 9403
- o Klaudia — 9850
- o Michaela — 4081
- o Ulrike im Internat — 4623
je Titel 12,–/ÖS 99,–

Fischer/Pfeiffer/Brückner
- o Träume einer Schülerin — 4658
10,–/ÖS 79,–

Gast
- o Pferdeglück — 4622
12,–/ÖS 95,–

Hall/Forster
- o Danza und Sturmwolke — 4450
12,–/ÖS 95,–

Jokl (Hrsg.)
- o Mit Tieren gratulieren... — 4509
19,80/ÖS 149,–

Kruse
- o Caroline — 4448
12,–/ÖS 95,–

Martin
- o Gefahr aus dem Dschungel — 4449
12,–/Ös 95,–
- o Gejagt unter glühender Sonne — 4719
10,–/ÖS 79,–

Moravia
- o Kän Guruh und Kroko Dil — 4510
19,80/ÖS 149,–

Pabel
- o Die große Herde — 4476
12,–/ÖS 99,–

Pahnke
- o Britta und ihre Pferde — 426●
19,80/ÖS 149,–

Parigger
- o Ein Bäumchen, ganz für dich allein — 446●
24,80/ÖS 199,–

Pestum
- o Der Wunderballon — 448●
19,80/ÖS 149,–

Salembier
- o Mein buntes Vorlesebuch — 420●
- o Tiergeschichten zum Vorlesen — 991●
je Band 15,–/ÖS 119,–

Scheffler
- o Nr. 13, London Street — 425●
12,–/ÖS 95,–

Schneider
- o Kinderlexikon — 967●
12,–/ÖS 95,–
- o Ein Koffer voller Träume — 445●
19,80/ÖS 149,–

Schröder
- o Drei heiße Fälle für Kommissar Klicker — 467●

Simon
- o Komm, laß uns Freunde sein — 447●
19,80/ÖS 149,–
- o Wenn das Herz erwacht — 465●
19,80/ÖS 149,–

Wolf
TKKG
- o Terror! Gold! Duell! — 467●
- o Gespenst! Vampir! Rauschgift! — 467●
- o Gift! Alarm! Wilddiebe! — 467●
je Band 12,–/ÖS 95,–

GESCHENKAUSGABEN HALBLEDEREINBAND

Hassencamp
- o Burg Schreckenstein 1 — 430●
- o Burg Schreckenstein 2 — 444●
je 29,80/ÖS 239,–

Reinheimer
Meine Märchenwelt 4149
19,80/ÖS 149,–

SACHBÜCHER

Bellamy
Wie hilfst
du deiner Umwelt? 4517
19,80/ÖS 149,–

Pearce/Winton
Die Erde soll
weiterleben! 4599
19,80/ÖS 149,–

Wood/Bale
Das Reich der Tiere 4516
19,80/ÖS 149,–

SCHON GEWUSST?
Chinery
Tiere im Regenwald 4635
Tiere der großen
Meere 4636
Tiere in Steppe
& Savanne 4736
Tiere der Wüste 4751

Gaff
Gebäude, Brücken
und Tunnel 4750

Parker
Alltagsdinge und
wie sie funktionieren 4690

Royston
Der menschliche
Körper 4500

Stacy
Sonne, Sterne und
Planeten 4499
Erde, Meer, Himmel 4513
Aus unserer Tierwelt 4514

Stidworthy
Aus unserer
Pflanzenwelt 4627

Wilkins
Licht, Luft und Wasser 4533
Band 16,80/ÖS 129,–

WIE DIE LEUTE
FRÜHER LEBTEN
David
Ägypter 4754

Thomson
o Indianer 4638

Wood
o Azteken 4753

Wright
o Piraten 4637
o Ritter 4755
je Titel 14,80/ÖS 119,–

SCHAU GENAU HIN
Taylor
o Korallenriff 4774
o Regenwald 4775
o Teich 4776
o Wüste 4777
je Band 16,80/ÖS 129,–

SACHBÜCHER FÜR JÜNGSTE UND JUNGE LESER

Amery
o Meine ersten
100 Wörter 9854
16,80/ÖS 129,–

o Meine ersten 1000
Wörter 8010
o Meine ersten 1000
Wörter in Englisch 8709

Benton
o Mein erstes Buch über
Dinosaurier 4436

Chinery
o Mein erstes Buch
der Tierkinder 4323
o Mein erstes Buch
der wilden Tiere 4673

Civardi
o Wörterreise,
2888 Begriffe in
Wort und Bild 9134

Claridge/Shackell
o Mein erstes Naturbuch 9502

Cook
o Mein erstes Buch vom
Bauernhof 4134

Rice/Kingfisher
o Mein erstes Buch
über mich 4435

Wilkes
o Mein erstes
Zahlenbuch 8804

Zeff
o Mein großes
Tierbuch 8214
je Band 19,80/ÖS 149,–

Elliott/King
o Mein erstes Bilder-
Lexikon 9628
29,80/ÖS 239,–

Craig
o Bilderlexikon Technik 4151
29,80/ÖS 239,–

LEXIKA

o Fußball A-Z 4431
24,80/ÖS 199,–
o Das grüne Lexikon 4461
29,80/ÖS 239,–
o Hunde A-Z 9879
24,80/ÖS 199,–
o Katzen A-Z 4393
24,80/ÖS 199,–
o Jugendlexikon A-Z 9526
24,80/ÖS 199,–
o Pferde A-Z 9750
24,80/ÖS 199,–

o Auto A-Z 9836
29,80/ÖS 239,-
o Das neue Kinderlexikon 4091
29,80/ÖS 239,–
o Jugendlexikon A-Z
Sondereinband 4261
34,–/ÖS 269,–

KALENDER

o Rätsel- und Spaß-
kalender 1993 4626
9,80/ÖS 79,–
o Mädchen-
Kalender 1993 4560
9,80/ÖS 79,–
o Donald-Duck-
Kalender1993 4576
9,80/ÖS 79,–
o Pferde-Kalender 1993 4625
9,80/ÖS 79,–
o Schüler-Kalender 1993 4561
9,80/ÖS 79,–
o Wendy-Kalender 1993 4687
12,80/ÖS 99,–

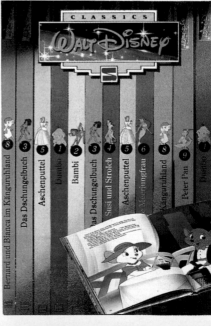

F 2264

merliche Zerrbild einer gesunden Henne. Aber Ann Carr versprach sich weiter eine Menge davon, wenn Shadow im Sommer zusammen mit den Gänsen auf der Weide herumlaufen konnte. Irgendwann würde dann vielleicht ihr natürlicher Instinkt wiederkehren, sich ein Nest zu bauen und Eier zu legen.

In dieser Nacht schlief Carl wieder auf dem Sofa im Wohnzimmer, hauptsächlich um Kate zu beruhigen. Ann und Alan Carr arbeiteten auswärts. Simon hatte an diesem Abend frei. Der Mond war diesmal nicht da, dafür aber um so mehr Wolken und immer noch der warme Wind. Kate wartete vergebens darauf, einschlafen zu können. Dabei war sie todmüde! Sie hörte ihre Eltern zurückkommen, hörte sie mit Carl reden, hörte, wie Tina ihre Eltern fragte, ob alles in Ordnung sei.

„Himmlische Ruhe!" antwortete Mum lachend.

„Die Kuh, bei der ich war, hat's geschafft", erzählte Dad zufrieden.

„Mein Pferd auch", setzte Mum obendrauf.

Lachend machten sie sich Tee. Bald käme Dad die Treppe herauf, ohne Stock, auf den er an guten Tagen ganz verzichten konnte. Auch Auto fahren konnte er wieder selbst. Bald hätte Mum wieder etwas weniger zu tun, vielleicht würde sie sogar eine Hilfe einstellen, die für sie alle kochte. All diese Dinge hatte Mum Kate ausgemalt wie ein Geschenk. Aber Kate konnte sich erst darüber freuen, wenn sie tatsächlich wahr geworden waren, denn sie hatte sich zu einer richtigen Pessimistin entwickelt, wie Carl es nannte.

Tina lag in ihrem Bett und dachte über Carl nach. Carl lag auf dem Sofa und dachte an Tina. Kate schlief endlich ein und träumte, daß die gesamte Reitschule versteigert wurde. Auch die Gänse waren dabei und der jämmerlich wiehernde Abraham. Auf den Feldern raste ein Junge wie wahnsinnig mit dem Motorrad herum, und die Schäferhunde bellten sich die Seele aus dem Leib. Plötzlich war da ein Riesenfeuer, in dem sich sämtliche Sättel und Zäume in Rauchschwaden auflösten. Und Mrs. Ward war wie eine Hexe gekleidet und tanzte darum herum, während Mr. Ward brüllend mit Werkzeugen um sich warf.

Dann merkte Kate auf einmal, daß es kein Traum war. Es passierte in Wirklichkeit! Unter ihrem Fenster dröhnte Hufgeklapper auf dem Pflaster. Die Gänse schnatterten so laut wie noch nie, die Welpen kläfften, Abraham brüllte. Da draußen war die Hölle los!

Kate fuhr so hastig hoch, daß sie fast aus dem Bett fiel. Auf dem Gang rannte sie mit Tina zusammen, die schrie: „Es brennt! Überall! Sie machen Ernst!"

Zur gleichen Zeit eilte Carl, seine Schlafanzughose in die Gummistiefel gestopft und mit einer Taschenlampe bewaffnet, nach draußen.

9

Kate schrie: „Feuer! Feuer!" und rannte in der Küche gegen einen Stuhl. Die ganze Familie war schon auf den Beinen. Becky jaulte verstört. Der Flammenschein erhellte alles. „Die Tiere! Was ist mit den Tieren?" schrie Kate mit angsterfüllter Stimme. Alan hatte, ebenfalls noch im Schlafanzug, einen Feuerlöscher ergriffen und rannte nach draußen. Mum war schon am Telefon und wählte den Feuer-Notruf. Carl schnappte sich einen Eimer und füllte ihn am Außenhahn. Brennendes Heu und Stroh machten knackende Geräusche. Irgendwo am Himmel kreischte ein Vogel.

Kate wollte zu Abraham und Sheppie. „Wo ist mein Sheppie?" heulte sie wie ein kleines Kind. Die Welpen rannten im Hof umher und freuten sich über die Freiheit. Als sie Carl entdeckten, sprangen sie wild an ihm hoch, so daß ein Teil des Wassers aus dem Eimer schwappte. Inzwischen hatte Tina auch den Feuerlöscher aus der Praxis geholt und richtete ihn auf das brennende Heu. Sie war auf einmal ganz ruhig, ja fast erleichtert, daß sie nun endlich wußte, wie der Ernstfall aussah.

„Die Feuerwehr ist unterwegs, und die Polizei habe ich auch angerufen, weil das offensichtlich Brandstiftung ist", berichtete auch Mum ganz gelassen, bevor sie sah, daß Shadow erschlagen worden war und eine Gans verletzt im Gras lag.

Als die Feuerwehrleute eintrafen, waren die Flammen schon niedriger geworden, und alle konnten lesen, was jemand quer über die Hausmauer geschmiert hatte:

WER BEACON AUF DEM GEWISSEN HAT, BRAUCHT AUCH NICHT MEHR ZU LEBEN!

Darunter waren noch ein paar andere Gemeinheiten hingekritzelt.

„Das ist Josephs Werk! Das kann nur er gewesen sein!" schluchzte Kate.

„Er muß krank sein", sagte Mum.

„Verrückt paßt wohl besser", meinte Tina.

Alle hatten rauchgeschwärzte Gesichter. Die Welpen bellten die Feuerwehrleute in hohen, erregten Tönen an; ihre Nackenhaare waren gesträubt. Sie sind unglaublich tapfer! mußte Carl denken und spürte auf einmal, wie sehr er an ihnen hing. Kate suchte die Weide immer hoffnungsloser nach Abraham und Sheppie ab. Sie weinte jetzt laut. Mum schloß die Welpen in den Schuppen, der vom Feuer verschont geblieben war, verarztete die Gans im Behandlungsraum und vergoß Tränen über die tote Henne.

Kate kam zurück und rief: „Ich hole mir ein Seil für Abraham und Sheppie. Sie müssen zusammen sein!"

In diesem Moment stürzte ein Teil des Stalldachs ein.

„Das Zaumzeug von den beiden ist nämlich weg!" rief Kate über die Schulter, bevor sie wieder wegrannte. Tina lief ihr nach. Carl rannte hinter Tina her.

Die Straßenlaternen brannten noch. In den Hauseingängen standen die Leute in ihrer Nachtbekleidung, eine Frau hatte sich sogar nur ein Laken umgebunden. „Ist jemand verletzt? Was ist denn da los? Braucht ihr Hilfe?" riefen sie.

„Ist schon vorbei", rief Carl zurück. „Das Feuer ist gelöscht, aber es war ganz schön knapp. Trotzdem vielen Dank!"

„Haben Sie ein geschecktes Pony und einen Esel gesehen?" fragte Kate.

Das Kopfschütteln von allen Seiten löste bei Kate plötzlich die Vorstellung aus, wie die Leute es genießen würden, in den nächsten Tagen über das Feuer reden und allen erzählen zu können: „Wir haben es miterlebt! Der ganze Himmel war rot!" Die Feuerwehrsirenen hatten sie geweckt, und vielleicht hatten sie eine Schrecksekunde lang geglaubt, ihr eigenes Haus stünde in Flammen.

„Wo wollen wir denn hin?" fragte Tina.

„Ich weiß nicht", sagte Kate.

„Ich denke, wir wollen Sheppie und Abraham suchen", erinnerte Carl sie.

Ein Polizeiwagen fuhr vorbei. Er hielt, und die Beamten halfen, nach Hufspuren am Wegrand und in den offenen Vorgärten zu suchen. Ohne Erfolg. Nirgendwo eine Spur von Abraham oder Sheppie. Sie schienen spurlos verschwunden zu sein.

„Selbst wenn wir sie finden, haben sie keinen Schlafplatz mehr", meinte Kate düster.

„Es ist so warm, daß sie auch draußen schlafen können", erwiderte Carl und wünschte sich im stillen, er wäre lieber bei den Feuerwehrleuten und Alan geblieben.

„Damit sie eine Lungenentzündung kriegen!" empörte sich Kate.

„Jetzt übertreibst du aber!" stellte Carl fest.

„Schließlich ist Sheppie mein Pony, und Abraham haben wir schon viele Jahre. Ich müßte aus Stein sein, wenn ich mich nicht aufregen würde!" verteidigte sich Kate.

Tina, die Angst vor einem Streit hatte, schlug vor: „Wir sollten uns aufteilen." Sie fühlte sich hundemüde und hätte gern Becky bei sich gehabt. Wir scheinen unser halbes Leben damit zu verbringen, nach irgendwas zu suchen! mußte sie denken.

Carl fand, daß Tinas Haare in dem frühen Morgenlicht toll aussahen, so richtig ungezähmt! Ihr Gesicht dagegen war weiß vor Erschöpfung.

Carl nahm sich die Felder in der Nähe des Kanals vor, während Tina die High Street übernahm und Kate die Sportplätze. Aber bevor sie sich trennten, wandten sie sich noch einmal um und konnten sehen, daß über den Ställen keine Flammen mehr zum Himmel stiegen, sondern nur noch dunkler Qualm.

Am Kanal tauchten die ersten Spaziergänger mit ihren Hunden auf. Zeitungen wurden ausgetragen. Um diese Tageszeit wirkte diese Stadt ganz anders, sauberer, älter, romantischer! fiel Carl auf, als er sich wieder in Trab setzte.

Auf Tina wirkte die High Street wie eine Bühne, die auf den Auftritt der Schauspieler wartet. Ein Papiergeschäft an der Ecke hatte schon geöffnet.

Die Sportplätze waren abgeschlossen. Kate spähte durch die Umzäunung, aber weder auf dem Rasen noch auf den Wegen war ein Hufabdruck oder ein typischer Kratzer zu sehen. Vielleicht haben sie sie in einen Transporter geladen und weit weggebracht! dachte sie unglücklich. Vielleicht sehen wir Sheppie und Abraham nie wieder!

Die Feuerwehrleute bemühten sich, das Feuer zu ersticken. Für sie war der Brand bei den Carrs nur „ein kleiner Vorfall". Sie waren wie Ann der Meinung, daß es sich um Brandstiftung handelte.

Alan hatte sich mit einem Eimer Seifenbrühe und einer Bürste bewaffnet und schrubbte wie wild an Josephs Schmiererei herum. Viel hatte er noch nicht geschafft, als die Polizei eintraf. Er führte sie ins Haus, wo Mum für alle Kaffee kochte.

Die Straßenlaternen gingen aus. Es war Tag. Bald würde das Telefon anfangen zu klingeln. Etwas später kämen die ersten Patienten in die Sprechstunde. Ann fühlte sich nicht in der Lage, heute die viele Arbeit zu bewältigen.

Sie trauerte immer noch um ihre Henne; vor allem, weil es ihr so wichtig gewesen war, ihr Verhalten zu beobachten, genau zu registrieren, wie lange Shadow brauchen würde, um wieder ein normales Tier zu werden.

Nachdem Kate ihre Suche auf den Sportplätzen aufgegeben hatte, begegnete sie einem alten Mann mit seinem Hund. Der Mann lief gebeugt und hatte gichtige Hände. „Kann ich dir helfen? Was suchst du denn?" fragte er.

„Einen Esel und ein geschecktes Pony." Kate weinte schon wieder.

„Moment, da hole ich mal mein Zaumzeug. Ich habe eins an meiner Schuppentür hängen", sagte er.

Kate wartete auf ihn, dankbar für jede Hilfe, dankbar für alles, was sie von der schrecklichen Vorstellung ablenkte, daß sie Sheppie womöglich nie wiedersehen würde.

„Komische Sachen verliert ihr heutzutage", murmelte der alte Mann vor sich hin.

Kate wünschte sich schon bald, sie hätte diese Hilfe abgelehnt, denn der alte Mann bewegte sich langsam und steif, und Hustenanfälle zwangen ihn immer wieder zum Stehenbleiben. Außerdem schien ihm viel daran zu liegen, daß er mit jemand reden konnte. Ganz anders ging es Kate, die mit pochendem Herzen über jeden Gartenzaun und in jede Seitenstraße spähte.

Das Wasser im Kanal floß ruhig dahin. Auf eines der Boote wurde Holz verladen. Carl erreichte bald ein Feld, auf dem Scharen von jungen Bullen auf ihre Fütterung warteten. Er lief noch einen halben Kilometer weiter, aber er sah immer das gleiche: karge Äcker, wartendes Vieh, kahle Bäume, Dachfirste in der Ferne. Wir müssen die Polizei einschalten. Oder zur Reitschule gehen! dachte er, als er sich auf den Rückweg zur Brücke machte, die auf die andere Seite des Kanals führte. Ihm kam es vor, als ob dieser Krieg mit der Reitschule seit Ewigkeiten herrschte. Erst hatte er den schönen Herbst verdorben, jetzt den Winter.

Seine Großmutter grämte sich halb zu Tode über das, was sie seine Tierarzt-Manie nannte. „Werde lieber ein Arzt für Menschen und halte dich von schmutzigen Bauernhöfen fern", riet sie ihm. Sie hätte ihn gerne in einem Anzug gesehen und mit einer teuren Krawatte, während er sich nur in Gummistiefeln und Cordhosen wohl fühlte. Er wollte nicht elegant daherkommen, kein chromblitzendes Auto fahren, sondern einen Landrover mit Erdklumpen an den dicken Reifen.

Carl fing an zu laufen, weil er wissen wollte, ob der Brand restlos gelöscht war und ob die Polizei von den verschwundenen Tieren wußte und was es überhaupt Neues gab.

Tina verließ schon bald die High Street und steuerte die Felder hinter dem Städtchen an. Inzwischen standen an den Bushaltestellen Leute. Und Autos schwärmten wie Bienen in alle Himmelsrichtungen aus. Der Himmel wurde immer heller. Dort, wo der Winterweizen ausgesät worden war, hatten die Felder smaragdgrüne Flecke in der braunen Erde. Die Hecken waren noch kahl. In der Ferne tuckerten Traktoren wie Roboter durch die stille, kahle Landschaft.

Es ist hoffnungslos, dachte Tina, den Tränen nahe. Sie sind stärker. Erst war es Becky, die ohne Helens Hilfe gestorben wäre, jetzt die anderen. Als sie sich auf den Rückweg machte, liefen ihr die Tränen über die Wangen, Tränen der Erschöpfung und der Trauer. Das Leben könnte so schön sein, wenn ... ja, wenn es nicht Krieg und Hunger und mißhandelte Tiere gäbe, wo man hinschaute!

*

Irgendwie schienen alle etwa zur gleichen Zeit wieder zu Hause einzutreffen. Der Brand war gelöscht. Polizei und Feuerwehr waren weg. Kate fragte die Eltern, ob sie der Polizei von Joseph erzählt hätten.

„Wer ist Joseph?" fragte Dad.

„O Dad, hörst du denn niemals zu?" rief Kate verzweifelt. „Du mußt doch wissen, wer Joseph ist!" Dabei war ihr klar, warum er es nicht wußte oder wieder vergessen hatte: weil seine Gedanken immer nur bei seiner Arbeit waren und man ihn, wenn er wirklich zuhören sollte, laut anschreien mußte. Das war es, was ihn zu einem so guten Tierarzt machte – und verhinderte, daß er ein interessierter, besorgter Vater war!

Aber auch Mum hatte nicht so recht zugehört. Geduldig erklärte Kate beiden noch einmal, wie es um Joseph stand.

„Es war seine Idee, Becky zu entführen. Er hat Kates Freundinnen schlecht beeinflußt, stimmt's, Kate?" mischte Tina sich ein.

Kate nickte, und Dad versprach: „Ich werde zur Polizei gehen. Aber inzwischen ist es Zeit, die Praxis aufzumachen. Ich sehe schon die ersten Leute kommen. Es scheint ein ganz normaler Arbeitstag zu werden."

Kate, Tina und Carl gingen hinaus, um sich den Stall anzusehen. Der Schaden war nicht ganz so schlimm, wie sie befürchtet hatten. Aber das gesamte Heu und Stroh war verbrannt, und über Sheppies Box war ein Loch im Dach.

Carl holte eine Leiter und suchte sich eine alte Plane, um das Loch provisorisch zu stopfen. Ihm fiel immer eine Lösung ein. Das hatte nichts damit zu tun, daß er ein Junge war, er war einfach praktisch veranlagt. Später, wenn sie ihre Vorurteile überwunden und sich selbst gefunden haben würde, käme bei Kate vielleicht eine ähnliche Begabung heraus.

Carrs Praxis merkte man nichts mehr von der Durststrecke an, die sie hatte durchstehen müssen – sie quoll an diesem Vormittag fast über. Die Patientenzahl schien ständig zu wachsen.

Kate machte einen Bogen um den leeren Stall. Carl ließ die restlichen Welpen heraus, die sich begeistert in der Asche wälzten, die noch überall herumlag. Tina rief bei der Polizei an und meldete den Verlust eines Esels und eines Ponys. Kate frühstückte, ohne zu wissen, was sie aß. Nachdem er die Hunde im Hof eingeschlossen hatte, ging Carl nach Hause, weil seine Großmutter sich sonst Sorgen machen würde.

Ann und Alan hielten die Sprechstunde gemeinsam ab. Wären der Brand und die vermißten Tiere nicht gewesen, hätte es ein Vormittag sein können wie jeder andere. Josephs Schmiererei an der Hauswand hatte Alan allerdings nicht abwaschen können.

„Was sollen wir nur machen?" Kate brach in der Küche erneut in Tränen aus.

„Ich weiß es auch nicht", sagte Tina, die Becky auf ihren Knien hielt.

„Wir können nicht einfach hier rumsitzen", rief Kate. „Wir müssen irgendwas tun!"

In diesem Moment klopfte es an die Tür, und Helen kam herein. „Wart ihr doch nicht vorbereitet auf den Angriff?" fragte sie. „Habe ich euch nicht gewarnt?"

„Sheppie und Abraham und das ganze Zaumzeug sind weg. Es ist so schrecklich!" heulte Kate.

Aber Helen hatte den beschädigten Stall bereits gesehen. Sie hatte Libby dabei, die augenblicklich anfing, am Küchenläufer zu knabbern. Helen meinte dann, draußen im Hof sei es zu kalt für die anderen Welpen, und ließ sie herein. Natürlich stellten sie das ganze Haus auf den Kopf, aber weder Kate noch Tina brachten die Energie auf, etwas dagegen zu unternehmen.

„Warum habt ihr denn nicht auf meine Warnung gehört?" fragte Helen vorwurfsvoll.

„Wir haben gar nicht richtig geschlafen, aber wir mußten uns ja wenigstens die Zeit nehmen, Stiefel anzuziehen, barfuß kann man keinen Brand bekämpfen!" verteidigte sich Kate.

Libby hatte ein Kehrblech umgeworfen und schleifte den Handfeger durch die ganze Küche. Gemmy räumte den Abfalleimer aus. Pisky und Cappy, die anderen zwei Welpen, jagten sich wild kläffend im Kreis herum, was die Katzen, die auf den Küchenschrank geflohen waren, mißbilligend beobachteten.

„Du kannst dir nicht vorstellen, wie müde wir sind", sagte Tina zu Helen. „Wir sind schon seit dem Morgengrauen auf. Ich fühle mich wie ausgelaugt."

„Ich denke, Joseph hat Abraham und Sheppie irgendwo hingebracht", sagte Helen. „Töten würde er sie nicht, dazu liebt er Pferde zu sehr."

„Dann sollten wir wohl doch in die Reitschule gehen", überlegte Tina.

„Oder zu ihm nach Hause. Ich weiß, wo er wohnt", schlug Helen vor.

So schlossen sie die Welpen ein, holten Carl und zogen dann mit Helen los. Am Himmel zogen Regenwolken auf. Helen führte sie quer durch den Ort. Sie schien keine Angst mehr zu haben.

Joseph wohnte am Rand einer Siedlung. Alles sah tadellos gepflegt aus, blendendweiße Tüllgardinen, unkrautfreier Garten, saubere Fensterscheiben. Aber es war niemand zu Hause, und auf dem kleinen Rasen vor dem Haus gab es keine Hufabdrücke. Carl seufzte, und Tina murmelte: „Alles sieht so geleckt aus!"

„Joseph haßt das. Für seine Mutter muß immer alles perfekt sein", erklärte Helen ihnen. „Wenn aus seiner Hosentasche eine Haferflocke auf den Boden fällt, ist die Hölle los."

Carl hatte etwas dagegen, daß über Joseph gesprochen wurde, als wäre er etwas Besonderes. Tina dagegen sah Joseph auf einmal in einem neuen Licht. Vielleicht hatte er gar nicht die Absicht gehabt, Becky lange festzuhalten. Vielleicht brauchte Joseph, als Ausgleich für so eine geleckte Umgebung, einen Zufluchtsort wie die Reitschule. Und dann war da noch sein Vater, von dem er angeblich geschlagen wurde. Ein ziemlich hartes Schicksal, wenn man genauer darüber nachdachte!

„Gehen wir also zur Reitschule?" riß Helen Tina aus ihren Gedanken.

„Heißt das, du willst mitkommen?" schrie Kate ungläubig auf. Aber Helen meinte, inzwischen sei ihr egal, was die Bande von ihr hielt, da in ein paar Wochen ohnehin alles vorbei wäre. Außerdem dürfte sie ja jetzt, falls sie ihn wiederfänden, Sheppie reiten.

Da fingen sie alle an zu rennen, wären um Haaresbreite unter fahrende Autos geraten, schlängelten sich durch die Fußgängermassen auf dem Gehsteig. Tina und Carl liefen voraus.

An der Einfahrt hing ein großes Schild, auf dem stand: 30. JANUAR GROSSE AUKTION! Darunter der Name eines Versteigerungshauses. Es passiert also wirklich! dachte Kate. Dann bekommen Mum und Dad ihr Geld! dachte Tina. Dann kommen die ausgehungerten Pferde endlich weg von hier! dachte Carl.

Je näher sie dem Gelände kamen, desto langsamer wurden Helens Schritte, bis sie schließlich die anderen bat, vorauszugehen. Die hohen Eisentore waren verschlossen, und dahinter knurrten die beiden Schäferhunde sie böse an. Carl drückte auf den Klingelknopf. Dann warteten sie, und ihre Herzen klopften ungewohnt heftig. Wovor haben wir denn Angst? Umbringen werden sie uns nicht! überlegte Tina. Kate fiel ein Gedicht ein, in dem vorkam, daß „Worte nicht töten können".

Von weitem konnten sie erkennen, wie der rothaarige Joseph ein dünnes schwarzes Pony striegelte. Es war Smoky, der an seiner verletzten Fessel eine Bandage trug. Carl fragte sich gerade, wie das alles enden würde, als endlich Jim Ward näher kam und seine Hunde beschwichtigte. In sein Gesicht war der Haß geschrieben, seine Mundwinkel waren bitter nach unten gezogen, seine Augen stachen erbarmungslos. Er war unrasiert und trug seine Arbeitskleidung.

Als sie sich gegenüberstanden, hob er eine geballte Faust und rief drohend: „Verschwindet von meinem

Grundstück, oder ich hetze die Hunde auf euch! Habt ihr gehört? Verschwindet!"

„Sie sind wirklich sehr unhöflich. Wir suchen doch nur unser Pony und den Esel", rief Carl mutig zurück. „Einer Ihrer Helfer hat sie uns gestohlen."

„Sucht gefälligst woanders. Hier sind sie nicht", rief Jim Ward. Jetzt konnten sie sehen, wie Rene Ward zwei Leuten ein kastanienbraunes Pferd vorführte. Über ein Feldgatter reckten sich hungrige Ponyköpfe. Eine hoffnungslose Stimmung lag über allem.

„Ich wünschte, ich könnte besser sehen", sagte Tina, während Carl schon den Rückweg antrat, die Hände in den Taschen vergraben und eintönig vor sich hinpfeifend. Besser, er wäre zu Hause geblieben und hätte die Brandspuren beseitigt!

„Da ich den Wards sowieso kein Wort glaube, wissen wir immer noch nicht, ob Abraham und Sheppie dort sind oder nicht." Tina sprach schließlich laut aus, was alle dachten. Was Tina allerdings nicht aussprach, war ihre Verwunderung über Carl, der verärgert vorauslief.

Kates Stimmung war wieder auf dem Nullpunkt: Sheppie womöglich auf dem Weg zum Schlachthof, Mum ohne ihre Henne, Tante Cloe weit weg. Und da ich kein zweites Mal ein Pony kriege, werden Helen und ich auch nie zusammen weg können, eine auf Sheppie und die andere auf dem Fahrrad! sinnierte sie düster. Und auch Abraham mit seinem putzigen grauen Kopf, den langen Ohren und den freudig geblähten Nüstern wird nie mehr über die Stalltür grüßen! Und von vier Gänsen gibt es nur noch drei gesunde! Dieser gemeine Joseph ist an allem schuld! Und ich bin so müde, daß ich darüber nicht mal mehr weinen kann.

Tina war sich ziemlich sicher, daß sie Abraham und Sheppie wiederbekommen würden. Sie tröstete sich damit, daß ihre Eltern vielleicht schon etwas Genaueres wußten.

Carl dachte inzwischen nur noch an die viele vergeudete Zeit. „Hirngespinsten nachjagen", nannte seine Gran das. Aber Hirngespinste waren doch etwas, was gar nicht existierte? überlegte er, während er immer schneller ausschritt.

Helen, die sich wieder zu ihnen gesellte, sah Tina und Kate wortlos an. Sie wußte nicht genau, was sie von allem halten sollte: Einerseits tat es ihr um Abraham und Sheppie leid, andererseits hatten die Wards sie so negativ beeinflußt, daß sie immer noch Ann Carr für Beacons Tod verantwortlich machte.

Einmal blieb Helen stehen und blickte auf die Reitschule zurück, die sie so schmählich im Stich gelassen hatte, und bekam Gewissensbisse. Sie mußte an die schönen Stunden denken, die sie damit verbracht hatte, Heunetze zu füllen und Wassereimer zu schleppen und Zaumzeug zu wachsen. Sie hatte die Wards wirklich bewundert. Rene Ward war eine ausgezeichnete Reitlehrerin gewesen, und die Ponys waren damals wohlgenährt und glücklich. Das alles schien nun Jahre zurückzuliegen.

Carl lief immer noch voraus. Er wuchs zur Zeit schnell. Bald würde er einsachtzig sein, und dabei wuchs er nicht nur aus seinen Sachen heraus, sondern auch aus dem Städtchen und aus dem beengenden Leben mit seiner Großmutter – ja womöglich sogar aus seiner Bindung an die Carrs. Er war kein Kind mehr, das man hierhin und dorthin schickte wie einen Botenjungen. Und er wünschte sich, Tina würde ihn wieder mit ihrem alten glücklichen Lächeln anschauen. Aber Tina lächelte in letzter Zeit überhaupt nicht mehr, weil es nichts zu lächeln gab.

Als sie wieder zu Hause eintrafen, waren Alan und Ann unterwegs zu kranken Tieren. Aber eine blasse, aufgeregte Rachel rief ihnen von der Praxis aus zu: „Ich habe eine Menge Neuigkeiten für euch!"

Tina und Kate rannten zu ihr hinein, beflügelt von neuer Hoffnung. Carl konnte nur denken: Was ist denn jetzt wieder passiert?

10

Rachel wußte zu berichten, Sheppie und Abraham befänden sich auf einem Hof. Auf der Landkarte, die in der Praxis an die Wand gepinnt war, zeigte sie ihnen genau die Stelle. Sie erzählte ihnen, die Polizei habe angerufen und die Nachricht hinterlassen, daß sie leider keinerlei Zaumzeug zur Verfügung hätten.

Kate wurde ganz schlapp vor Erleichterung, brachte kaum noch Kraft auf, sich zu freuen. Jetzt wußte sie, wie Tina zumute gewesen sein mußte, als Becky gefunden wurde. Carl bot an, mit Kate zusammen die Tiere abzuholen. Tina ging in die Wohnung, um nach Becky zu sehen. Jedesmal, wenn sie die Küche betrat, vermißte sie nun Tante Cloe, die ihr zuletzt so unerträglich erschienen war! Auch Becky schien sich nach Bambi zu sehnen.

Carl holte sein Fahrrad. Kate setzte sich auf den Gepäckträger. Ihre Taschen waren mit Kordeln und einem dicken Seil vollgestopft. Carl hängte sich noch einen halben Eimer Haferflocken an den Lenker, und dann ging's los. Sie hatten seit Stunden nichts gegessen, aber immerhin fand Carl in seiner Hosentasche ein Stück Schokolade, das er mit Kate teilte.

Helen war nach Hause gegangen, weil angeblich eine Freundin auf sie wartete. Was für eine Freundin? Versuchte Kate zu ergründen, während Carl durch den Ort radelte, der auf einmal in helles Sonnenlicht getaucht war. Dann ging es weiter durch die säuberliche Vorstadt, an Josephs Haus vorbei, das auch jetzt wieder unbewohnt wirkte, ganz im Gegensatz zu Sarahs Haus, das zu klein war für seine Bewohner und aus allen Nähten zu platzen drohte.

Allmählich wurden die Häuser weniger. Statt der Neubauten sah man immer mehr alte Bauernhäuser und Villen, bis sie endlich in die offene Landschaft gelangten. Tina und Carl schwiegen, sie waren beide in ihre Gedanken versunken. Die Felder sahen noch so nackt und kahl aus, daß man sich schwer vorstellen konnte, wie der Frühling bald wieder alles verändern würde.

Carl bog in einen Feldweg ein. „Gleich sind wir da", sagte er.

„Das wird ein anstrengender Rückweg", fürchtete Kate.

Bald erreichten sie den Bauernhof und stiegen vom Rad. „Ob es das ist?" fragte Kate unsicher.

Im Hof standen Kühe, die darauf warteten, gemolken zu werden. Ein Mann erschien und ging Carl und Tina auf einem holprigen Weg voraus. Carl ließ sein Rad an eine Mauer gelehnt zurück. Den Eimer mit den Haferflocken nahm er mit. Kate fiel absolut nichts ein, was sie hätte sagen können, nicht zu dem Mann und am allerwenigsten zu Carl. In diesem Moment wäre sie gerne jemand anderer gewesen: weniger schüchtern, jemand, der sich unbekümmert mit jedem unterhalten konnte.

„Warum hast du dir eigentlich diesen Zettel über dein Bett gepinnt?" fragte Carl völlig unvermittelt.

„Woher weißt du das? Zu meinem Zimmer hat keiner Zutritt", fragte Kate ungehalten und wurde rot.

„Ich bin nur dran vorbeigegangen, aber die Tür stand offen. Übrigens bin ich der gleichen Ansicht: Du bist klug", sagte Carl, der immer gern etwas Nettes sagte. „Du hast Minderwertigkeitskomplexe, aber du bist ganz in Ordnung. An dir ist wirklich nichts auszusetzen, Kate." So etwas hatte er ihr schon lange sagen wollen!

Kate wußte nicht, was sie dazu sagen sollte, und lief darum schweigend voraus, so daß sie als erste Abraham und Sheppie sah, umgeben von einer Herde hungriger Kühe. „Sheppie! Ich bin da!"

Abraham wieherte ihr einen kleinen Willkommensgruß zu, aber als Sheppie sie sah, lief er weg. Am liebsten hätte Kate geheult, aber Carl erklärte ihr, das Tier sei noch zu kurz bei ihnen, um sich an irgend jemanden zu erinnern. Sie machten aus einem der Seile eine Halteleine für Abraham und brauchten eine Ewigkeit, um Sheppie einzufangen. Glücklicherweise konnte er am Ende den Haferflocken nicht widerstehen, und während Carl die Kühe in Schach hielt, schlang Kate dem Pony das Seil um den Hals. Dann machten sie sich alle gemeinsam auf den Heimweg, Carl mit Abraham und seinem Rad im Schlepp, Kate mit Sheppie.

Inzwischen war die Sonne verschwunden, der Abend kündigte sich bereits an. Kate vergaß völlig, Carl für seine Hilfe zu danken. Für die ganze Familie Carr war es selbstverständlich geworden, daß Carl immer da war, wenn er gebraucht wurde. Und falls Carl sie für undankbar hielt, hatte er es sich noch nie anmerken lassen.

Als Kate endlich mit schmerzenden Beinen und knurrendem Magen daheim ankam, hämmerte Dad am Stalldach herum, und Mum und Tina tranken in der Küche Tee.

„Die Polizei hat noch mal angerufen", berichtete Mum. „Sie wollten zu Joseph. Allerdings meinten sie, den Schaden hätte sein Bruder angerichtet. Der ist schon vorbestraft und nur auf Bewährung frei, so daß es ihm womöglich zuzutrauen wäre."

„Bei Joseph ist nie jemand zu Hause", sagte Kate.

„Stimmt", bestätigte ihre Mutter. „Sie gehen der Polizei aus dem Weg."

Kates Essen stand im Backofen und war schon ziemlich eingetrocknet. Carl stieg zu Alan aufs Stalldach, um ihm beim Ausbessern zu helfen. Abraham und Sheppie standen jetzt auf der Weide und warteten schon darauf, in ihre Boxen zu kommen.

„Sieh mal im Landrover nach, Kate", rief Dad ihr zu. „Ich habe etwas Sattelzeug mitgebracht. Eine mitleidige alte Dame hat es uns überlassen, bei ihr läge es doch nur herum, meinte sie. Morgen früh helfe ich dir, es in Ordnung zu bringen."

Das Sattelzeug war alt und fühlte sich hart an, aber es war besser als gar nichts. Kate brachte es ins Haus.

Am nächsten Morgen ritten Kate und Helen Sheppie zum ersten Mal. Vorher mußten sie ihn satteln, so gut es ging.

Helen hatte sofort Einwände gegen den Sattel, der

längst nicht mehr in dieser Ausführung benutzt wurde und so groß und unförmig war, daß er fast an Sheppies Widerrist stieß. „So geht das doch nicht, Kate!" empörte sie sich.

„Ich kann doch nichts dafür!" wehrte sich Kate. „Bedank dich lieber bei dem netten Joseph!"

Aber Helen zählte nur weiter auf, was alles verkehrt war: der Sattel zu flach, die Sattelblätter zu gerade, der Gurt zu steif. „Die Sachen sind mindestens hundert Jahre alt!" schimpfte sie.

Als Ivor kam, half er, die Zügel in Sheppies Halfter einzuhaken. Carl fand ein Stück Schaumgummi und legte es unter den Sattel. Kaum waren Kate und Helen eine Runde auf dem Hof geritten, wollten sie schon hinaus auf die Straße. Ivor gab ihnen den Tip, auf der Brides Lane zu reiten. Das sei eine ruhige, verkehrsarme Straße.

Tina und Carl führten ihre Hunde zusammen aus. Airy war jetzt größer als Becky und neigte dazu, auf Nimmerwiedersehen im Gebüsch unterzutauchen. Tina und Carl sprachen wenig miteinander.

Als Kate auf Helens Rad und Helen auf Sheppie unterwegs zur Brides Lane waren, erzählte Kate ihrer Freundin, daß Tina und Carl ineinander verliebt wären. Helens einziger Kommentar dazu lautete: „Glückliche Tina! Carl ist super!"

Dann waren sie auf der Brides Lane und tauschten. Kate hatte in ihren wenigen Reitstunden schon gelernt, wie man im Schritt ging, aber Trab geritten war sie noch nie. Nun kam sie sich wie eine Königin vor, die auf ihrem eigenen Pferd eine schier endlose Prachtstraße entlangritt. Ein Traum war Wirklichkeit geworden! Ich kann ja reiten! stellte sie erstaunt fest. Ich kann's!

Daß Helen ihr ständig Anweisungen geben mußte, verdarb ihr fast den Spaß. „Fersen nach unten! Halt den Kopf hoch und sieh geradeaus! Lehn dich nicht zu weit nach vorn! Ja, so ist's besser!" rief sie.

Kate hörte deutlich heraus, daß da Rene Ward aus Helen sprach, denn alles, was Helen vom Reiten verstand, hatte sie von ihr gelernt.

Schließlich rief Kate zurück: „Hör auf, mich zu kommandieren! Ich kann reiten!"

„Sieht aber nicht so aus", maulte Helen, die lieber selbst reiten wollte.

„Ich weiß, daß du denkst, du kannst alles, aber ganz so ist es nicht!" bemerkte Kate spitz.

„Jedenfalls bin ich jetzt wieder dran mit Reiten!"

„Noch nicht", rief Kate. „Immerhin ist es mein Pony!"

„Hätte ich mir denken können, daß es so laufen wird!" höhnte Helen. „Daß du nicht mehr runtergehst von deinem Pony! Ich hasse dich, Kate Carr!"

Da passierte es. Als ein Vogel unvermutet aus einer Hecke aufflog, tat Sheppie vor Schreck einen Satz, wendete und galoppierte in kurzen, energischen Sprüngen nach Hause. Und Kate, durch den Ruck halb aus dem Sattel geworfen, konnte nichts anderes tun, als sich Sheppies dichte Mähne zu klammern und zu beten, daß er anhalten würde.

Als das Pony an Helen vorbeifegte, reagierte sie zu spät, um es zu fassen zu kriegen. Statt dessen schrie sie hinter Kate her: „Aufrichten, Kate! Zurücklehnen, nicht nachgeben! Nimm die Zügel fester!" Es war wieder Rene Ward, die da kommandierte! Helen gab erst auf, als Sheppie und Kate außer Sicht waren. Dann schwang sie sich auf ihr Rad und strampelte wütend hinter den beiden her.

Als Kate schließlich an den Zügeln zerrte, senkte Sheppie nur den Kopf und beschleunigte sein Tempo noch mehr. Kate hatte nicht genügend Kraft, ihn zurückzuhalten.

Helen wurde plötzlich von einem Mann mit Ohrenschützern und Öljacke angehalten, der sie anschrie: „Runter von meinem Grund und Boden! Das ist keine öffentliche Straße!"

„Sehen Sie nicht, daß ich das so schnell wie möglich will?" antwortete Helen, den Tränen nahe.

„Und ich will dich hier nicht noch mal sehen", schimpfte der Mann weiter, „hast du mich verstanden? Zu Fuß kann man hier gehen, aber gefahren und geritten wird hier nicht!"

„Bestimmt nicht nochmal!" murmelte Helen vor sich hin. „Ich hasse diese Straße!" Im Augenblick haßte sie so ziemlich alles.

Bei Carrs zu Hause suchte Ann nach Carl. „Carl, wo bist du? Wo wollten die Mädchen denn um Himmels willen mit Sheppie hin? Kate kann kaum reiten. Wer hat den beiden denn erlaubt, auszureiten?"

Carl sagte, er hätte keine Ahnung und überhaupt nichts damit zu tun. Er sei mit Abraham beschäftigt gewesen, der Sheppie vermißte und Schnupfen hatte.

„Könntest du bitte, bitte trotzdem die beiden suchen? Ich mache mir solche Sorgen, und ich muß zu den Peacocks, deren Pferde alle den Husten haben. Ich kann mir überhaupt keinen Reim drauf machen, wie diese Infektion da eingeschleppt worden ist", verkündete Ann unglücklich.

„Okay, mach ich." Carl lief nach Hause, um sein Fahrrad zu holen. Abraham machte ihm Sorgen. Zu dumm, daß Ann keine Zeit hatte, sich um den Esel zu kümmern. Wenn wenigstens Alan oder Simon oder Ivor erreichbar gewesen wären, aber die waren alle unterwegs. Der Esel hatte einen schweißnassen Hals. Das konnte von seiner Sehnsucht nach Sheppie kommen, aber auch von etwas anderem. Während Carl sich auf sein Rad schwang, war er schon fast sicher, daß letzteres zutraf.

Eine Weile fuhr er ziellos am Stadtrand umher und hielt Ausschau nach Sheppie und den beiden Mädchen. Er war nun ziemlich sauer auf sie. Sie mußten doch wirklich auch die „goldene Regel" kennen: „Sag immer jemand, wo du hingehst, und wenn keiner da ist, leg einen Zettel hin!" Das hatte seine Großmutter ihm schon vor Jahren beigebracht. Und wenn Gran ihm auch manchmal auf die Nerven ging, war sie doch nicht dumm. Seit kurzem hatte sie angefangen, nachmittags mit Airy spazierenzugehen; vor ihren Freunden gab sie sogar an mit dem kleinen Hund, so gern mochte sie ihn.

Carl fiel auf einmal die Straße ein, von der Ivor öfter sprach. Hatte er nicht auch Kate von der Brides Lane erzählt? Bestimmt hatten sie die angesteuert!

Die Mädchen waren jetzt schon fast eine Stunde unterwegs, und wenn Sheppie auch als sicher galt, so wußte doch noch keiner von ihnen viel über ihn, nicht mal Alan. Der Gedanke ließ Carl für einen Moment Abraham vergessen, und er fing an, wie wild Richtung Brides Lane zu strampeln. Hoffentlich hatte es keinen Unfall gegeben!

Kate hatte nun endgültig die Zügel verloren, und Sheppie behielt sein Tempo bei. Er wußte genau, wo er hinwollte – heim zu Abraham und in seinen schönen warmen Stall. Kate hatte Angst. Es war ihr unheimlich, keine Kontrolle mehr über das Pferd zu haben. Wenigstens beherrschte sie sich und schrie nicht; Dad hatte ihr beigebracht, daß Schreie im Ernstfall auch Tiere in Panik versetzen konnten.

Als sie gerade erwog, sich einfach von Sheppies Rükken fallen zu lassen, verstellte ihnen jemand den Weg und rief: „Hüah, kleines Pony, steeeh!" Er streckte eine Hand nach Sheppie aus, und das Pony nahm augenblicklich sein Tempo zurück.

Kate konnte sich aufrichten und die Zügel einholen, und wie durch ein Wunder hielt Sheppie an. Erst jetzt erkannte Kate, daß es Joseph war. Es verschlug ihr für einen Augenblick die Sprache. Von Sheppies Rücken aus sah Joseph viel kleiner aus. Bis jetzt hatte sie nie wahrgenommen, wie klein er eigentlich war. Wegen seiner Art war er ihr immer groß und derb vorgekommen. So hatte er auch dahergeredet. Jetzt aber sah sie, daß er in Wirklichkeit nur ein Junge war, der ungefähr ihr Alter hatte.

„Was machst du denn hier?" fragte sie endlich.

„Mich vor der Polizei verstecken."

Darauf fiel Kate erst einmal keine Erwiderung ein.

Als nächstes sagte Joseph ihr, daß der Sattel nicht paßte. Kate erzählte ihm bissig, der richtige sei draufgegangen, als jemand Feuer an ihren Stall gelegt hätte. Joseph sagte, das wäre nicht beabsichtigt gewesen.

„Und Mums Henne hast du auch auf dem Gewissen", sagte Kate empört.

„Das stimmt nicht. Ich habe das nicht getan", wehrte sich Joseph. Und dann: „Ich begleite dich wohl besser nach Hause, weil du ja offensichtlich noch nicht fertig wirst mit deinem Pony. Wenn ihr so durch die Stadt rast, kommt ihr beide nicht lebendig zu Hause an!"

„Und wenn die Polizei dich entdeckt?" fragte Kate.

„Das müssen wir riskieren."

Trotz allem, was passiert war, empfand Kate auf einmal so etwas wie Sympathie für Joseph, und das machte ihr Gewissensbisse.

Helen, die sie endlich eingeholt hatte, betrachtete das Trio mit ungläubigem Staunen.

„Ich bringe Kate nur nach Hause, damit ihr nichts passiert", erklärte Joseph.

„Ich kann's nicht glauben! Ich glaub's einfach nicht!" kreischte Helen. „Ihr beiden zusammen! Das ist ja umwerfend!"

Joseph tätschelte Sheppie.

„Er war ungehorsam", beschwerte sich Kate. „Durch nichts war er zu stoppen!"

„Eigentlich nicht. Er wollte einfach nur nach Hause."

Kate bekam das Gefühl, daß Joseph einem Pferd immer alles vergeben würde.

„Warum hast du den Brand bei uns gelegt?" mußte Kate auf einmal fragen.

„Ich wollte es nicht, mein Bruder hat es getan", antwortete Joseph.

„Genau so ist es mir mit Sarah ergangen", sagte Kate verständnisvoll. „Sie war es, die den Strohballen in der Reitschule angezündet hat."

„Spielt das jetzt noch eine Rolle? Es ist alles vorbei", sagte Joseph auf dem Rückweg zur Straße. „Die Reitschule wird verkauft, Jim und Rene sind bankrott. Alles ist aus und vorbei." In seiner Stimme lag Trauer und Reue.

„Und wie war das mit Becky?"

„Ich hätte sie nicht getötet. Ich war nur so verzweifelt", sagte er und forschte in Kates Gesicht nach Verständnis.

„Idiotisch warst du", verbesserte Kate. „Total ausgeflippt."

„Vielleicht. Es war eben alles, was ich hatte, und jetzt gibt es das nicht mehr."

„Erpreßt hast du uns, alle!" zählte Kate weiter auf.

„Weil ich von Rene und Jim erpreßt wurde", klärte er sie auf. „Außerdem habe ich Beacon wirklich geliebt." In seinen Augen standen jetzt Tränen. „Ich hab's einfach nicht gepackt, ein Tier so sterben zu sehen", schluchzte er auf. „So elend und ohne einen Tierarzt, der hilft."

Wenn wir nur früher darüber gesprochen hätten! dachte Kate. Wenn ich das nur alles gewußt hätte!

Warum hatte ich solche Angst vor Joseph? Wo es doch die Wards waren, die uns so ins Abseits getrieben haben, nicht Joseph und seine Freunde.

„Sie sind auf die Idee gekommen, den Hund zu entführen. Jim war es. Er fand das amüsant. Ich wußte, daß Helen Becky befreien würde, und ich war heilsfroh."

Kate mußte ihm einfach glauben. Am liebsten hätte sie auch angefangen zu weinen, um all den Haß herauszuheulen, der sie wie eine ansteckende Krankheit befallen hatte.

„Jim hockt sein Leben lang in der Stube, mein Dad auch. Ich halte das nicht aus. Ich werde Jockey", erklärte Joseph. „Eines Tages reite ich im Nationalderby oder so und werde berühmt."

„Was habt ihr überhaupt miteinander zu schaffen?" regte Helen sich auf.

„Nur reden", sagte Joseph.

„Ich höre mir seine Version der ganzen scheußlichen Geschichte an", sagte Kate

„Die ohnehin bald aus ist. Die Pferde enden beim Schlachter, das Grundstück wird verkauft, und die Wards müssen sich mit irgendwas anderem durchschlagen", zählte Joseph auf, als erzähle er das düstere Ende eines Märchens.

Endlich hatte Carl sie gefunden. Mit hochrotem Gesicht und Wadenkrämpfen von der Strampelei stieg er von seinem Rad. Er fragte die Mädchen, wie sie dazu gekommen seien, einfach abzuhauen, ohne eine Nachricht zu hinterlassen. Er schimpfte auf Kate ein und

317

zerbrach sich eigentlich die ganze Zeit den Kopf, wieso Kate und Joseph da so einig mit Sheppie dahintrotteten, als seien sie gute alte Freunde.

Carl stand ihnen so erwachsen und fremd gegenüber, daß es den beiden zunächst die Sprache verschlug. Bis Kate ihn endlich anfuhr: „Stell dich nicht so an, du kennst doch Joseph!" Als ob sie sich auf einer Party befänden und einander vorstellen müßten.

„Ich dachte, Kate und Joseph hassen sich", bemerkte Helen.

„Aber offensichtlich sind sie gute Freunde", meinte Carl mit eisiger Stimme.

„Sie ist fast vom Pferd geflogen, und außerdem bin jetzt ich wieder dran mit Reiten. Soll sie doch mit Joseph machen, was sie will!" trumpfte Helen auf und warf ihr Rad in den Schmutz.

„Ich gehe jetzt", sagte Joseph, ohne jemand anzusehen.

„Aber was ist mit der Polizei?" rief Kate.

„Ewig kann ich mich ja doch nicht verstecken, oder?" antwortete Joseph und sah Kate mit seinen grauen Augen an, in denen keine Spur von Grausamkeit lag, sondern die ihr eigentlich sogar recht gut gefielen.

„Ihr habt also jetzt richtig Freundschaft geschlossen?" erkundigte sich Carl.

„Nicht so richtig, aber so schlimm, wie ich dachte, ist Joseph gar nicht", antwortete Kate.

Helen verstellte die Steigbügel an Sheppies Sattel, stieg auf und trabte langsam Richtung Stadt davon. Carl stieg wieder auf sein Rad und dachte auf der

Heimfahrt darüber nach, ob Kate sich nicht schon immer etwas aus Joseph gemacht hatte, weil so schnell aus einer Feindschaft doch keine Freundschaft werden konnte.

Mum wartete ungeduldig auf Helen und Kate. Als Carl noch vor ihnen angeradelt kam, rief er schon von weitem: „*Denen* geht's gut, aber Abraham nicht! Und um den scheint sich keiner Sorgen zu machen! Sieh ihn dir bitte an, er ist krank, ziemlich sogar!"

Aber statt Ann kam Alan heraus und begleitete Carl eilig zum Stall. Dann lief er zu seinem Wagen und holte Stethoskop und Thermometer. „Warum hat mir das noch keiner mitgeteilt?" beschwerte er sich.

„Du warst nicht da", sagte Carl.

Dann kamen auch schon Ann und Kate. „Was ist mit Abraham los?" fragte Kate schluchzend.

Alan versuchte, sie zu beruhigen. Gewiß, Abraham sei krank, aber so sei das nun mal bei Eseln: sie würden krank, hätten keine Widerstandskraft mehr und könnten manchmal innerhalb von vierundzwanzig Stunden sterben, ohne daß man etwas dagegen tun könnte.

„Die Menschen halten Esel immer für widerstandsfähig, aber das stimmt nicht", fuhr er fort und wies Carl an, eine Decke zu holen, und Kate eine Portion warmes Mengfutter zurechtzumachen. Wahrscheinlich hätte Abraham eine Lungenentzündung, meinte er, aber wie er die bekommen hatte, wüßte er auch nicht. Aber so sei das eben bei Eseln.

Als auch Ann anfing zu weinen, weinte Kate noch mehr.

Helen war nach dem mißglückten Ausritt sofort nach Hause gegangen. Tina machte Einkäufe. Abraham legte sich ziemlich bald auf seine Streu und verschwand fast unter der viel zu großen Decke. Er wirkte jetzt sehr alt, und das Atmen schien ihm von Mal zu Mal schwerer zu fallen. Dad setzte alle Hoffnung darauf, daß die antibiotische Spritze, die er dem Tier gegeben hatte, zusammen mit dem warmen Brei eine Besserung bringen würde.

Carl fragte Alan, was passieren würde, wenn die Spritze nicht half.

„Dann verlieren wir ihn. Mehr können wir jetzt nicht mehr tun, es sei denn, du willst versuchen, ihn zum Inhalieren zu bringen. Es ist eine altmodische Methode, aber manchmal hilft sie", antwortete Alan.

Sheppie war von Kate auf die Weide geführt worden, wo er sich erst einmal kräftig wälzte.

Als Alan dann später meinte, man sollte Abraham Ruhe gönnen, gingen alle niedergeschlagen ins Haus. Carl schlug sich mit der neuen traurigen Erfahrung herum, um das Leben eines geliebten Tieres bangen zu müssen. Auch Alans Gesicht war kummervoll, aber seine Gedanken beschäftigten sich schon wieder mit den Telefonaten, die er an diesem Tag noch erledigen mußte.

Carl lief nach Hause, holte sich einen Leinenbeutel von seiner Großmutter, fand im Bad eine Flasche Eukalyptusöl und rannte dann zurück zu Abraham, der immer noch im Stroh lag. Carl stopfte Heu in den Leinenbeutel, gab ein paar Tropfen von dem Eukalyptusöl hinein und goß dann heißes Wasser auf die Mischung. Als das Ganze etwas abgekühlt war, stand Abraham auf, und Carl konnte den Beutel so befestigen, daß er direkt vor der kleinen schrumpeligen Eselsnase hing. Nur mit Mühe konnte Abraham auf seinen kurzen grauen Beinen stehen. Aber wenigstens atmete er.

Carl blieb lange bei ihm und dachte darüber nach, daß Abraham schon da war, solange er denken konnte. Er mußte an die zwanzig Jahre alt sein – ein beträchtliches Alter für einen Esel! Und auf einmal erschienen Carl die ganzen Probleme der letzten Zeit unbedeutend angesichts der Tatsache, daß Abraham womöglich starb.

Als Kate später dazukam, weinte sie wieder. Sie warf sich vor, nicht schon am Morgen gemerkt zu haben, daß Abraham so krank war. Ihre Schuld wäre es, wenn er nun sterben müßte, und das könnte sie sich niemals in ihrem ganzen Leben verzeihen.

Um alle ein bißchen aufzuheitern, kam Ann und erzählte, daß sie demnächst ein Au-pair-Mädchen aus Deutschland bekämen, ein hübsches Ding. Sie hieß Helga und wollte Englisch lernen und Abendkurse auf ihrer Schule belegen, die kaum zehn Minuten zu Fuß entfernt lag.

Als Tina vom Einkaufen nach Hause kam, erzählte Kate ihr, was Joseph gesagt hatte und daß er nicht so schlimm sei, wie sie gedacht hätte.

Tina gab auf alles nur oberflächliche Antworten wie „Ach ja?" oder „Glaub ich!"

Mum ging viel mehr darauf ein. „Armer Kerl", meinte sie über Joseph. „Ich verstehe, was ihn so weit

11   4771-11

gebracht hat: Weil seine Eltern keinerlei Verständnis für ihn hatten, schuf er sich mit Rene und Jim so was wie Ersatzeltern, die er lieben konnte – und die ließen ihn dann auch im Stich!"

„Und dann ist auch noch Beacon gestorben. Ich glaube, er hat Beacon wirklich geliebt", ergänzte Kate. Dann wollte sie wissen, was mit Joseph passieren würde, wenn die Polizei ihn erwischte.

Mum meinte, die Behörden würden ein psychologisches Gutachten über ihn anfertigen lassen und ihm helfen. „Vielleicht kommt er sogar in ein hübsches Internat. Mach dir also keine Gedanken", schloß sie und umarmte Kate, was sie seit einer Ewigkeit nicht getan hatte.

„Ich glaube, ich hör nicht recht!" fuhr Tina dazwischen. „Was ist denn mit Becky und unserem Brandschaden? Dafür müßte er ja wohl bestraft werden!"

„Er ist erst zwölf und in vieler Beziehung unterentwickelt", sagte Mum.

Kate erzählte dann, wie schrecklich es für sie gewesen war, Sheppie nicht stoppen zu können. Mum versprach ihr Reitstunden. Das Problem war nur, wo Kate diese nehmen sollte. Bevor das gelöst war, mußte Ann Carr sich schon wieder auf die Socken machen.

Als Kate und Tina hinausgingen, fanden sie Carl weinend auf einem umgestülpten Eimer sitzen. „Abraham ist tot, nicht wahr?" vermutete Kate, aber Carl schüttelte den Kopf.

Tina legte einen Arm um Carl und tröstete ihn: „Er ist doch schon ziemlich alt, Carl!"

Aber Carl meinte, darum ginge es gar nicht, sondern

darum, daß sie Abrahams Krankheit alle schon früher hätten bemerken müssen und daß sie alle mit dran schuld wären.

Nun wußte Tina gar nicht mehr, wie sie ihn noch trösten sollte. „Vielleicht sollten wir ihn eine Weile in Ruhe lassen", meinte sie schließlich.

Der Rest des Tages war damit ausgefüllt, die Sachen für die Schule vorzubereiten. Danach machte Kate sich noch einmal an das alte Zaumzeug, obwohl sie eigentlich wußte, daß es reine Zeitverschwendung war; trotz aller Bemühungen würde es weiterhin alt und schäbig aussehen. Morgen fing die Schule wieder an, und sie fragte sich, wie sie mit dieser Mischung aus Feinden und Freunden zurechtkäme. Sie malte sich aus, daß Helga schon da wäre, wenn sie nach Hause käme. Helga würde ihr vielleicht bei den Hausaufgaben helfen. Alle wären erleichtert, selbst Mopsy, Flopsy und Meg, die Tante Cloe vermißten.

Auch in der Nacht hielt Carl Wache bei Abraham. Um sechs Uhr früh wieherte der alte Esel ihm leise entgegen. Da schüttete Carl den Brei weg, tat ein paar Händevoll Getreidekörner in einen Eimer und ging nach Hause, um sie in Grans größtem Kochtopf mit zerkleinerten Karotten und Äpfeln zu mischen. Mit diesem Futter setzte er sich wieder zu Abraham und redete ihm gut zu, bis er alles aufgefressen hatte. Danach holte er frisches Wasser und sah dem Esel beim Trinken zu. Abraham schien es immer besser zu gehen, aber Carl hatte im Umgang mit kranken Tieren schon genügend gelernt, um zu wissen, daß sie oft wenige Stunden vor ihrem Tod noch einmal aufblühten.

Im Osten erhellte sich bereits der Himmel, und da Carl spürte, daß seine Gegenwart Abraham gut tat, blieb er bei ihm und betete, daß er sich erholen würde.

Etwas später kam Alan herein und fragte: „Wie geht es ihm?"

„Ein klein bißchen besser, glaube ich, aber er ist noch nicht über den Berg." Wie oft hatte Carl diese Worte von Alan gehört! Manchmal sagte Alan auch: „Große Sprünge kann er noch nicht machen", wenn es zum Beispiel um einen hoffnungsvollen Reiter ging, der sein Pferd schon sehr bald bei einem Wettkampf einsetzen wollte.

Alan hörte sich Abrahams Atmung an und meinte, sie sei schon etwas leichter. Während er dem Tier eine weitere Spritze gab, hielt Carl den Eselskopf fest. „Beschwören kann ich es nicht, aber ich denke, er schafft es. Nur müssen wir in Zukunft viel besser auf ihn aufpassen. Vielleicht hat er sich in der Nacht da draußen verkühlt oder sich eine Infektion geholt. Sheppie müssen wir auch im Auge behalten, Carl." Alan ging schon zum Haus zurück, als ihm einfiel, Carl zuzurufen: „Komm rein und iß einen Happen. Ich denke, das hast du dir verdient, denn wenn Abraham noch zwölf Stunden ohne Behandlung geblieben wäre, würde er jetzt nicht mehr leben."

Als Carl in der vertrauten Küche saß, meinte er, eigentlich müßte man einem gewissen Alexander Fleming danken, denn wenn der das Penicillin nicht erfunden hätte, wäre Abraham jetzt bestimmt tot. Alan lachte und fragte Carl, was er sich denn noch so alles selbst beigebracht hätte, bestätigte aber dann, daß tatsächlich Millionen von Menschen und Tieren ihr Leben den Antibiotika verdankten.

Während er sich an seinem Kaffee wärmte, überkam Carl ein richtiges Glücksgefühl. Abraham zuzusehen, wie er vorhin seine Mahlzeit verzehrte, war einer der schönsten Momente seines Lebens gewesen. Was für ein bescheidenes, liebes Tier! „Abraham ist mir richtig ans Herz gewachsen", sagte er zu Alan. „Er ist so friedlich und geduldig."

Alan stimmte ihm zu, meinte aber dann: „Darum werden Esel auch überall in der Welt so ausgenutzt. In diese heißen Länder, wo die Esel den ganzen Tag lang nur Schwerarbeit leisten müssen, darf ich gar nicht reisen – die Aufregung wäre schlecht für meinen Blutdruck!"

Sie machten sich Toast und Rührei, und darüber wurde es allmählich richtig Tag. Die Sonne ging auf und vertrieb die Dunkelheit, und Carl mußte plötzlich denken, daß er fast alles auf der Welt hatte, was er sich wünschte.

11

Die Schule hatte wieder angefangen. Kate hatte plötzlich wieder jede Menge Freundinnen, die an ihr klebten und dies und jenes von ihr wissen wollten. Für Kate war das jetzt aber gar nicht mehr so wichtig – vielleicht, weil sie vor allem lernen wollte.

Joseph tauchte nicht mehr auf. Es gab lediglich Gerüchte darüber, wo er geblieben war. Auch Tina und Carl setzten sich im neuen Schuljahr auf den Hosenboden, weil ihre ganze Zukunft davon abhing.

Helga hielt bei Carrs Einzug und war auf Anhieb bei allen beliebt. Sie war klug und fleißig, hatte schönes blondes Haar und eine Art zu lächeln, daß ihr ganzes Gesicht dabei zu leuchten schien. Die Katzen und Becky verstanden ihre Freundlichkeit bestens auszunutzen. Für die Carrs kochte Helga die leckersten Gerichte, und wenn Kate von der Schule nach Hause kam, nahm sie sich jeden Tag Zeit, mit ihr die Hausaufgaben durchzugehen.

Und auf einmal hatte auch Simon tagtäglich irgend etwas bei Carrs zu tun! Auch Ivor tauchte nun noch häufiger auf, um sich von Helga einen Kaffee machen zu lassen. Mum gab allen zu bedenken: „Hängt euer Herz nicht zu sehr an sie, sie bleibt nur ein Vierteljahr bei uns!"

Die Lehrer waren über Kates neuen Arbeitseifer sehr überrascht und sprachen in der Konferenz davon. Sie entschlossen sich, ihr mehr zuzutrauen, und Kate freute sich darüber.

Die ehemaligen Schüler des Reiterhofs sprachen nur noch von der bevorstehenden Auktion. Wer würde zum Beispiel die Pferde kaufen? Blieb ihnen nur der Schlachter? Sie lagen ihren Eltern in den Ohren, ihnen eins der Tiere zu kaufen, aber die Eltern stellten sich taub. Da Joseph nicht mehr da war, fragten sie Kate um Rat, die sich gar keinen Reim darauf machen konnte, was passiert war und wieso ihre Meinung auf einmal so viel galt.

Tina behauptete, das hinge mit dem Bio-Rhythmus zusammen. Carl schob es darauf, daß Kate mehr Selbstvertrauen bekommen hätte und daß „nichts erfolgreicher ist als der Erfolg". Jeden Tag, wenn sie von der Schule nach Hause kam, wieherte Sheppie ihr entgegen, und wenn die Tage bald länger wurden, könnte sie ihn endlich auch wieder reiten.

Tina und Carl zeigten ihre Zuneigung füreinander jetzt ganz offen, was Mum beunruhigte. Sie gab Tina zu bedenken, daß sie für eine feste Beziehung noch zu jung sei und daß sie, bevor sie sich festlegte, noch andere Jungen kennenlernen sollte. Aber Tina hatte kein Interesse an anderen Jungen. Sie war in Carl verliebt, und daß ihre Freundinnen sie um ihn beneideten, verstärkte dieses Gefühl noch ein wenig. „Ich bin fast sechzehn!" hielt sie ihrer Mutter entgegen. „Da ist man kein Kind mehr!"

Carls Großmutter fragte in regelmäßigen Abständen nach ihrer Leinentasche, bis Carl ihr schließlich gestand, daß die „Inhalationspackung" für Abraham kaputtgegangen sei. Als er ihr klarmachte, daß er mit ihrer Leinentasche Abrahams Leben retten konnte, seufzte sie nur und meinte, es würde immer schlimmer mit ihm.

Carls Gedanken waren so häufig bei Tina, daß er jetzt öfter vergaß, Fenster und Türen zu schließen, oder die Kochplatte abzustellen, oder die Heizung auszudrehen, wenn er das Haus verließ. Seine Gran nahm ihm das übel. Zur „Strafe" hörte sie auf, ständig für ihn Kuchen zu backen oder seine Sachen zu waschen und meinte, wenn er alt genug sei, einem Mädchen nachzulaufen, sei er auch alt genug, seine Wäsche selbst zu waschen.

Simon versetzte seine Sue und ging statt ihr mit Helga aus. Immer häufiger rief Sue von sich aus bei den Carrs an und fragte mit vorwurfsvoller Stimme nach Simon. Alan gefiel das gar nicht, und er warf Simon vor, daß er sich kindisch benähme.

Der Termin für die Auktion rückte näher. Dad hatte Kate versprochen, mitzubieten, falls vernünftiges Zaumzeug für Sheppie versteigert würde. Falls er selbst nicht pünktlich kommen könnte, würde er Ivor darum bitten. Mum hatte wieder eine Henne aufgelesen, die sie hochpäppeln wollte. Diesmal nannte sie das Tier „Phantom", und sie interessierte sich wieder einmal für nichts anderes. Dad sprach von „Anns Baby" und bot ihr im Spaß an, eine Wiege zu kaufen.

Ihr Leben lief wieder in normalen Bahnen.

An dem Sonnabend, der für die Auktion vorgesehen war, regnete es. Sie kamen zu früh und trafen Joseph an, der die Pferde striegelte. „Ich möchte, daß sie in gute Hände kommen", erklärte er Kate mit tränenfeuchten Augen. In ihrem stumpfen Winterfell, mit ihren filzigen Mähnen und Schweifen sahen die Ponys nicht gerade vielversprechend aus. Sie waren unterernährt und ließen die Köpfe hängen. Als Kate sie sah, fing sie ebenfalls an zu weinen. Die Stallpferde sahen auch nicht besser aus: Sie hatten magere Hälse, und ihre Rippen zeichneten sich durch das ungepflegte Fell ab.

Die Ponys standen im Regen. Die Schäferhunde lagen an der Kette. Die Wards machten niedergeschlagene und schuldbewußte Gesichter. Kate empfand jetzt nur Mitleid für sie. Tina hielt Carl an der Hand. Sie kämpfte mit den Tränen.

„So weit hätte es niemals kommen dürfen", erboste sich Carl. „Jemand hätte rechtzeitig einen Riegel vorschieben müssen!"

„Aber wer?"

„Dein Vater oder die Polizei oder die Gemeinde oder sogar die Tierschutzbehörde. Es ist grauenhaft!" sagte Carl.

Kate nahm sich eine der Bürsten und half Joseph, die Ponys zu striegeln, aber da der Dreck durch den Regen verklebt war, sahen sie anschließend auch nicht besser aus. Alles schien wie ein Wettlauf gegen die Uhr zu sein, ein letzter Liebesdienst an den geliebten Pferden.

Die Einfahrt war jetzt voll mit Wagen. Der Auktionator baute unter einem Zeltdach seinen Arbeitstisch auf und verkündete, die Reitschule samt Grund und Boden sei bereits an einen privaten Käufer vergeben.

„An einen Grundstücksmakler, meinen Sie wohl!"
rief eine Frau aus der Menschenmenge.

„In unserer Stadt gibt's genügend Häuser, wir brauchen keine mehr!" schrie jemand anderer.

Carl stellte sich vor, daß dieses Stück Land bald mit
Wohnblöcken vollgebaut sein würde, dicht an dicht.

Joseph sagte, man hätte ihm die Aufgabe zugeteilt,
die Ponys vorzuführen. „Zum letzten Mal", sagte er
und sah Kate an. Sie sah schnell weg, weil sie sicher
war, daß er immer noch ihre Eltern für das verantwortlich machte, was jetzt passierte.

Anstelle von Dad war Ivor mit seiner geliebten
Pfeife im Mund gekommen. Dad mußte ein Pferd einschläfern, das sich bei einem Jagdunfall schwer verletzt
hatte. Mum hatte wieder mal die Morgensprechstunde
übernehmen müssen, die an Sonnabenden gewöhnlich
immer lange dauerte.

Auf einmal fuhr ein Viehtransporter mit mehreren
Anhängern vor. Der Transporter war so lang, daß jeder
sich denken konnte: der ist vom Schlachthof!

„Wenn die Pferde nur etwas besser aussehen würden!" schluchzte Sally.

„Wir hätten ihre Mähnen flechten sollen. Ich wollte
ja, aber Rene hat es mir nicht erlaubt", weinte Diane.

Die Leute lasen jetzt die Auktionslisten. Von allen
Tieren hieß es, sie seien gesund und gut zu reiten,
lediglich Smoky lahmte immer noch ein bißchen und
brauchte den Hufschmied. Carl sah sich um und
wünschte sich weit weg, irgendwohin, wo er sich nütz-
lich machen, etwas heilen konnte. Hier konnte er
nichts mehr ändern. Er kam zu spät, wie sie alle. Sie

hatten sich alle wie Kinder benommen: anstatt vernünftig mit den Wards zu reden, hatten sie sie verteufelt. Jetzt wünschte er, sich anders verhalten zu haben. Irgendwie hätte er es schaffen müssen, ihnen die Sache mit der Gerichtsverhandlung auszureden, denn dadurch war alles, was passiert war, nur noch schlimmer geworden, und wie gewöhnlich mußten am Ende die Pferde darunter leiden.

Joseph hatte gerade entdeckt, daß der Transporter ein ausländisches Nummernschild trug. Das bedeutete, daß die Pferde nicht einmal in England einigermaßen würdig zu Tode kämen, sondern womöglich tagelang zu irgendeiner ausländischen Abdeckerei befördert würden.

„Dagegen muß es doch Gesetze geben!" schrie Diane völlig verzweifelt auf.

„Nicht mehr", erwiderte Joseph mit tränenüberströmtem Gesicht.

Je länger sie warteten, desto bedrohlicher wurde die ganze Atmosphäre. Sogar einige der Erwachsenen hatten sich dunkle Brillen aufgesetzt, um ihre Tränen zu verbergen. Diane, Sally und Helen dagegen standen bei den Ponys und heulten in ihre Mähnen, wodurch die noch ein bißchen nasser wurden. Tina klammerte sich an Carls Arm. Dann schlug der Auktionator, ein kräftiger, rotwangiger Mann, mit einem Hammer auf den Tisch und kündigte den Beginn der Versteigerung an. Im Hof war mit Seilen ein Laufgang abgeteilt worden, durch den die Pferde und die Ponys auf und ab geführt werden sollten, damit die Zuschauer sie beurteilen konnten.

In diesem Moment traf Ann Carr ein. Irgend jemand buhte, und dann fingen zwei oder drei Leute an zu pfeifen. Ann sah niemanden an, sondern suchte Ivor und stellte sich neben ihn; in ihrem Gesicht stand der Kummer, und ihre Hände waren zu Fäusten geballt. Kurz nach ihr kam auch Alan. Kate lief zu ihnen und flehte: „Bitte, bitte kauft eins von den Ponys, sonst werden sie vom Schlachter aufgekauft, ganz bestimmt! Erst werden sie meilenweit in ein anderes Land transportiert und dann geschlachtet! Bitte, bitte kauft eins!"

„Aber wir haben nicht genügend Platz", wandte Dad ein. „Das bißchen Land, das wir haben, reicht kaum für Sheppie, Abraham und die Gänse."

„Und du hast nicht die Zeit, dich um drei Tiere zu kümmern", ergänzte Mum.

„Aber die anderen helfen doch dabei!"

Simon und Helga waren auch da. Tina beobachtete sie alle, und plötzlich kam ihr das Ganze wie eine Beerdigung vor, dieselbe düstere Stimmung: Kummer, Reue und die quälende Gewißheit, daß etwas für immer zu Ende war. Sie machte sich von Carl los, weil es ihr unpassend schien, bei einem solchen Anlaß ihre Verliebtheit zu zeigen.

Als erste führte Rene Ward ein schwarzes Pferd vor. Jim Ward hatte inzwischen eine halbe Flasche Whisky ausgetrunken, sah dementsprechend aus und war unfähig, irgend etwas zu tun. Die Gebote waren niedrig. Am Ende ging das Tier für zweihundertfünfzig Pfund an einen Herrn, der einen steifen altmodischen Hut trug. Dieser Ablauf wiederholte sich noch mehrere Male. Der Auktionator schrie: „Wieviel wird geboten?" Und jedesmal bekam der Herr mit dem Homburg-Hut, der Mr. Weatherby hieß, den Zuschlag. Und jedesmal ging das gleiche Murmeln durch die Menge: „Wieder einer für den Schlachter!" Und wer nicht offen weinte, tat es innerlich.

Für Kate war es das Traurigste, was sie je gesehen hatte. Ein Pferd nach dem anderen trabte mit klappernden Hufen, hängendem Kopf und mageren Rippen zu demselben Schlachter – so jedenfalls nannte Kate ihn, auch wenn er keine gestreifte Schürze trug und nicht im Fleischerladen stand.

Als Helga begriff, was da ablief, wurde sie wütend. „So was laßt ihr Engländer zu? Kommt das öfter vor? Ich dachte, ihr seid tierlieb, aber da habe ich mich wohl geirrt!" Sie verzog angewidert das Gesicht und wollte auf der Stelle weg, weil sie es nicht länger ertragen konnte. „Es ist ekelhaft!" schrie sie und lief hinter Simon her, dem ihr plötzlicher Ausbruch peinlich war, während Carl ihr in Gedanken vollkommen recht gab.

Als alle Tiere verkauft waren, ging der Auktionator zur Versteigerung des Sattelzeugs über, das in einem Heuschober aufgestapelt lag. In diesem Moment entdeckte Kate Sheppies Sachen und holte ihren Vater. Er fragte sie, ob sie sicher sei, und sie nickte, weil sie die Sattelseife wiedererkannte, die sie in den Gurt gesteckt hatte. Dad meinte, daß dafür wohl die Polizei zuständig sei.

„Wenn du das so siehst, vergiß es lieber", fauchte Kate.

„Aber warum soll ich denn etwas zweimal kaufen?"

„Weil... weil... ach, ich kann's auch nicht richtig

erklären. Es ist einfach nur, weil alle auch so schon genug gelitten zu haben scheinen."

„Aber wie kommt das Sattelzeug hierher?"

„Ist das so wichtig?" fragte Kate zurück.

„Ich habe es als Ausgleich für eine offene Rechnung bekommen, und jetzt soll ich es zurückkaufen. Eine verrückte Welt!" seufzte Dad. Aber als es soweit war, bot er trotzdem mit. Und natürlich kannte der Auktionator ihn und rief so laut, daß alle es hören konnten: „Nummer 44 geht an Mr. Carr!"

Der Regen hörte endlich auf. Langsam verzogen sich die Leute. Dad übergab Kate das Sattelzeug. Die Kinder umarmten ihre Ponys noch einmal. „Wir wollen nicht zusehen, wie sie verladen werden, und erst recht nicht dabei helfen", erklärte Joseph.

„Wenn nur alles nicht so fürchterlich wäre!" heulte Diane.

Helen konnte vor Schluchzen überhaupt nichts mehr sagen. Carl hingegen schluckte seinen Groll hinunter und sah finster um sich, unfähig, seine Gefühle in Worte zu fassen. Tina und Kate legten es beide falsch aus: Tina hielt es für schlechte Laune, Kate dachte, das alles machte ihm nichts aus.

Ann warf sich vor, daß alles ihre Schuld sei, obwohl sie es eigentlich besser wußte: Die Pferde der Wards waren nicht erst seit Beacons Tod verwahrlost.

Alan unterhielt sich mit ein paar Bekannten, bis er wieder weggerufen wurde, um eine kranke Ziege zu behandeln.

Carl, Tina, Kate und Ivor machten sich auf den Heimweg. Dort saß Helga völlig aufgelöst in der Küche und erzählte ihnen, sie hätte mit Simon Schluß gemacht. „Er ist herzlos und selbstherrlich", meinte sie. „Außerdem wird er Tiere nie so lieben können wie ich. Er lacht über sie – und über mich!"

Ivor saß am Ofen. Carl konnte nur denken: Gott sei Dank, daß das vorbei ist! Die Wards ziehen weg. Ich sollte mich darüber freuen, aber ich kann es nicht. Weil sie mir einfach leid tun.

Was wird aus mir? sinnierte Kate. Sie malte sich aus, wie die leeren Boxen in der Reitschule aussehen würden. Ratten und Mäuse würden sich darin einnisten, bis der Bagger anrückte und alles einriß und niederwalzte. Als nächstes würden Häuser aus dem Boden schießen, eins nach dem anderen. Vielleicht bekämen sie Namen wie „Pferdeweide" oder „Reitstall". Vielleicht hieße eine bestimmte Gruppe sogar „Am Reiterhof" oder „Am Pferdestall", obwohl gar keiner mehr da war. Außer diesen Namen würde nichts mehr daran erinnern, was einmal war, es gäbe nur noch gepflegte Gärten und saubere neue Häuser, keine Wiesen, keinen Dreck, keine Heubüschel, keine Kinder, die um jeden Eimer Wasser oder Heu wetteiferten und nichts im Kopf hatten als ihre Pferde.

Als Alan zurückkam, beschwerte er sich über die Beerdigungsstimmung im Haus. „Worüber trauert ihr denn um Himmels willen? Wir können froh sein, daß die Wards weg sind – sie schuldeten nur jedem Geld, ihre Pferde waren am Verhungern, ihre ganze Existenz ist den Bach hinuntergegangen. Und nicht nur das: sie haben auch noch Kinder schlecht beeinflußt! Wißt ihr, daß Jim Ward schon im Gefängnis gesessen hat?"

„Ich wußte es", sagte Kate. „Woher, weiß ich auch nicht mehr."

„Und du hast dein Sattelzeug wieder, also sei ein einziges Mal zufrieden, Kate!" forderte ihr Vater.

Nach einem verspäteten Mittagessen ließ Kate Sheppie auf den Weideplatz hinaus. Sie vermißte Carl, der bei Tina war. Der Himmel hatte sich aufgeklärt, die Sonne kam heraus, und die ungewöhnliche Wärme verleitete die Vögel in den hohen Begrenzungshecken um die Weide, bereits mit Singen und Frühlingsgezwitscher anzufangen.

Mum hatte sich von den Mißfallenskundgebungen auf der Auktion erholt und hängte Wäsche auf die Leine. Das hatte sie seit Ewigkeiten nicht gemacht. Aber dann brach die Dämmerung so schnell herein, daß sie alles wieder hereinholen mußte. Bald wurde es Zeit, die Tiere für die Nacht zurechtzumachen, die Gänse einzuschließen, Eimer und Heunetze aufzufüllen und die überall verstreuten Heubüschel zusammenzufegen. Kate sah Abraham und Sheppie zu, wie sie ihr Heu malmten, bis es immer dunkler wurde und schließlich auch sie lieber in die warme Küche floh, wo der Tee wartete.

„Was meint ihr, wo die Pferde der Wards jetzt sind?" fragte Kate plötzlich mit vollem Mund.

„In einem Eisenbahnwaggon", antwortete Carl obenhin, als kümmerte ihn das wenig, obwohl ihn der Gedanke in der Seele schmerzte.

„Mit dem Transporter?" fragte Kate, Entsetzen in der Stimme.

„Ja, mitsamt dem Transporter und womöglich für

viele Tage", sagte Carl und schmierte sich Butter auf ein Stück Brot. Er wollte seine Zunge im Zaum halten, aber es fiel ihm schwer, weil es ihn so tief berührte.

„Aber da drin können sie sich doch nicht rühren!" rief Kate.

„Richtig. Aber wen kümmert das?" schrie nun auch Carl. „Wen kümmert das, solange sie so verdammt gutes Geld bringen?"

Helga war weggegangen, niemand wußte genau, wohin. Sie hatte eine Taschenlampe und einen Schirm mitgenommen. Mum meinte, man könnte ihr das nicht verbieten, sie sei über zwanzig und kein Kind mehr. Sicher habe sie in der Abendschule Freunde gefunden, kein Grund zur Sorge also, schloß Mum.

„Und wenn sie den Ärmelkanal überquert haben? Wohin kommen sie dann?" wollte Kate den Weg der Pferde weiter verfolgen.

„Dann geht's quer durch Europa, über die Berge, bis in italienische Schlachthäuser vielleicht. Und dann wird Salami aus ihnen gemacht", antwortete Carl und spielte wieder den Unbekümmerten.

Da griff Ann ein. Er sollte den Mund halten oder nach Hause gehen. „Du machst uns völlig verrückt", meinte sie.

„Aber es ist die Wirklichkeit", sagte Carl bitter, verließ die Küche und warf die Tür so wütend hinter sich zu, daß Tina heulend in ihr Zimmer hinaufrannte. Dieses war nun wirklich zuviel: erst das schreckliche Ende der Pferde und nun auch noch dieser Streit!

Zu Hause geriet Carl dann auch noch mit seiner Großmutter aneinander. Sie beklagte sich über die

Unordnung in seinem Zimmer, er beklagte sich über einen fehlenden Schrank. Gran hatte für ihn gekocht, und er wollte nichts essen.

Später ging Carl noch einmal nach Abraham sehen, der immer noch eine Decke übergeworfen hatte, sonst aber fast völlig wiederhergestellt war. Der Himmel war mit Sternen übersät, im Haus hatten die Carrs die Gardinen vorgezogen.

Ann hatte Carl gehört und kam heraus. Sie sagte ihm, daß sie ihn nicht hatte hinauswerfen wollen und daß es ihr leid täte und daß es wohl einfach nur die Erschöpfung gewesen sei. Carl war verlegen und wußte erst gar nicht, was er sagen sollte; er hing tatsächlich sehr an Ann. Nach einer kleinen Pause gestand er ihr dann ein, daß er auch sehr erregt gewesen sei.

Ann fand, daß sich unbedingt bald etwas ändern müßte. „Bist du sicher, daß die Tiere aus der Reitschule zu Fleisch und Wurst verarbeitet werden?" fragte sie Carl.

„Ganz sicher", antwortete er, „weil derselbe Mann sie alle ersteigert hat und der Fleischtransporter schon bereitstand."

Ann meinte, da habe er vermutlich recht. Eine Schande sei es, weil die meisten von ihnen einmal prächtige Tiere gewesen waren, als die Wards sie kauften. Sie fand aber auch, daß Carl nun dieses Kapitel abschließen und sein Leben weiterleben müßte. Auch über Tina hätte Ann gern mit Carl gesprochen, hielt dafür aber den Zeitpunkt nicht für passend. „Wenn du mal Tierarzt bist, kannst du dir nicht leisten, dir alles so zu Herzen zu nehmen", sagte sie statt dessen. „Dafür gibt es zu viele ‚Hätte-ich-nur' und ‚Wäre-ich-früher-gekommen' in unserem Beruf."

Wie Carl da in dem sternenhellen Hof stand, wurde er sich wieder einmal über etwas klar, was ihm tief in seinem Innern eigentlich schon längst zur Gewißheit geworden war: daß Ann und Alan für ihn wie Vater und Mutter waren. Seit er denken konnte, hatten sie seine Freuden und seinen Kummer geteilt, mit ihm Weihnachten und Geburtstag gefeiert. Ein übermächtiges Gefühl der Dankbarkeit trieb ihn dazu, zu sagen: „Du brauchst dich nicht dafür zu entschuldigen, daß du mir ein Mal den Mund verboten hast, Ann! Das ist nichts im Vergleich zu dem, was du all die Jahre für mich getan hast. Ohne dich und Alan wäre mein Leben schrecklich gewesen. Und so langweilig. Womit hätte ich mich beschäftigen sollen?"

„Mit Fußballspielen oder Querfeldeinrennen. Du hättest schon etwas gefunden, Carl", sagte sie. Bevor er ging, nahm sie ihn kurz in den Arm und rief ihm dann hinterher: „Wiedersehn! Bis morgen!"

Als er nach Hause kam, wurde er freudig von Airy begrüßt, der ihn jaulend umkreiste und seine Hände ableckte.

Sie träumten fast alle schlecht in dieser Nacht. Tina träumte, daß Carl mit Sandra ausging. Sie kaufte sich Make-up und verkleisterte sich damit ihr Gesicht. Sie ließ sich die Haare abschneiden und eine Dauerwelle machen. Aber nichts half: Carl liebte sie einfach nicht mehr.

Carl träumte, daß die Königin von England ihn gebeten hatte, ihr Hof-Tierarzt zu werden. „Aber das kann ich nicht! Dazu weiß ich noch zuwenig!" hatte er geantwortet. Aber die Königin stand in dem kleinen Vorderzimmer seiner Großmutter, rückte ihre Brille zurecht und sagte: „Keine Sorge, bald wirst du mir ganz allein gehören, alles braucht seine Zeit."

Ann schrie im Schlaf auf: „Ich kann nichts dafür!" Aber am nächsten Morgen konnte sie sich an nichts mehr erinnern. Alan schlief traumlos, aber dafür hatte Kate einen endlosen Alptraum: Sie mußte mit den Pferden von der Reitschule quer durch Europa reisen, auf einem offenen Viehtransporter. Vergebens lehnte sie sich aus dem Transporter und schrie um Hilfe. Niemand hörte sie, und wenn doch, kümmerten sie sich nicht darum. Da drehte sich plötzlich das schwarze Pferd zu ihr um und sagte ganz deutlich: „Du wirst zur Hölle fahren, ihr alle!" Da wurde sie endlich wach und hörte Glockenläuten und wußte, daß Sonntag war. Aber den Traum vermochte sie nicht abzuschütteln. Er klebte an ihr, bis der Gestank im Transporter, den sie noch in der Nase zu haben glaubte, und das schreckliche Gefühl, eingesperrt zu sein, sie nach unten in die Küche trieben, wo Mum gerade die Katzen fütterte.

„Helga ist erst um Mitternacht nach Hause gekommen. Ich habe auf sie gewartet", erzählte Mum.

„Carl und Tina gehen zusammen", verkündete Kate unvermittelt, weil sie dachte, Mum müßte das wissen.

„Ich weiß, und ich finde es albern, weil sie viel zu jung sind", antwortete Mum. Und Kate fühlte sich so vertraut mit ihrer Mutter, wie es seit Monaten nicht vorgekommen war.

„Gestern war ein schrecklicher Tag, nicht wahr? Aber in der Schule werde ich jetzt besser", sagte sie.

Dad kam kurz herein, verschwand aber sofort wieder, um in der Praxis die Arzneivorräte zu prüfen.

Bis zu diesem Moment war noch nichts passiert, was diesen Tag irgendwie zu einem besonderen gemacht hätte. Kate wußte, daß sie die bedrückenden Erlebnisse des Vortages erst mit der Zeit würde vergessen können – wie lange das dauern würde, war schwer zu sagen. Sie fütterte Abraham und Sheppie und erzählte ihnen, wie gut es ihnen ginge, weil sie nicht ohne Futter und Wasser in einem Viehtransporter quer durch Europa reisen müßten. Ihre Tränen tropften ins Futter, aber das schien den beiden nichts auszumachen.

Als Tina auftauchte, erzählte auch sie etwas von einem Alptraum, aber Genaueres wollte sie nicht preisgeben. Kate sah ihr an, daß sie geweint hatte. Tina setzte sich auf einen Stuhl und knuddelte Becky.

„Ich habe alle Tiere gefüttert, aber noch nicht ausgemistet. Vielleicht könnte mir später einmal jemand von euch beim Reiten zuschauen und mir sagen, wie ich vorankomme", sagte Kate.

In diesem Moment kam Dad hereingerannt und rief: „Ich habe gute Nachrichten! Setzt euch alle mal hin!" Mit seinen ungekämmten Haaren und den vor Erregung glänzenden Augen sah er um Jahre verjüngt aus.

„Ich sitze doch schon", bemerkte Kate unfreundlich, weil sie dachte, daß jetzt doch nur wieder einer dieser Scherze kam, über die sie nicht lachen konnte.

„Helga muß es unbedingt auch hören, wer holt sie?" fragte Dad.

„Und Carl?" fragte Mum.

„Dem kann Tina es erzählen", sagte Dad.

„Hast du im Fußballtoto gewonnen oder was?" wollte Tina wissen.

Aber Alan war viel zu beschäftigt, um sich um Fußballwetten zu kümmern. Er war überhaupt keine Spielernatur. Mum war Helga wecken gegangen, die im Bademantel hereinkam und sich die Augen rieb.

„Ich bekam vorhin einen Telefonanruf, von einer Mrs. Weatherby", verkündete Alan Carr und sah sie der Reihe nach an, als erwarte er eine Beifallskundgebung.

„Sehr lustig", giftete Kate ihn an. „Sind die Pferde schon auf dem Transport nach Europa eingegangen? Ist das die Erlösung für sie?"

Dad bat sie, besser zuzuhören, weil er von einer guten Nachricht gesprochen habe, nicht von einer schlechten. Dann erzählte er, daß keines der Tiere irgendwohin unterwegs sei, sondern daß sie einen schönen Platz gefunden hätten. „Mrs. Weatherby unterhält ein paar Reitplätze mit Sportanlagen und Schwimmbad und einer Reithalle", berichtete er lächelnd. „Mr. Weatherby ist ein steinreicher Mann", fuhr er fort, „und seine Frau wünscht, daß wir gleich am Montag morgen kommen, eure Mutter und ich, um die Pferde dort zu untersuchen. Sie möchte auch, daß wir regelmäßig Kurse in artgerechter Tierhaltung veranstalten. Und es hört sich an, als ob sie das alles durchaus ernst meinen."

„Du nimmst uns doch nicht auf den Arm, oder?" fragte Kate, nur um sicherzugehen, daß es wirklich stimmte und nicht nur Zukunftsmusik oder sogar nur ein übler Scherz war.

Dad schüttelte den Kopf, und Tina schrie: „Ich kann's nicht glauben! Das muß ich sofort Carl erzählen! Der wird sich unheimlich freuen!"

„Und ich sag es Helen und Joseph", rief Kate.

Während sie ihre Mäntel und Schals und Handschuhe und Stiefel zusammenklaubten, erzählte Dad ihnen noch, daß Mrs. Weatherby, die Lesley genannt werden wollte, die Ponys erst in der Reitschule einsetzen wollte, wenn sie wieder ganz fit wären. Sie hätte ihn auch nach einem guten Hufschmied gefragt und nach einem Futterlieferanten, und ihm berichtet, daß sie in den Zeitungen von dem Gerichtsurteil gelesen hätte. Sie schien überhaupt alles zu wissen, was in letzter Zeit geschehen war, und wollte auch, daß die jungen Helfer der Wards jetzt zu ihnen kämen.

Helga ging wieder ins Bett und sagte, sie sei sehr,

sehr glücklich. Mum schlug vor, zum Mittagessen auszugehen und diesen Tag zu feiern.

Kate rannte zum Postamt. Sie bollerte wie wild gegen die Tür, während Libby auf der anderen Seite
ebenso wild bellte. Endlich machte Helens Vater ein
Fenster auf. „Was ist denn los?" rief er. „Sonntag ist
der einzige Tag, an dem wir mal ausschlafen können,
und du hämmerst an unsere Tür wie eine Verrückte.
Wegen dir hat es schon genügend Ärger gegeben, Kate
Carr! Helen hat so lange geheult, bis sie ihr ganzes
Essen wieder ausgespuckt hat, und jetzt ißt sie überhaupt nichts mehr. Ihre Mutter macht sich schreckliche
Sorgen, und ich auch."

Da erschien endlich eine bleiche, zerzauste Helen an
der Tür. „Ich nehme an, sie haben nun auch im Fernsehen was über den Pferdetransport gebracht?" fragte sie
trostlos. „Sei nicht böse, Kate, aber ich will's gar nicht
wissen."

„Es gibt überhaupt keinen Pferdetransport!" sagte
Kate und wiederholte fast wörtlich, was ihr Vater gesagt hatte, wobei sie die ganze Zeit vor Aufregung wie
ein Gummiball herumhüpfte. „Es wird also alles wieder gut", schloß sie. „Wirklich alles!"

Jetzt brach Helen zur Abwechslung in Freudentränen aus. „Ich hatte eine scheußliche Nacht", schniefte
sie.

„Ich auch", sagte Kate. „Aber jetzt ist alles vorbei.
Ich erzähle es jetzt Joseph und Diane. Sagst du es den
anderen?"

Helen nickte und versprach, später Caroline und
Sally anzurufen. Aber erst einmal mußte sie die Neuig-

keit verdauen, die so unglaublich schön war, daß sie sich vor Freude ganz schwach fühlte.

Als nächstes platzte Kate bei Joseph herein. Er war gerade dabei, in zerrissenen Hosen und Karohemd den Garten umzugraben. Sie mußte ihn dreimal rufen, bevor er hochblickte. „Joseph! Ich habe gute Neuigkeiten! Sehr gute!"

„Was denn? Ist dein Vater vielleicht zum Ritter geschlagen worden? Oder hat Sheppie sich in ein Dressurpferd verwandelt?" höhnte er und warf ihr einen müden Blick zu.

„Ich brauch's dir ja nicht zu erzählen", schmollte Kate.

„Also, was ist passiert?" Joseph war neugierig geworden.

Sie erzählte auch ihm fast wörtlich, was sie von ihrem Dad erfahren hatten, und beobachtete, wie sein Gesicht sich dabei entspannte. „Bist du sicher, daß du das richtig verstanden hast?" fragte er, als Kate schließlich Luft holte.

„Ja! Und Mrs. Weatherby will euch auch alle wieder als Helfer haben, das hat sie ausdrücklich gesagt. Und mein Vater sagt, sie hätten genügend Geld, so daß die Tiere nie mehr hungern müssen. Ist das nicht wie ein Wunder?"

„Sie will *uns* wieder haben?" fragte Joseph ganz und gar ungläubig.

„Richtig!"

Jetzt mußte Kate noch Diane informieren. Gerade läuteten wieder die Kirchenglocken. Auf dem Kiesweg, der zur Eingangstür von Dianes Haus führte, war kein

Hälmchen Unkraut zu entdecken. Seitlich im Garten lag ein Schwimmbecken, das mit einer Plane zugedeckt war. Hinter den vielen Fenstern waren die Gardinen zugezogen. Als Kate auf die Klingel drückte, ertönte ein Gong. Durch ein Fenster im Erdgeschoß beobachtete sie ein riesiger Hund, der knurrend seine Lefzen hochzog. An der Vorderfront des Hauses war eine Alarmanlage angebracht. Vor der Garage standen zwei blitzsaubere Limousinen.

Von drinnen hörte Kate, wie an einer Kette und an drei Schlössern herumgefummelt wurde. Diane persönlich kam heraus und hielt mit einer Hand ihre Dänische Dogge zurück. „Ach, du bist's", sagte sie lahm. „Meine Eltern werden wenig begeistert sein. Sie waren gestern bis spät auf einer Party und wollen sicher nicht gestört werden."

Kate erzählte Diane die gute Neuigkeit. Da riß Diane die Tür weit auf und meinte, daß Kate sich um ihre Eltern nicht kümmern sollte. „Komm rein, ich mach uns Kaffee! Komm doch bitte! Jetzt sind wir wieder Freundinnen, ja?" Dann lief sie Kate voraus in die Küche, riß ein paar Schränke auf und sagte: „Bitte schön, hier findest du jedes Frühstück, nach dem dir zumute ist, du brauchst es nur zu verlangen!"

Tina eilte zu Carl, um es ihm zu erzählen. Carl starrte Tina nur an, und als sie fertig war, seufzte er tief. „Also können wir jetzt wirklich aufatmen! Die Sache ist endgültig ausgestanden – was für eine Erleichterung!"

Airy saß auf dem Sofa im Wohnzimmer. Eigentlich durfte er das nicht, aber Gran war in der Kirche, so daß

Carl schon mal eine Ausnahme machen konnte. Auf einem angeschlagenen Kaminsims tickte eine alte Uhr vor sich hin.

„Zu Alans Kursen über Tierhaltung werde ich auch gehen", sagte Carl. „Mein Gott, ist das schön! Ich wünschte, ich wäre mit Gran in der Kirche, damit ich jemand danken könnte!"

„Wir dürfen den Squashplatz und das Schwimmbad mitbenutzen", fuhr Tina fort, ohne auf Carls Scherz einzugehen.

„Falls wir uns das zeitlich leisten können", erwiderte Carl lachend.

Tina kam dann auf das Mittagessen zu sprechen: „Zur Feier des Tages lädt Dad uns alle ein!"

„Danke. Ich weiß nicht warum, aber ich habe das Gefühl, auf Wolken zu gehen", freute sich Carl.

„Ich auch", bestätigte Tina, und beide wußten, daß es nicht nur wegen der Erleichterung über die Zukunft der Pferde war. Da war noch etwas anderes, was dieses seltsame Gefühl verursachte, wenn sie einander in die Augen sahen.

Um halb eins waren sie alle ausgehfertig. Da Dad nicht wollte, daß sie sich groß umzogen, sahen sie ganz alltäglich aus, mit Ausnahme von Ivor, den sie mit eingeladen hatten. Er erschien in einer alten Smokingjacke aus Samt und einem ebenso antiquierten Seidenschal, den er in ein Paisley-Hemd gestopft hatte. Seine geliebte Pfeife schaute aus der Hosentasche.

„Alan, du läßt doch hoffentlich diesen verflixten Piepser zu Hause?" fragte Ann, als sie loszogen.

Aber Dad meinte, er sei immer noch Tierarzt. Und auch wenn Tina und Kate groß wären und Carl seine eigene Praxis hätte, würde sich daran nichts ändern.

„Das heißt also: einmal Tierarzt, immer Tierarzt", meinte Carl lachend. Und Alan nickte zustimmend, während Ann Kate fragte, ob sie Sarah die gute Nachricht gebracht hätte. Kate erzählte, daß Sarah eine neue Freundin hätte und sich nicht mehr dafür interessierte. „Es macht mir nichts aus, weil jetzt Helen wieder meine beste Freundin ist", meinte sie.

Helga flachste mit einem Kellner herum, von dem sich herausstellte, daß er auch aus Deutschland stammte. Kate bestellte sich eine Gemüselasagne. Als der Dessertwagen anrollte, ging Dads Piepser und erschreckte die Kellnerin so, daß sie eine Schale mit Trüffelcreme fallen ließ. Dad warf seine Serviette hin und lief zum nächsten Telefon. Da haben wir's wieder! dachte Tina, während die Kellnerin mit einem Löffel die Creme vom Teppich kratzte und Mum sich tausendmal entschuldigte.

„Da hat sich eine Katze in einem Baum verstiegen und sich verletzt", berichtete Alan, als er an den Tisch zurückkam.

„Ich dachte, Simon macht Dienst", protestierte Ann.

„Er ist schon gerufen worden, aber die Situation ist ziemlich heikel", antwortete Alan.

„Aber du kannst nach deinem Unfall nicht mehr auf Bäume klettern", wandte Mum lachend ein.

„Versuchen kann ich's doch!" rief Alan und bahnte sich schon seinen Weg zwischen Stühlen und Gästen zum Ausgang.

„*Ich* werde hochklettern!" rief Carl, in den plötzlich Leben kam. Er sprang auf, stieß seinen Stuhl zurück und lief hinterher. „Warte!"

„Möchten die Herren noch Nachtisch, oder kommen sie nicht wieder?" fragte die Kellnerin höflich.

„Sie sind Tierärzte, wenn Sie verstehen, was das heißt", antwortete Ann lachend. „Und zurück kommen sie nicht, heute jedenfalls nicht mehr."

„Das ist typisch! Seit Ewigkeiten gehen wir zum ersten Mal wieder aus, und dann passiert das!" beklagte sich Tina, aber sie lachte dabei.

„Dafür bekommt ihr die doppelte Portion Trüffelcreme", tröstete Ann ihre Töchter.

Zwei Meilen entfernt saß Carl in der Krone einer Kiefer, während Alan ihm von unten Anweisungen erteilte. Behutsam hob Carl die verletzte schwarze Katze in den Korb, den er über der Schulter trug. Unten stand eine kleine Menschenmenge beisammen und beobachtete neugierig jede seiner Bewegungen.

Als er sich vorsichtig den Stamm heruntergleiten ließ, wurde er mit Beifall empfangen. Wichtiger waren ihm aber Alans Worte von vorhin. Während der ganzen Aktion klangen sie ihm in den Ohren: „... wenn Carl seine eigene Praxis hat!"

Auf einmal schien alles möglich, ja sogar wahrscheinlich. Alan glaubt tatsächlich an mich! dachte Carl. Und während er Alan die Katze überreichte, sah er sich im Geiste die Tür seiner eigenen Praxis aufschließen, sah sich meilenweit fahren, um Kälbern auf die Welt zu helfen und kranke Pferde zu retten.

Dies alles würde eines Tages Wirklichkeit werden, denn Alan hätte diese Worte niemals in den Mund genommen, wenn er nicht daran glaubte.

Dann wäre Carl eines Tages das, wovon er so oft träumte: „Facharzt für Tiermedizin!" Einen schöneren Beruf konnte es für ihn nicht geben!